여름날의 수다

발 행 | 2023년 10월 4일
저 자 | 소소, 심은혜, 유승주, 유주현, 은희, 전영신

편 집 | 유주현, 은희
디자인 | 심은혜, 유승주

펴낸곳 | 동네문학
펴낸이 | 차영민
브랜드 | 제라진 스토리
출판사등록 | 2023.06.01(제2023-38호)
이메일 | cym8930@nate.com

ISBN | 979-11-983462-4-7

여름날의 수다

소소, 심은혜, 유승주
유주현, 은희, 전영신

제라진 스토리

차례

서문

23년 3월, 따사로운 봄 햇살과 함께 제주의 한 강의실에 모이는 이들이 있었습니다.

바로 소설가를 꿈꾸는 사람들이었는데요.

기쁘게도 5월에 '봄날의 수다'라는 단편소설집을 공저로 출판하게 되었습니다. 초기의 목적 달성은 했지만, 소설에 대한 열망은 끝나지 않았어요. 특히 열망이 강했던 여섯 명이 '제라진 스토리'란 이름으로 의기투합하여 뭉치게 되었고요.

그렇게 우리의 여름은 글쓰기로 시작해서 글쓰기로 끝이 났습니다.

수국과 철쭉이 흐드러지게 제주의 어딘가를 채우고 있을 때 우리는 흰 종이를 채워나가고 있었어요. 집에서, 카페에서, 독서실에서 노트북을 펴고 글을 써 내려갔습니다. 그렇게 써 내려간 글을 들고 일주일에 한 번씩 모여 의견을 주고받았어요. 서로의 작품 속에 보이는 장점, 조금 아쉬운 부분까지도 예리하게 찾아

내 주었습니다. 우리 '제라진 스토리' 작가들은 조금씩 성장하는 여름을 보냈습니다.

올해 여름은 유독 더웠다고 하죠?

하지만 우리들의 여름은 뜨거운 날씨보다 더 뜨거웠던 열정으로 기억될 것 같아요. 사람인지라 여름을 지내는 동안 개인적인 일이 생기기도 하고, 몸이 아프기도 했습니다.

그러나 우리 모두의 이야기를 만들어나가며 성장하는 여름은 행복했습니다. 우리가 느꼈던 행복한 마음이 '여름날의 수다'를 통해 고스란히 전달되기를 바랍니다.

한 작품, 한 작품 소중히 읽어주시는 모든 독자분께 우리의 찬란했던 2023년의 여름을 선사합니다.

그리고 감사합니다.

우리의 여름은 여느 해보다 뜨거웠고, 그 열기는 쉽게 사라지지 않을 것 같습니다.

아직 끝나지 않은 여름의 열정을 발판 삼아 가을을 맞이할 준비를 하려고 합니다.

대신 고백해 드립니다

유주현

유주현

제주도에 거주하는 제라진 모임 작가.
　누군가 "너 뭐해?"라고 물으면 "나 글쓰는 중."이라고
자연스럽게 대꾸하길 희망하는 초보 작가입니다.

으, 허리 쑤셔 죽겠다. 오늘은 또 몇 테이블이나 받았지?

테이블을 닦느라 구부렸던 허리를 간신히 폈다. 시계를 보니 벌써 새벽 1시다. 주변이 조용한 걸 보니 축제 구경 온 사람들이 거의 빠진 모양이다.

좋아. 주점이 2시에 끝나니까 이따 이경 오빠한테 기숙사까지 데려다 달라고 해야겠다. 내가 말하기도 전에 센스 있게 먼저 좀 말해 주지. 백날천날 나만 속 타지 또.

기름진 손을 재빨리 앞치마에 닦고 바지 주머니 속 핸드폰을 꺼냈다. '아영아, 힘들지? 식사할 거 따로 빼놨어. 와서 먹고 가'라는 카톡을 끝으로 아무런 연락이 없었다. 어휴. 톡 기다리다가 다음날 되겠다.

'오빠 저희 2시에 주점 마감하면 뒷정리해야 해서 거의 3시쯤 가겠죠?'

결국 못 참고 카톡을 보낸 지 1분도 안 돼서 오빠에게서 답장이 왔다. 답장은 정말 빠르네.

'ㅇㅇ 그렇겠지?'

와, 진짜 이 오빠 어떡하지? 아니 이걸로 끝? 진짜? 하….

'아, 어제 기숙사 가는 길에 술 취해서 돌아다니는 사람 많던데 걱정이네요ㅠㅠ'

이젠 좀 알아먹어라. 숨을 한 번 거세게 몰아 쉬고 핸드폰을 노려보자 드디어 원하는 답을 얻을 수 있었다.

'끝나고 같이 가자. 아영아. 기숙사까지 데려다줄게.'

그래 그래. 이 말 안 나왔으면 썸이고 뭐고 다 엎었다. 진짜. 아니 이 오빠 왜 이렇게 눈치가 없는 거야?

신입생 환영회 때 빨간색 니트 조끼에 청바지를 입은 오빠의 모습이 떠오른다. 누구의 눈치도 보지 않는 당당함이 느껴지는 옷차림이었다. 학교에서 오빠는 조용히 수업만 듣는 사람으로 불렸다. 영어교육과라는 과 특성상 팀플이 많아도 오빠는 우리들과 사적인 대화를 나누지 않았고 동기들도 자기와 3살 차이 나는 오빠를 어색해했다.

그런데 이런 오빠와 언제 이렇게 일상 대화를 아무렇지도 않게 나누게 되었는지 정말 다시 생각해도 놀랍다.

2달 전부터 이경 오빠와 교육 봉사를 같은 곳에서 하게 되었다. 청소년들에게 멘토가 되어 주는 봉사였는데 처음에는 오빠가 학교에서처럼 무뚝뚝하게 아이들을 대할 거라고 예상했다. 그러나 오빠는 이런 내 예상을 비웃듯 학생 한 명 한 명 다정히 다가갔다.

취약계층 가정에 속해서 학교장 추천으로 수업을 듣는 준호도 그중 한 명이었다. 준호는 놀지도 못하고 반강제로 수업을 듣는 상황이 마음에 안 들었는지 종종 수업을 방해하고 툴툴대곤 했었다. 이런 모습 때문에 준호의 멘토가 안 된 게 다행이라고 생각한 적도 있었다.

멘토링 수업도 익숙해져 가던 3월 중순 때쯤 준호는 그날따라 유난히 신경질을 부리면서 수업을 방해했다.

"쌤, 너무 졸려요. 그냥 오늘은 수업 안 하면 안 돼요?"
"우리 매일 보는 것도 아니고 일주일에 딱 두 번 보는 건데 쌤이 준비한 수업 듣고 좀 쉬자."
좋게 타일러서 수업을 진행했지만 준호가 나를 무시하는 것만 같아서 기분이 좋지 않았다. 내 수업이 재미없고 졸리다고 대놓고 지적하는 건가? 다른 친구들도 준호를 보고 똑같이 무시하고 수업 안 듣겠다고 하면 어떡하지? 속에서 별별 생각이 다 드는 동안 일대일 멘토링 시간이 되었다. 앉아 있는 책상 너머로 준호와 이경 오빠가 보였다.

"준호야, 생일 축하한다. 이거 생일 선물."
"어? 쌤, 저 생일인 건 어떻게 아셨어요?"
"짜식, 다 아는 수가 있어."
"쌤, 쌤. 제 카톡 보셨죠? 그거 카톡 오늘 생일로 떠서 안 거죠? 맞죠?"
불만을 얼굴에 가득 담아 찌그러진 주전자처럼 보였던 표정이 밝은 표정으로 바뀌어 있었다. 그 마법 같은 변화에 벙쪄서 바라봤을 때 이경 오빠가 준호의 눈을 바라보면서 나직이 말하는 것이 들렸다.

"오늘 수업 열심히 듣고 이따가 놀아야지."
"……."
순간 얼굴빛이 어두워진 준호는 고개를 숙이고 책상을 물끄러미 쳐다보았다.

"선생님도 아는 생일인데, 저희 엄마, 아빠는 오늘이 제 생일인 것도 몰라요. 안다고 해도 어차피 두 분 다 밤까지 일하셔서 집에 가봤자 기다리는 사람도 없어요."

준호가 기운 없는 목소리로 힘겹게 이야기를 꺼내자 이경 오빠가 준호의 어깨를 가만히 감싸주는 것이 보였다.

"준호야, 쌤이 비밀 하나 말해 줄까? 쌤은 고등학생 되기 전까지 한 번도 놀이공원에 가 본 적이 없다? 부모님 두 분 다 일하셔서 엄청 바쁘셨거든. 준호는 놀이공원에 가 본 적 있니?"

"네, 어렸을 때 가봤어요."

"그래? 그럼 그때 생각하면 부모님께서 준호 생일을 일부러 안 챙기시는 걸까?"

"…아니죠."

"마음으론 안다고 해도 많이 서운하지? 쌤 생일 때 부모님이 너무 바쁘신 나머지 잊고 지나가신 적이 몇 번 있었는데, 그때마다 참 마음이 아프더라."

"그럼 쌤은 그럴 때 어떻게 했어요?"

"그럴 때 쌤은 솔직히 부모님 얼굴도 보기 싫었지만 그래도 힘들게 일하고 돌아오신 부모님을 꼭 안아드렸어. 물론 내 생일도 까먹은 거냐고 투정도 부리면서."

"윽, 저는 그렇게 못할 거 같은데요."

이경의 말이 끝나자마자 준호가 뒤로 움찔 물러서며 고개를 좌우로 빠르게 흔들었다.

"하하. 아니 꼭 그렇게 하라는 게 아니고, 서운한 티를 왕창 내더라도 사랑한다는 메시지를 까먹지 말라는 거지. 지금 준호가 서운한 이유도 가족을 사랑해서잖아. 그럼 그런 마음을 솔직하게 전해야 가족 간에 오해가 안 생기거든."

"그래서 그렇게 했더니 부모님이 뭐래요?"

"엄청 미안해 하셨지. 그리고 내가 갖고 싶어 했던 게임기도 사주셨어. 몇 개월을 졸랐지만 안 사주시던 거였는데, 운이 좋았나? 하하."

장난스럽게 말을 끝맺은 이경 오빠가 준호를 잘 타일러서 수업을 이어 나갔다.

　그 순간 무뚝뚝하고 기계 같은 사람이라고 생각했던 오빠에 대한 선입견이 와르르 무너졌다.

　이경 오빠에게 이런 모습이 있었나? 나는 준호가 그냥 수업 듣기 싫어서 훼방만 놓는다고 생각했는데, 오빠는 속상한 준호 마음을 알았구나. 진짜 대단하다.

　멘토링 수업이 끝나는 9시가 되자 아이들은 우르르 교실 밖으로 빠져나갔다. 나는 재빨리 가방을 챙겨서 수업 자료를 정리하고 있는 이경 오빠에게 다가갔다.

　"오빠. 버스 타시죠? 버스정류장까지 저랑 같이 가실래요?"

　그동안 말을 잘 건네지 않았던 내가 말을 꺼내자 오빠는 살짝 당황한 듯 보였다.

　"어? 나야 괜찮은데. 혹시 무슨 일 있어?"

　"아뇨. 멘토링 관련해서 말씀드릴 게 있어서요."

　"아, 그럼 잠시만. 금방 정리할게."

　오빠는 서둘러 정리를 마쳤고 함께 수련관 밖으로 나왔다. 버스정류장을 향해 걸어가는 동안 오빠에게 어떻게 말을 꺼내야 할지 망설였다.

　뭐라고 말을 꺼내지? 준호랑 이야기한 거 들었다고 바로 말할까? 아니 사실 좀 그렇긴 해. 한 번도 오빠랑 개인적으로 이야기해본 적 없는데. 에잇, 그냥 지르자 질러. 그래도 할 말 있다고 불렀는데 바보처럼 아무 말도 안 꺼내는 건 아니지.

　"저기 오빠, 저 아까 멘토링 수업 때 오빠랑 준호가 이야기한 거 들었어요. 오늘 준호가 제 수업에 불만을 터뜨리는 거 보고 신경이 쓰였거든요. 오빠는 어떻게 준호가 생일 문제로 수업 들을 의욕이 없었는지 아신 거예요?"

"생일인데 얼굴이 밝아 보이지 않아서 조금 걱정했거든. 혹시 무슨 일 있나 싶어서 멘토링 수업 때 물어보려고 했어."

"전 준호에게 그런 일이 있는 줄도 모르고 반항한다고만 생각했어요."

"나도 그런 적이 있어서 준호가 왜 그런 행동을 했을지 조금은 짐작이 갔거든. 아까 이야기 다 들었다고 했지? 준호에게 내가 먼저 부모님을 안아드렸다고 했지만 사실은 부모님 얼굴을 보면 더 서러울까 봐 방에서 안 나갔어. 솔직하게 서운하다고 투정 부리면 다신 나를 안 찾을까 봐 무서웠지. 그런데 지나고 보니 그때 조금 용기를 냈더라면 어땠을까 후회가 되더라고. 그래서 그냥 준호는 이런 후회를 안 했으면 했어."

담담히 말을 끝낸 이경 오빠에게 어떤 위로의 말도 할 수 없었다. 오빠는 겉보기엔 무뚝뚝하고 무신경한 사람처럼 보이지만 사실 마음이 따뜻한 사람이구나. 어느새 도착한 버스정류장이 야속하게만 느껴졌다.

그 후에도 우리는 교육 봉사가 끝나면 버스정류장까지 같이 걸어갔다. 걸어가는 동안 학교 이야기를 하고, 각자의 영화 취향과 선호하는 음식 등을 나누기 시작했다.

연락처를 교환한 이후에는 하루 동안 즐거웠던 일, 속상했던 일을 가리지 않고 떠들어 댔다. 오늘 아침도 눈 뜨자마자 핸드폰을 확인하니 벌써 카톡이 와 있었다.

'아영아, 좋은 아침!'
'오빠도요ㅋㅋㅋ'
'이따 수업 끝나고 바로 수련관 갈 거니?'
'아마도요?'
'그럼 이따 수업 끝나고 같이 가자.^^'

'우와 저 임티 말고 ^^은 오랜만이에요ㅋㅋㅋ'
'놀리지마ㅠ.ㅠ 너랑 세 살 밖에 차이 안 나거든?'

킥킥. 나이에 예민하구나. 그럼 더 놀려야지.

'ㅠ.ㅠ는 뭐예요ㅋㅋㅋ 저 이거 초딩 때 인터넷 게시판에서 본 거 같은데요?'
'ㅋㅋㅋㅋ두고 봐 너는 안 쓰나 지켜 본다.-ㅅ-+'

매일 일어나서 카톡, 심심해도 카톡, 밥도 몇 번 같이 먹고 영화도 보니 어느새 5월 중순을 지나 학교 축제 날이 되었다. 오후 6시부터 새벽 1시까지 허리를 제대로 펼 여유도 없이 학과 주점에서 서빙을 했다. 이경 오빠도 주방에서 이리저리 돌아다니는 모습이 보였다. 2시에 문을 닫은 후 뒷정리를 하다 보니 거의 3시에 가까워졌다.
"아영아, 고생했어."
나랑 같이 서빙을 했던 차민재가 오른손을 펴고 하이파이브를 하듯이 앞으로 내밀었다.
차민재. 우리 과 최고의 아웃풋인 그는 큰 키에 패션센스까지 갖춰 많은 여자 동기생들이 관심을 갖는 동갑내기 친구다. 이런 잘난 놈이 요즘 계속 내 앞에 얼쩡거리면서 거슬리게 한다.
넌 네게 관심을 보이는 다른 친구들에게나 가라고. 귀찮게 하지 말고. 이경 오빠가 오해하면 안 되는데….

"어, 어. 너도 고생했어."
"아영, 아영. 기숙사 살지? 내가 데려다줄게."
"아니, 어차피 학교 안이니까 난 괜찮아. 너 먼저 가."
"학교 안이라도 늦어서 위험하다고."

자기가 지켜주겠다는 듯이 자신만만한 태도가 무척 거슬린다.

그때 이경 오빠가 빠른 걸음으로 내 쪽으로 다가오는 게 보였다.

"야야, 나 진짜 괜찮으니까 먼저 간다."

빠르게 할 말만 하고 민재를 지나쳐 오빠에게 손을 흔들었다. 오빠도 나에게 손을 흔들며 웃어 주었다.

"킥킥. 오빠 머리 완전 미역이다. 모자 쓰고 일하더니 모자 어디다 팔아먹었어요?"

"아, 많이 이상해? 기름 냄새가 심한 거 같아서 벗었는데….."

"뭐, 이상하진 않아요. 그냥 소가 머리 핥아준 거 같아요."

"뭐?"

이경 오빠는 내 말을 듣더니 손으로 급하게 머리를 뒤로 넘겼다. 하지만 수습이 잘 안되자 크로스백에서 캡모자를 꺼내 푹 눌러 썼다.

"됐어요. 난 오빠가 흰 양말에 샌들을 신지 않는 것만 해도 다행인 사람이라구요. 지금은 아주 양호해요. 그나저나 아까 위생장갑 찾던데 혹시 사이즈 안 맞았어요?"

"아, 응 조금 작길래 XL 사이즈 있나 해서 장 본 친구들에게 물어봤었어."

"아, 여자애들도 낄 거라 L 사이즈 산 거 같더라구요."

"그렇구나. XL 사이즈는 없어서 그냥 어찌어찌 껴서 했어."

"오빠 손이 그렇게 커요? 한 번 봐 봐요."

오른쪽으로 걸어가고 있던 오빠를 잠시 멈추게 하고 오빠 손을 잡았다. 손바닥을 마주 붙이고 서로의 손끝을 바라보니, 아이와 어른의 손을 보는 것 같았다. 오빠도 그걸 느낀 건지 작게 웃으며 나를 바라봤다.

"우리 손 크기 정말 많이 차이 난다."

"인터넷에서 설레는 키 차이, 손 크기 사진 있잖아요. 저희 손 크기도 거기 사진이랑 비슷한 거 같은데요? 오빠 키가 180cm 넘죠?"

"응 그럴걸?"

"그럼 저랑 대략 20cm 정도 차이 나네요."

오빠의 손을 잡고 눈을 바라보자 오빠는 내 눈을 피해 겹친 손을 내려다보았다. 당황해서 눈을 피하는 오빠가 정말 귀여웠다. 지금 조금만 더 몰아붙이면 오빠가 내게 고백할 것 같다.

"오빠 저 어떻게 생각해요?"

"그게 무슨 말이야?"

"아니 우리 매일 카톡하고 밥도 같이 먹고 영화도 보는데 무슨 사이냐구요."

"아영아…."

오빠는 입을 달싹거리며 할 말을 잃은 듯 보였다. 머뭇거리며 대답을 망설이는 모습에 잡고 있던 손을 탁 내려놓았다.

"뭐예요. 진짜 저한테 할 말이 없어요? 됐어요. 저 들어가 볼게요." 20m 앞 기숙사 간판이 보이자 당황한 이경 오빠를 두고 기숙사 안으로 들어갔다.

띠리릭.

현관문을 열고 책상 의자에 앉아 방금 전 일을 곱씹어 보았다. 오빠가 답을 피한 게 이해가 되지 않는다. 나 혼자 좋아한 건가? 그냥 나 혼자 착각하고 좋아했던 거라면 진짜 얼굴 들고 다닐 수 없는데…. 앞으로 학교에서 오빠 얼굴 어떻게 보지? 하, 봉사에서도 마주칠 텐데. 그냥 내게 고백할 때까지 기다릴 걸. 답답해서 오빠 마음을 확인하려다 내 마음만 들켰네. 이대로 우리 관계는 흐지부지 끝나는 걸까?

축제가 끝난 지 나흘이 지났다. 정신없었던 월요일이 지나가고 화요일이 됐지만 카톡에는 잘 들어갔냐는 형식적인 질문만 왔을 뿐이었다. 여전히 오빠의 속마음을 모르겠다.

"아영, 우리 지금 코노갈 건데 같이 갈래?"

수업이 끝난 후 민재가 놀러가자고 제안을 했지만 강의실 앞 문으로 나가는 이경 오빠의 모습을 보니 도저히 어울려 놀 기분이 들지 않았다.

"아, 미안. 나 과제 다 못 끝내서 그거 해야 돼."

친구들이 과제를 같이 하자고 했지만 다음에 같이 하자고 말하고 서둘러 강의실을 빠져나갔다.

그날 오후, 수업 교재를 챙기러 과방에 들렀는데 사물함 뒤쪽에서 소곤거리는 목소리가 들려 왔다.

"민재, 그 소문 진짤까?"

"뭐."

"이경이 형 부모님 두 분 다 우리 학교 교수라는 소문 말이야."

"부모님 두 분 다 교수인 건 모르겠는데, 저번에 상경대 건물 지나갈 때 형이랑 아버지처럼 보이시는 분이 얘기하는 건 봤어."

"대박, 대박. 근데 그분이 형 부모님인 건 어떻게 알아? 그냥 수업받고 같이 나오는 거일 수도 있잖아."

"야, 내가 다 찾아봤지. 상경대 김상훈 교수님이라고, 페북에 가족사진 종종 올리시던데."

"헐, 그럼 빼박이네. 이경이 형은 우리랑 3살 차이 나니까 그럼 3수 한 거야? 보통 멘탈이 아니셨네."

"야, 모르지. 뉴스 봐 봐. 이번에 국회의원 딸 부정 청탁해서 입학한 거 들었잖아."

"에이, 설마."

"그 형 조별 과제 때 적극적으로 하는 거 본 적 있냐? 없지? 근데 저번 시험 차석이라잖냐. 뭔가 구린 냄새가 난다고."

"하긴. 교수들끼리 서로 자식들 성적 봐주는 걸지도 모르겠네. 그 형이 차석이라는 게 말이 안 되긴 해."

저희들끼리 낄낄대며 이경 오빠 뒷담화하는 소리를 들으니 피가 거꾸로 솟는 기분이 들었다. 사물함을 나오며 뒷담화하는 둘을 노려보았다.

"야. 너희들이 뭔데 확인도 안 한 사실을 진짜인 것처럼 유언비어를 퍼뜨려."

"아니, 아영아. 그 형 아버지가 우리 학교 교수래. 솔직히 그 형 겪어봐서 알잖아. 우리 조별 수업이 대부분인데 중간고사 차석이라니 말도 안 되잖아."

"하, 기가 찬다. 진짜. 야, 우리 조별 수업이라고 해도 지필 평가가 60%야. 그리고 그 오빠가 팀에 비협조적이었던 적 있었어? 너희들 항상 오빠 나이 많다고 반장 감투 씌우고 뒤치다꺼리시킨 건 기억 안 나지?"

"허, 야, 뭐냐 조아영. 너 왜 그 형 편드는데?"

이경 오빠 편에 서서 그들의 잘못을 지적하자, 차민재가 발끈하며 따져 물었다.

"야, 너 대학생이나 됐으면 사람 그렇게 무시하고 왕따시키지 마. 유언비어 퍼뜨려서 사람 곤란하게 만들지 말라고."

더 이상 참을 수 없어서 매섭게 쏘아붙이자, 차민재는 당황해했다.

언성을 높이며 싸우다 보니 어느새 동기들이 우리 둘 사이를 중재하려고 나와 있는 것이 보였다. 차민재 얼굴을 더 이상 보기 싫어서 싸움을 말리는 동기들을 뒤로하고 과방을 나왔다.

이경 오빠가 소문 듣고 상처받으면 어떡하지? 차석을 부모님 덕에 했다는 소문을 들으면….

'오빠, 저 할 말 있어요.'

있는 용기, 없는 용기 끌어다가 간신히 문장을 완성시켰다. 그러나

10분…

2시간…

하루…

오빠에게서 아무런 답장도 오지 않았다.

아, 분명 소문을 들은 거겠지?

'오빠, 혹시 소문 듣고 저 피하는 거면 저는 그런 소문 안 믿어요.'

'저는 제가 본 오빠의 모습을 믿어요.'

그러니까, 그러니까…. 그러니까 뭐. 그다음에는 뭐라고 쓸 건데? 연락 기다린다고? 우리가 무슨 사이라도 되나? 고백도 못 받고, 답장도 없고 이대로 오빠가 답장을 안 주면 끝나는데 나만 매달리고 있잖아. 오빠의 마음을 조금이라도 알 수 있으면 좋을 텐데.

핸드폰 카톡을 뒤적거리니 과 단톡방에 '성공률 90% 어느 유튜버의 미친 수작질'이란 영상이 올라와 있었다. 벌써 동기들 반 이상이 영상을 봤는지 유튜버가 누구인지 추측하는 내용으로 가득했다. 호기심에 영상을 틀어 보니 목소리를 변조하고 말 가면을 쓴 유튜버가 자신을 설명하고 있었다.

"안녕하세요, 여러분. 유튜버 노노입니당. 오늘은 저의 주특기, '대신 고백해 드립니다'를 진행할 예정입니다. 저 진짜 촉 좋은 거 아시죠? 정신없이 바로 고백 갈겨서 이번 고백도 성공시키도록 하겠습니다. 사연은 미리 신청을 받았는데요, 그럼 사연 먼저 읽어 드리겠습니당."

그 말을 끝으로 유튜버는 사연을 신청한 사람의 카톡으로 들어가 고백 대상에게 수작을 부려댔다. 유치하지만 확실하게 고백을 해치우는 것을 보니 댓글에서처럼 미친 고백 성공률을 자랑하는 듯했다.

　해결 방법이 안 보일 때 이런 영상을 봐서일까, 지푸라기라도 잡는 심정으로 유튜버 고백 신청 페이지에 사연을 적어 보냈다.

　다음 날, 점심을 먹고 오후 수업을 들어가려는데 모르는 번호로 문자가 와 있었다.

　'안녕하세요. 유튜버 노노입니다. 신청해 주신 사연이 접수되어 연락드렸습니다.'

　'네 안녕하세요.'

　답장을 보내자마자 바로 다음 문자가 전해졌다.

　'혹시 사연 신청하신 분 본인이 맞으시나요?'

　'네 맞습니다.'

　'사연이 채택되셔서 오늘 밤 9시에 생방송으로 진행할 예정입니다. 혹시 괜찮으신가요?'

　'아 괜찮아요. 혹시 신청한 사람 신원이 노출되기도 하나요?'

　'카톡 아이디나 상대측 이름을 별명으로 바꾸고 진행하니까요, 그건 걱정 안 하셔도 됩니다. 혹시 고백은 어떤 식으로 하고 싶으신가요?'

　구체적으로 고백할 내용을 적어달라는 문자에 강의실로 향하던 몸이 멈췄다.

　고백… 사실 고백을 이런 상황에서 내가 먼저 하는 건 솔직히 자존심이 상한다. 저번 축제 때 대답을 피한 건 오빠니까 차라리 이번 기회에 오빠의 마음을 꼭 들어보고 싶다. 왜 연락을 안 하는지, 내게 마음이 분명히 있는 건지.

'저 그럼 제가 오빠 좋아한다는 고백 말고 오빠가 저를 좋아한다면 고백할 수 있게 유도해 주실 수 있나요?'

'오오, 신박한데요? 역고백 콘텐츠는 처음이네요. 그럼 9시 전까지 그분 즐겨찾기해 주시고 카톡 아이디랑 비밀번호 문자로 알려주시면 됩니다~'

짧게 유튜버랑 문자를 주고 받은 뒤 강의실에 들어갔다. 수업에 집중하려 했지만 오늘 밤에 있을 일 때문인지 아무것도 눈에 들어오지 않았다.

이게 맞는 걸까? 내가 오빠를 속인 걸 들키면 어떡하지? 오빠가 유튜버 카톡도 씹으면 더 이상 오빠랑 연락할 구실도 없는데 그만 두는 게 나을까? 수도 없이 고민했지만 이 방법이 마지막 희망인 것처럼 느껴져서 그만둘 수 없었다.

저녁을 대충 먹고 책상에 앉아 시계를 보니 벌써 8시였다. 오늘 룸메는 기말 준비 때문에 밤늦게 온다고 했으니까 방에서 생방송을 확인할 수 있어서 다행이다.

9시 정각이 되자 유튜버는 생방송으로 시청자들과 소통하며 오늘의 콘텐츠를 설명해 주고 있었다.

"여러분, 오늘 콘텐츠는 '대신 고백 받아드립니다'일 듯합니당. 하하. 새로운 유형이죠? 신청자분께서 요청해 주신 사항인데요, 썸 관계로 발전한 뒤 신청자 분이 상대방에게 자기에 대해 어떻게 생각하냐고 물어봤는데 그분이 대답을 미루셨데요. 그리고 어떤 일 때문에 현재는 상대 쪽에서 연락을 피한다고 하시네요. 그래서 그때 못 들은 대답을 꼭 듣고 싶다고 신청 주셨어요. 저는 거기에 더해서 그분의 고백을 받아보려고 합니당. 흐흐 한번 물면 끝까지 쫓아가는 사냥개가 뭔지 그분께 보여 주겠습니당."

말가면을 쓴 채 몸을 앞뒤로 흔들며 당당하게 선언하는 모습을 보니 살짝 걱정이 되었다.

"여러분, 신청자분께서 이전에 톡을 보냈는데 상대가 톡을 읽고서 답장을 안 보냈거든요? 그래서 제가 상대가 바로 톡을 보내도록 만들어 보겠습니당."

' 오ㅇ빠 ㅎㅇ시 ㅈ자여〉?'

"자, 그럼 몇 분만에 연락오는지 지켜볼까요?"

'아영아 무슨 일이야?'

"역시 어그로엔 이만한 게 없져. 5분도 안 돼서 연락온 거 보세요. 여러분 잠시만요, 신청자분 실명을 알 수 없게 가림막 치고 보여드릴게요. 이제 실명 가림막 쳤으니까 더 안달나게 불을 지펴볼게용."

'...ㅏ 저 속사ㅇ헤사 술 좀 마셨어요ㅎㅎ'

'많이 마신 거 같은데 괜찮아? 주변에 아무도 없어?'

"자, 몇 분 있다가 답 확인하죠. 바로 읽지 말고요."

마지막 톡을 보낸 후 6분 동안 연락이 수차례 오고 다른 동기들에게도 괜찮냐는 문자가 쏟아졌다. 연락이 안 되니까 오빠가 내가 있는 곳을 동기들에게 물어본 거 같았다.

'아영아? 전화도 안 받고 진짜 무슨 일 있는 거 아니지?'

과에서의 평판은 신경 쓰지 않고 망설임 없이 동기들에게 연락 한 오빠 때문에 오빠의 마음을 더 알 수 없게 됐다. 차라리 무시하거나 그냥 조심히 들어가라고만 답장했으면 이 오빠가 나를 좋아하는 게 아니라고 확신할 수 있었을 텐데….

20분이 지나고 유튜버가 카메라 렌즈를 향해서 다시 입을 뗐다.

"슬슬 답장해 볼까요? 이제 그쪽에서 대화하려고 안달 날 거거든요?"

'왜 전화했어요? 이제 저 싫어져서 연락 안 하려는 거 아니었어요?

"오오. 읽었습니다. 이제 톡 좀 또박또박 쳐서 조목조목 털어 보도록 하겠습니다."

역시 바로 돌직구를 날리는 게 한두 번 고백해 본 솜씨가 아니었다. 오빠가 어떤 생각을 가지고 있는지 너무 궁금했다. 읽었다고 이렇게 바로 답장을 하는 걸 보니 기대감이 차올랐다.

"흠…. 그런데 읽고 나서 답이 좀 느리네요. 장문 톡일 수 있으니까 조금 기다려 보도록 하겠습니당."

유튜버의 말이 끝나자마자 이경 오빠에게서 장문의 톡이 왔다.

'아영아, 술 많이 마신 거 같아서 너무 걱정되는데 괜찮으면 지금 어디에 있는지 알려주면 안 될까? 힘들면 지금 바로 데리러 갈게. 연락에 답 못 해서 미안해…. 도저히 용기가 안 나서 너에게 연락을 못 했어. 걱정되니까 톡 보면 바로 연락 좀 주라. 부탁할게.'

걱정을 담은 내용을 보니, 지난 며칠 동안 불안했던 마음이 조금 안정되는 기분이 들었다.

"여러분, 설마 이 정도 카톡 내용을 보고 자기 마음을 고백한 거라고 생각하신 건 아니죠? 이건 너어무 약합니당. 같은 과 여자애를 걱정하는 톡일 수도 있잖아요. 스스로 고백을 하도록 쐐기를 박아야 합니당."

유튜버가 다음 톡을 치면서 이렇게 대꾸하자 채팅창에는 유튜버의 말에 공감하는 여러 채팅이 올라왔다.

'안 알려 줄거예여. 맞춰봐여. 내가 왜 속상한 건지는 안 물어봐요? 오빠 때문이잖아 오빠가 내 톡도 씹구. 저번 내 질문에 대답도 안 해주고'

아-아, 안 돼. 난 이렇게 톡을 보낸 적이 한 번도 없다고. 그리고 사람을 왜 진상으로 만드는 거야, 진짜. 지금이라도 그만해 달라고 연락해야 하나? 나만 이상한 사람이 된 거 같잖아.

'미안. 생각을 정리할 시간이 조금 필요해서 그랬어. 사실 나도 너에게 할 말이 있어.'

"오오, 드디어 고백을 받나요? 아님 썸이 깨지는 순간일 수도?"

유튜버가 장난스럽게 대꾸하자 안 그래도 빠르게 뛰던 심장이 더욱 거세게 날뛰기 시작했다.

'오빠 할 말이 뭔데여? 말해봐여. 빨리'
'만나서 얘기하고 싶은데 내가 찾아갈게.'
'아, 진짜. 전에도 그러더니 이번에도 또 답장 질질 끄네여.'

아. 제발, 멈춰. 멈추라고.

더 이상 보고만 있을 수 없어서 빠르게 핸드폰으로 유튜버 대신 톡을 보냈다.

'오빠 괜찮아요. 다음에 연락해요.'

"어? 돌발 상황입니당. 사연자님이 저 대신 톡을 보냈네요. 에휴, 전적으로 저를 믿으셔야 하는데…."

유튜버의 말이 끝나자마자 나를 비난하는 채팅이 주르륵 올라오기 시작했다. 채팅창에 정신이 쏠린 사이 오빠에게서 답장이 왔다.

'아영아, 오늘 좀 이상하다. 말투가 너 같지 않네.'

"헉, 어떡해여. 상대방이 의심하기 시작했네여. 아잇, 최대한 발뺌을 해 보져."

'오빠 그게 무슨 말이야. 내 말투가 뭐가 어때서 지금 좀 서운하려고 해.'

'처음엔 술을 많이 마셔서 말투가 달라진 건가 했는데 처음 톡과 달리 지금은 오타도 없이 잘 보내고 있고, 말투도 평소 안 하는 말투를 하는 게 조금 이상해서.'

'내가? 뭐가 이상한데? 그리고 술 마시면 좀 이상할 수도 있지.'

당황해서 아무렇게나 답장을 보내는 유튜버가 더 수상했는지 오빠는 내게 전화를 걸어 왔다.

'아영이 넌 너보다 연상인 사람에게는 존댓말만 쓰잖아. 첫째여서 연상인 사람에게 편하게 반말로 말하는 게 입에 안 붙는다고.'

사실 이경 오빠가 지적한 게 맞다. 과에서 친해진 언니가 편하게 이야기해도 된다고 했는데 사실 반말로 말하는 게 어색해서 아직까지 존댓말을 쓰고 있다. 이런 고민을 이경 오빠에게 털어놓은 적이 있어서 오빠도 나의 이런 말투 습관을 잘 알고 있었다. 유튜버는 오빠에게서 고백을 받아 내는 게 요원해 보였는지 내게 방송임을 밝히는 게 좋을지 물어보았다. 이미 오빠가 반쯤 수상하다고 느끼고 있고, 발뺌해 봤자 상황이 더 악화될 거 같아서 방송을 밝혀 달라고 요청했다.

"여러분, 상대가 이미 반쯤 눈치채서 고백을 톡으로 받는 건 힘들 것 같아여. 어쩔 수 없이 방송인 걸 밝혀야 할 것 같습니당. 신청자분도 동의하셨구여."

'안녕하세요. 〈대신 고백해드립니다〉 고백 유튜버 노노입니당. 지금 생방송 중인데 아래 링크 눌러 주시면 상황 설명해드리겠습니당~'

톡에서 1이 사라지자 유튜버는 안타깝다는 듯 목소리를 깔며 말을 이어 나갔다.

"안녕하세요. 제가 보이시나요? 저는 사연을 신청 받아서 대신 고백해 주는 콘텐츠를 운영하고 있는 유튜버 노노라고 합니당. 사연자분께서 몇 번 톡을 보냈는데 답장이 없어서 답답한 마음에 신청하셨다고 하시더라구요. 그래서 사연자님 대신 제가 톡을 보내게 됐습니당"

'그게 무슨 소리죠? 그쪽이 제게 톡을 보냈다고요? 이거 생방송이면 제가 글 쓴 것도 보이는 건가요? 톡 화면 내려주시겠습니까? 당사자와 이야기하도록 하겠습니다.'

대신 고백해 드립니다 27

"헉, 여러분 이분 많이 화나셨나봐여. 저희 빨리 비켜드려요. 그럼 신청자분 저는 할 만큼 했습니다. 노노 유튜브 역사상 최단 시간 실패입니다. 안타깝지만 다른 사연 읽어드리면서 다시 진행하도록 하겠습니다."

책임감없이 줄행랑치는 유튜버 때문에 입장이 정말 난처해졌다. 이 사람 혹시 초딩인거 아니야? 괜히 사연을 보냈다고 후회하는데 오빠에게서 전화가 왔다.

"…. 오빠 죄송해요. 뭐라 할 말이 없어요."

"아영아, 나도 네 연락 피한 거에 대해선 할 말 없어. 우리 서로 대화가 필요한 것 같네. 나도 더 이상 피하지 않을 테니까 아직 학교면 우리 학교 운동장 벤치에서 보자."

전화를 끊고 나니 내가 저지른 일에 대한 엄청난 후폭풍이 예상됐다. 바보같이 우리 이야기를 유튜버에게 의뢰한 것부터가 잘못이었다. 그냥 답답해도 오빠를 기다릴걸. 그리고 솔직하게 오빠에게 내 맘을 고백할걸.

좋아하는 사람이 나에게 먼저 고백해 주기만 기다리다 내 맘대로 안되니까 행패를 부렸다. 오빠에게 내 속도를 강요한 것 같아 마음이 무겁다.

기숙사에서 나와 운동장 벤치에 도착하니 이미 오빠가 도착해 있었다.

"오빠 아직 학교에 계셨네요."

"응, 도서관에 있었어."

나는 어떤 말부터 이야기를 꺼내야 할지 망설여졌다. 오빠도 긴장된 얼굴로 어떤 말부터 시작해야 할지 갈피를 못 잡는 것처럼 보였다. 그러다가 불안해하는 내 얼굴을 읽었는지 무언의 결심을 한 듯 속마음을 꺼내 보였다.

"아영아, 어제 네가 보낸 카톡 봤어. 답장은 못 했지만 날 믿어줘서 정말 고마웠어. 바로 답장을 보내지 못한 이유는 네가 밉거나 싫어서가 아니야. 혹시 너도 나랑 엮여서 안 좋은 소문에 시달릴까 봐 답장을 하기가 망설여졌었어."

"오빠…."

"사실 이제 생각해 보면 그것도 다 핑계지. 안 좋은 소문 때문에 네가 날 오해하고 꺼려할까 봐 두려워서 널 피해다녔어."

담담한 목소리로 자신의 속마음을 솔직하게 고백하는 이경 오빠를 보니 한결 마음이 편해졌다. 그렇구나, 그동안 날 피했던 게 내가 불편하고 싫어서가 아니었구나.

"저는 헛소문인 거 알고 있었어요. 오빠가 안 보이는 곳에서 얼마나 노력하는지 저는 잘 알거든요. 오빠 그거 알아요? 저 오빠랑 같이 교육 봉사한다고 했을 때 엄청 걱정했었어요. 오빠가 과에서는 말 한마디도 안 하니까 수업 때 저 혼자서만 고군분투할까봐 조마조마 했었다구요. 근데 제 착각이었죠."

운동장을 돌고 있는 사람들을 쳐다보다 조심스레 오빠 얼굴을 바라봤다.

"수업 하나하나 학생들 생각해서 준비하는 모습을 보니까 얼마나 노력을 많이 하셨는지 알겠더라구요. 그리고 지난번 시험 기간 동안 중앙 도서관에 수시로 공부하러 갔죠? 오빤 몰랐겠지만 동기들이 오빠가 도서관에 갈 때마다 있다고 해서 우스갯소리로 오빠가 도서관에서 산다는 소문이 돌았다구요. 다들 말은 안 하지만 오빠가 차석을 받을 만하다고 생각하고 있어요. 그러니까 이상한 헛소문은 신경 쓰지 말고 이번 시험도 잘 봐서 본때를 보여줘요."

말을 마치고 오빠의 안색을 살펴보니, 오빠는 잔잔히 웃으며 나를 바라보고 있었다.

문득 속에 있는 말을 전부 꺼내 보였나 싶어서 얼굴이 화끈 거렸다.

"이제 분명해졌어, 아영아. 지난번 축제 때 했던 질문의 대답 지금 말해도 될까?"

나를 어떻게 생각하냐는 질문이었지. 어느 정도 긍정의 대답을 기대해서 질문을 던진 거였는데, 지금도 오빠가 어떤 대답을 내놓을지 잘 모르겠다.

"아영아, 나는 항상 네가 너무나 빛나 보여서 눈을 뗄 수 없었어. 나에게 짓궂게 장난치던 너의 모습조차 좋아해."

아… 드디어. 감정이 북받쳐 올라와 쉴 새 없이 눈물을 흘렸다. 오빠는 당황한 표정으로 허둥지둥 가방에서 휴지를 찾아 내게 건넸다.

"아영아, 괜찮아? 왜, 왜 그래? 혹시 내 고백이 맘에 들지 않았어?"

"아니, 오빠는 제가 운다고 왜 부정적으로 생각이 튀어요? 그런 거 아니에요. 그냥, 그냥 그동안 저만 오빠 좋아하는 줄 알았어요."

오빠는 내 대답에 잠시 멍해 있다가 활짝 웃으며 내 손을 잡았다. 그런 오빠가 밉기도 하고 소중하기도 해서 손을 마주 잡았다.

"그런데 방금 분명해졌다는 건 무슨 뜻이에요? 지금은 저에 대한 마음이 분명한데 축제 때는 저에 대한 마음이 깊지 않았다는 거예요?"

"아니, 지금 너를 놓치면 평생 후회하겠다는 생각이 들어서 죽이 되든 밥이 되든 너에게 내 마음을 표현하는 게 좋겠다고 생각했어. 그런데 축제 땐 고백을 거절당하고 나면 우리 관계가 끝날까 봐 걱정되더라. 그래서 내 마음을 말하지 못했어."

"그럼 저 언제부터 좋아했는데요?"

내가 내 입으로 물어봐서 조금 그렇긴 한데, 뭐 어때. 짓궂은 나도 좋아한다고 했으니까 이번 기회에 궁금한 건 다 물어봐야지.

"새학기 때부터 좋아했어. 네가 강의실 문을 열고 들어오는데, 동기 애들 사이로 햇살같이 웃고 있더라. 그냥 눈을 뗄 수 없었어."

진짜 이 오빠는 여우다 여우. 이런 얘길 하는 걸 부끄러워하지 않네. 문득 오빠가 바라보는 내 얼굴이 궁금해졌다. 분명 홍시처럼 얼굴이 발갛게 달아올랐을 거다.

"아영아, 나도 궁금한 거 있어. 오늘 그 유튜버라는 사람은 뭐야? 혹시 과 단톡방에 올라온 그 사람이야?"

"맞아요, 오빠 답장을 기다릴 때 지푸라기라도 잡는 심정으로 저희 사연을 신청했었어요."

"대신 고백하는 거면 어떤 걸 고백해 달라고 신청했는데?"

"사실 고백하기보다는 오빠의 마음을 알고 싶다고 신청했어요. 근데 제가 정말 바보 같았어요. 그냥 내 마음을 솔직히 전하면 될걸. 괜히 나만 좋아하나 자존심이 상해서 오기를 부렸었나 봐요."

인정을 하고 나니까 바보 같은 선택한 것이 너무나 후회가 되었다. 오빠에게도 미안해서 오빠 쪽을 바라볼 수 없었다.

"아영아, 나는 너에게 뭐라고 하고 싶지 않아. 나부터도 네가 날 싫어할까 봐 네 진심을 온전히 믿지 못하고 대답을 피했는걸. 그냥 내 행동을 돌아보니까 피하고 숨는 건 널 더 힘들게 한다는 걸 깨달았어. 내 마음을 숨기고 네 마음을 모른 척해서 미안했어."

"오빠… 저야말로 솔직하지 못해서 미안해요. 그나저나 저희 오늘 반성만 하다가 하루를 다 보냈네요."

"반성만 한 건 아니지. 오늘부터 시작인데."

"네? 뭐가요?"

내 말이 끝나자 오빠는 잡았던 손을 잠시 놓고 바로 깍지를 껴왔다.

"사귀자, 우리. 항상 너에게 숨기는 거 없이 솔직해질게."

"좋아요. 그럼 좋든 싫든 저에게 모두 다 말해 줘야 해요."

오빠와 손깍지를 끼고 밤거리를 거닐다 보니 어느새 6월이 시작되었음을 알았다. 밤공기에 퍼진 푸릇한 풀냄새와 쓰르륵거리는 풀벌레 소리는 옆에 있는 오빠의 목소리와 어울려져 꿈을 꾸듯 몽롱한 기분이 들도록 했다. 흰 달빛을 받은 아카시아 꽃이 환하게 밤길을 비추고 있었고, 우리는 그동안 못 했던 얘기를 나누기 시작했다. 20살의 첫사랑이 지금 막 시작되고 있었다.

폐지 줍는 할머니

소소

소소

어느새 두 번째 이야기입니다. 여전히 모자라고 여전히 서툰 모습으로 내놓아야 하는 이야기지만, 쓸 수 있음이 감사합니다.

위로를 주고 싶었나 봅니다. 아니, 어쩌면 내 삶에 위로가 필요해, 위로를 찾고 있는 중 인지도 모르겠습니다.

'탁탁' 집게를 부딪치며 검정 비닐봉지를 들고 환해질 대로 환해진 사거리를 향해 나간다. 아직 와야 할 손녀들이 오지 않았다. 아직 시간 여유가 있으니 도로변 클린하우스를 다녀와야겠다. 어제 자정을 넘기기 전 한 번 다녀왔으나 늦은 시간에도 쓰레기는 항상 쌓인다.

아침, 요란한 벨 소리와 함께 카센터에서 멀지 않은 곳에 사는 큰딸이 전화를 해왔다. 손녀 지윤이와 소윤이가 아침을 먹고 학교에 가겠으니, 아침을 준비해 놓으라는 전화였다. 큰딸은 아이들 밥 해먹일 시간도 부족한지 일주일에 한두 번 이런 전화를 한다.

남편과 단둘이 먹는 날에야 조촐한 냉장고의 반찬과 어제 저녁 먹다 남은 된장찌개를 꺼내 먹으면 되겠지만 두 손녀가 온다는 말에 생선을 굽고 달걀을 미리 꺼내 두었다. 지윤이는 생선구이를 좋아하지만 소윤이는 그렇지 않으니 혹여나 밥상을 보고 얼굴이 찌푸려지면 달걀프라이를 해주면 되겠다는 생각에.

벌써 왔을 시간인데 아직 오지 않은 것을 보면 오늘도 부리나케 먹는 둥 마는 둥 밥을 먹겠구나 싶다. 차려 놓은 보람도 없이….

내리막길을 걸으며 주변을 휘휘 돌아보았다. 담벼락을 따라 주차된 차들이 길게 늘어선 것이 평소보다 차가 빠지는 시간이 늦다. 유난히 빨리 뜬 해라 오늘 하루는 길겠다 싶다.

고철과 캔은 날마다 버릴 수 있어 저녁 시간과 아침에는 수시로 확인해야 한다.

밤사이 누가 묵직한 고철 덩어리를 버렸다. 요즘은 보기도 힘든 철제 책장이다. 내 키보다 큰 것을 양손으로 안아 들어 올려 보지만 꿈쩍도 하지 않는다. 무게도 상당해서 고물상에 가져다주면 쏠쏠할 것 같다.

"지랄 맞은 것! 어휴 무겁다, 무거워."

양손으로 잡고도 무거워, 품에 안아 올려 찔끔찔끔 움직여 본다. 내려올 때야 경사가 있지만 올라가려니 벌릴 대로 벌린 팔 안으로 들어 온 책장의 무게에 앞으로 걷는 걸음이 아닌 것 같다. 자꾸 몸이 뒤로, 뒤로 밀린다.

힘에 부쳐 바닥에 내려놓고 숨을 골랐다. 올라가는 길을 바라보다 책장 앞으로 가 책장의 막힌 부분에 등을 가져다 댄다. 엉덩이 책장에 등을 마주하고 몸을 구부려 팔을 뻗어 책장의 양 모서리를 잡고 끌어 본다.

끼익 끼익! 아스팔트 위에 철제 책장이 끌리는 소리가 기분 나쁘게 들린다.

손에 든 집게를 지팡이 삼아 잠깐 숨을 몰아쉬고 움직이기를 여러 차례. 기껏 걸음으로 걸어도 백 걸음이 안 되는 거리가 아득하다. 숨을 몰아쉬며 올려다보는데 두 아이가 터덜터덜 세상 제일 귀찮은 얼굴을 하고 걸어온다.

터덜터덜 걸음과 숨 쉬는 것도 잊은 채 걸어지던 걸음이 카센터 넓은 입구에서 만나지만, 아무런 일도 일어나지 않았다. 카센터 마당에 들어와서야 천천히 허리를 세우고 몸을 뒤로 천천히 밀며 책장을 세워본다.

휴! 살려고 쉬는 숨이 한숨이라고 했던가. 세상 저 깊은 곳에서의 숨이 한 번에 몰려온다.

아이들은 자연스럽게 문이 열린 주방으로 들어가 모양도 제각기인 의자에 앉는다. 신발은 벗지 않아도 된다.

"할머니, 나 밥 안 먹어. 엄마한텐 그냥 먹었다고 해."

아직 몰아쉬는 숨이 제자리를 찾지도 않았는데, 가방도 벗지 않고 의자에 털썩 앉아 식탁을 살피던 소윤이가 제 언니 지윤이를 흘낏 보며 말을 한다.

"안 먹긴 왜 안 먹어? 달걀 부칠 테니 그거라도 먹어."

밥을 그릇에 담아 앞에 놓아주고 냄비의 뚜껑을 열어 김이 폴폴 올라오는 찌개를 떠서 가운데 놓아주자, 숟가락을 들고 말없이 손을 놀리기 시작한다.

지윤이 뒤로 덜커덕 덜커덕거리며 문이 움직인다. 늘어진 난닝구를 입은 남편이 나오지만, 지윤이나 소윤이 누구도 할아버지를 보고 인사를 하거나 아는 체를 하지 않는다. 남편도 밥을 먹는 아이들을 본 건지 안 본 건지 밖으로 나가 변한 것도 없는 사거리를 돌아보고 괜히 큼큼 소리를 낸다.

쓱쓱, 슬리퍼가 끌리는 소리를 내며 마당을 한 바퀴 돌고는, 네 개의 다리 의자 중 하나가 녹이 슬어 짧아 사람 움직임을 받치지도 못하고, 자세를 바꿀 때마다 들썩거리는 의자에 앉았다. 남편은 언제나 그 의자에 앉는다. 갖다버리고 싶어도 마당의 구색을 맞추는 것 같아 버리지 못하고 둔 의자는 불편한 다리로도 남편을 지탱한다.

"그만!"

탁, 소리를 내며 젓가락을 내려놓은 지윤이가 다 먹었다고 선언하듯 말을 한다. 흘낏 지윤이의 그릇을 보니 밥은 반이나 남았다. 노릇하게 구워진 갈치는 헤집어진 채 살이 여기저기로 흩어져있다.

젓가락 대신 핸드폰을 손에 쥔 채 손가락을 움직이며 무언가에 열중해있다.

"빵!"
클랙슨 소리가 짧고 날카롭게 들린다. 저 소리마저 주인을 닮는지 소리만 들어도 누구인지 알겠다.

어깨에서 가방끈을 풀지도 않았던 아이들이 일어나자 가방이 딸려 올라간다. 서둘러 아이들이 문밖을 나가는 것을 느린 걸음으로 따라 나갔다. 큰딸이 차에서 내리지도 않고 몸을 돌려 아이들이 차 문을 열고 몸을 넣는 것을 바라본다.

"밥은?"
"먹었어."
"엄마, 나 얘네 내려주고 올게. 배고파. 밥 먹고 가야겠어."

차 문이 닫히고 이내 출발한다. 아이들 학교야 멀지 않으니 금방 또 밥상을 차려야 한다. 남편은 어느새 식탁에 앉아 리모컨을 손에 쥐고 있다.

"지윤 애미 금방 오니까 같이 먹어요."

가스 불을 켜고 국자를 들어 찌개를 휘휘 저어 본다. 먹고 간 것이 없는 아이들이라 음식을 채울 필요도 없다. 가스 불을 약하게 해 놓고 밖으로 나간다.

철재 책장 앞에 서서 살핀다. 팔지 말고 가게에 놓고 쓸까? 아직 쓸만한데 누가 버린 건지, 족히 10킬로는 나갈 것 같다.

한쪽 구석으로 밀어 놓는데 딸이 도착했다.

"그건 뭔데?"
"몰라. 아까 주워 왔는데. 돈이 좀 될 거 같네, 멀쩡한 걸 누가 버렸는지."
"엄마! 멀쩡하지 않으니까 버린 거야. 제발 그런 것 좀 안 하면 안 돼?"

속 모르는 소리 한다. 그나마 몸을 움직이면 돈을 버는데 뭘 하지 말라는 건지 이제 제가 먹을 쌀이, 갈치가 이렇게 몸을 움직이며 번 돈임을 모르지 않을 텐데. 자식이라고 엄마 위해주는 말을 한다. 하기야 말은 돈이 들지 않으니 저리 쉽게 하는 것일 테다.

"밥 줘요."

자리에 앉아 젓가락을 들고 갈치를 헤집으며 말을 한다.

마흔이 넘고 지가 자식을 둘이나 낳고도 내 자식은 상전이다.

밥과 찌개를 떠 남편과 딸 앞에 놔주고 갈치가 담긴 그릇을 살짝 밀어 본다. 앉아서 같이 먹자는 말도 없이 부녀가 열심히 퍼먹는다. 여기에서 말을 하는 것은 티비에 나오는 저 남자뿐이다.

오늘이 목요일이니 돌아오는 월요일에는 모아놓은 고철과 폐지를 팔러 가야겠다. 무겁게 들고 온 고철 덩어리 생각에 웃음이 나온다. 월요일이 기다려진다.

밥을 떠 빈 의자에 앉는다. 물병에 담긴 물을 부어 숟가락으로 저어 그릇을 들고 물을 마신다. 티비를 보며 열심히 음식을 씹는 남편과 딸을 보고, 입안에 밥을 한 숟가락 떠 넣고 열린 문밖을 본다.

한숨이 입을 비집고 나온다.

세탁소 여자가 아침 운동을 다녀오는지 차에서 내린다.

요즘 부쩍 늙은 세탁소 여자에게 사람들이 세탁물을 가지고 가는 것도 아니고 찾아 나오는 것도 아니면서 들락거린다. 며칠 전, 아래 클린하우스를 다녀오다 서울 여자의 아이들이 빵을 들고 세탁소에 들어가는 것을 보았다.

세탁소 여자는 동굴 같은 세탁소의 방 한 칸에서 남편과 둘이 살았다. 지금은 죽고 없는 남편이지만 술을 퍼마시는 남편이 고주망태가 되어 동네를 돌아다니면 찾아 데리고 오며 차라리 죽으라고 소리치더니, 여자의 바람대로 그 남편은 끝내 술 때문에 죽었다.

대문도 없이 도로와 연결된 카센터에 앉아 있으면, 사거리를 모두 볼 수 있다.

세탁소 남자는 술을 먹지 않은 날을 세 보는 것이 빠를 정도로 날마다 술을 먹었다. 먹는 것이 아니라 들이붓는 것 같았다. 어디 저장할 곳도 없을 텐데 주구창창 시도 때도 없이 부었다.

세탁소 남자의 몸은 술독이었다. 병 주둥이와 저의 입을 맞대고 술을 몸에 부어 넣었다.

편의점 계단, 놀이터 벤치, 대문 옆 화단. 동네 모든 곳, 어디서든 술을 먹을 수 있었다.

그때는 세탁소 남자를 따라다니며 술병을 줍는 것도 쏠쏠한 수익이었다. 어느 날부턴가 술 외에는 먹을 수 있는 것이 없었다더니, 마른 몸이 더 삐쩍 말라가고 얼굴은 허옇게 질려갔다.

일 년 전쯤, 술을 먹는 남자가 보이지 않았다. 그러다 이맘때쯤 다시 집으로 돌아온 남자는 한동안 술을 먹지 않았다. 곧잘 남편과 이야기를 나누는 모습을 보이기도 했다. 무슨 얘길 했냐고 물으면 모른다는 남편의 말에 어이가 없었지만 그래도 남편은 '예. 예.' 하며 남자의 말에 고개를 끄덕이기도 했다. 하지만 오래가지는 않았다.

푹푹 찌는 더위에 얼음을 올린 미숫가루를 마시며 선풍기 앞에 앉아 있던 날, 술에 취해 비틀거리며 이미 취한 몸이 말을 듣지 않는데도, 손에 든 검은 봉지에는 초록색이 새어 나오고 있었다. 그 모습을 보며 속으로 술에 취해 비틀대던 남자의 욕을 지껄이던 게 벌써 일 년 전이다.

남자는 다시 술독이 되었다.

찬바람이 불 무렵부터는 입원과 퇴원을 반복했다. 아프다고 소리를 지르는 소리가 사거리를 지나 우리 집에까지 들리더니, 날씨가 풀리고 꽃이 필 무렵 남자는 집으로 돌아오지 못했다.

미용실 여자가 아침부터 동네 대문을 두드리고 다니며 소곤 거리더니, 안타까워하는 탄식 소리가 들렸다. 카센터 마당에는 발을 들여놓지 않고, 앞을 지나다니기만 했다.

그리고 이틀이 지난 새벽, 조용히 운구차가 들어왔다. 혼잣말 하던 남자는 입꼬리를 살짝 올린 채 웃는 듯 마는듯한 얼굴로 액자에 갇혀 아들의 손에 들려서 동굴 같은 세탁소 안으로 들어갔다.

동네 사람 몇이 나와 그 모습을 보며 눈가를 훔쳤다. 시커먼 옷을 입은 세탁소 여자가 아들의 뒤를 따라 나와 울며 차에 타자, 차는 떠났다.

손에 집게와 비닐봉지를 들고 바라보다, 차가 움직이자 더 이상 거기 서 있을 이유가 없어, 클린하우스로 향했다.

한동안 열리지 않던 세탁소 문이 열린 건 얼마 되지 않았다. 세탁소 여자는 수척해지고 흰 머리카락이 많아지기는 했으나, 다시 운동하고 열심히 다리미질했다.

"세탁소 남편 죽었단다."

딸이 입에 김치를 넣다 눈이 동그래져 쳐다본다.

"지인짜?"

고개를 끄덕이자 남편이 눈을 흘기며 크흠 하고 소리를 낸다.

"왜? 술 때문이지? 그럴 줄 알았다 내가. 그렇게 술을 먹는데 안 죽고 배겨?"

질문인지 혼잣말인지 모를 말을 쏟아내고는 고개를 흔들더니, 밥을 한 숟가락 떠 입에 넣는다.

"엄마는 갔다 왔어?"

장례식장에 다녀왔냐고 묻는 말이다.

"아니, 몰랐어, 아무도 말 안 해 주대."

"아무도 몰랐대? 다들 너무하다. 어쩜 한동네에서 그러냐?"

나만 몰랐다고 말하지 않았다. 말을 한들….

"말해 준들 갔겠나? 가고 싶지도 않다."

말을 해 줬더라면 갔을 것이다. 한동네 살면서 밝아지고 어두워지기까지. 얼굴 보며 웃어보지는 않았어도 지나가는 것만 봐도 안부가 보였던 그런 날들도 있는데. 알았더라면 어떻게 가지 않았을까? 부조라도 보냈겠지.

"사람들 너무 한다. 그래도 알려는 줘야지. 한동네 살면서."

뽀얀 갈치 살을 입에 넣는 딸을 본다. 내가 너무 한 게 아니라 주변 동네 사람들이 너무하다고 한다. 이게 핏줄인가. 이번 일은 저들한테 너무했다고 말하는 저 입이 위로되지 않는다. 저도 툭하면 엄마 때문이라는 말을 달고 살면서….

사람들은 나한테 다들 너무하다고 한다.

'어쩜 말을 그렇게 하세요?'

'너 그렇게 행동하면 안 된다.'

'너무 하시는 거 아녜요?'

'진짜 너무하네!'

그리고 '너 때문이다.'

남편은 이렇게 된 것이 너 때문이라고 했다. 동네에서 인심을 잃고 사는 것이 지금 이런 모양으로 사는 것이. 이름 없는 카센터가 된 것도 결국 형편이 이렇게 된 것도 나 때문이라고.

처음부터 이름이 없었던 것은 아니다. 「제일 카센터」 남편이 지금 이곳에 처음 개업하고 간판을 달았다.

기술이 있어야 먹고 산다고 믿었다는 남편은 무작정 차를 정비하는 일에 뛰어들었다고 했다.

처음 남편을 만난 날을 기억한다. 스물을 갓 넘기고 공장에 다니던 부모 없이 할머니 손에 자라던 나를 안쓰럽게 여긴 공장장이 한사코 거절하던 나에게 굳이 굳이 소개해준 사람이 지금의 남편이다.

손끝이 까만 기름때에 얼룩져 테이블 밑에서 손을 올리지 못하고 눈도 마주치지 못하며 내가 묻는 말에 조용히 '네.' '네.' 하던 남편. 그건 부끄러워서가 아니었다. 그저 말이 없고 무심한 사람이었던 거다. 아이가 태어나면 바뀐다는 사람들의 말도 틀렸다.

남편은 원래 그런 사람이었다.

성실한 남편은 쉬지 않았다. 열심히 했기 때문인 건지, 타고난 솜씨가 있었던 건지 남편은 차곡차곡 입지를 쌓아갔다. 결혼하고 두 딸이 태어나고 작은 아이가 고등학교에 다닐 때까지 남 밑에서 일하다 자신의 가게를 열었다. 그게 이곳, 「제일 카센터」다.

남편은 누구보다 부지런히 일했다. 성실함과 솜씨 좋음이 좋은 합을 이뤄 날마다 손님들이 늘어갔다.

카센터를 열 당시 시부모님에게 물려받은 땅을 팔고 모아 둔 돈을 다 쏟아 부었다. 그러고도 빚을 졌다. 대출을 받을 수밖에 없었다. 혹시나 빈털터리가 되는 것은 아닐지 두렵고 무서웠지만, 성실한 남편을 믿고 따랐다.

남편에 대한 믿음이 있었다. 그 믿음은 한동안 이어졌다.

어느 날, 남편의 점심을 싸 가게에 왔다. 남편은 손님과 실랑이 중이었다. 깎아달라는 손님의 말에 어쩌지 못하고 말만 얼버무리고 있던 남편이 답답했다. 결국 받아야 할 돈을 다 받지 못하고 손님을 보냈다.

"왜 그래요? 일을 했으면 받아야지!"

"뭐. 그래도 부품 값은 다 받았어."

부품 값은 받고 자신이 일한 수고비는 제값을 받지 못했다는 말이다.

"아! 그러면 처음부터 값을 비싸게 부르고 깎아주던가!"

"그만해라. 내가 알아서 하니까!"

알아서 하기는! 가게를 차릴 때 대출금도 아직 남아 있는데! 어쩐지 생활비로 주는 돈이 남 밑에서 일할 때와 별반 다를 게 없더라니!

남편에 대한 믿음이 조금씩 허물어지고 있었다.

그에 반해, 돈은 믿음이었다. 돈이 있어야 아이들을 키우고 살아갈 수 있다. 그래야 지금 이 땅과 가게도 지킬 수 있다.

바빠지는 가게에 남편 혼자서는 무리가 있어 보여 낮에는 카센터에 나와 남편을 도왔다. 아니, 남편이 정당한 돈을 받지 못하는 걸 봐 버렸기 때문인지 모른다.

남편은 깎아달라는 손님 앞에 속수무책이었다. 손님이 원하는 대로 깎아주며 제값을 받지 않는 것 같아 내가 나서서 계산하고 일절 깎아주지 않았다. 손님들은 남편과 내가 말하는 값이 다르다며 화를 내며 가게를 나가기도 하고, 간혹 다시 오지 않겠다며 욕지거리를 지껄이며 나가버렸다.

그렇다고 한들, 크게 개의치 않았다. 손님이 그들만 있는 것도 아니고.

"가게 나오지 마라."

술에 거나하게 취해 집에 온 남편이 양말을 벗으며 말했다.

"뭐라고요?"

"나오지 말라고. 네가 거기에 있으면 시끄럽⋯."

"나라도 있어야 돈을 제대로 받지. 당신이 뭘 할 건데?"

"내가 이때껏 너랑 저것들 먹여 살렸다. 왜, 내가 못 그럴 거 같나? 네가 가게 나오고 손님이 없다. 이제 극성스러운 너 때문에 손님도 없다. 나오지 마라."

손에 들고 있던 양말을 집어 던지며 남편이 자리에 누웠다. 몸을 옆으로 세우고 누워 더 이상의 말이 없었다. 말을 하고 싶지 않다는 듯, 몸으로 벽을 만들었다.

남편의 말을 듣지 않았다. 들을 수가 없었다. 그 후로도 가게에 계속 나갔다. 그렇게 꾸역꾸역 대출금을 갚아 나갔고 가게는 온전히 우리의 것이 되었다. 돈에 대한 믿음은 더욱 강해졌다.

사람들의 눈치는 문제가 되지 않는다. 문제가 되는 것은 있어야 할 때 없는 것이다.

시간이 흐를수록 카센터의 손님은 줄고, 남편의 벌이는 시원찮아지고, 아이들은 집을 떠났다. 아이들이 떠난 집은 두 노인이 살기에는 너무 컸고, 손님 없는 카센터지만 관리가 필요해 날마다 출근해야 했다. 남편은 의미도 없어 보이는 출근을 이어갔다. 카센터를 정리하자 설득해 보았지만, 남편은 가게 문을 닫는 것을 원치 않았다.

살고 있던 집을 세를 내주고, 사무실 겸 창고와 남편의 휴식 공간으로 쓰던 카센터 컨테이너로 들어온 게 벌써 몇 년 전인지.

"아, 잘 먹었다. 엄마, 나 가야겠다."

상념에서 빠져나왔다.

말은 가야겠다면서도 서두르지 않는 딸이다. 남편도 어느새 식사를 마쳤는지 다 마신 물컵을 들고 밖을 바라본다. 아침 식사 시간은 끝났다. 물에 잠긴 밥그릇을 개수대에 비우고 비워진 접시를 정리한다.

"갈게."

그제야 딸아이가 일어나 밖으로 나가 차에 올라탄다. 남편이 따라 나가 딸의 차가 카센터를 빠져나가는 것을 바라보고 큭큭 대는 소리를 내며 목을 다듬더니 괜히 마당을 걷는다.

식탁이 다 치워진 것을 보고 남편이 안으로 들어온다.

늙어버린 두 노인의 아침은 느리고 한가하다. 설거지를 마친 부엌을 정리하고 집게와 봉투를 챙겨 들고 클린하우스를 살피러 나간다. 마당을 막 벗어나는데, 두 아들의 손을 양쪽으로 잡고 가방을 멘 아이들과 서울 여자가 온다.

"안녕하세요."

두 아이가 약속이나 한 듯 입을 모아 인사를 한다. 엄마는 여느 동네 사람들처럼 모른 척하듯 눈을 마주치지 않으며, 아이의 손을 당긴다. 걸어서 10분 정도에 있는 초등학교를 두 아이만 가도 될 텐데, 저 여자는 아침마다 저 일을 반복하고 있다. 그래도 동네 어른이라고 인사를 하는 두 아이의 인사에, 눈치를 살피며 고개를 까닥거리기는 한다. 길을 걷다 마주치면 외면하듯 바라보고 딴청을 피우는 동네 사람들과 다르다. 아직은.

몇 해 전, 단층으로 된 옆집이 팔렸다. 카센터보다 넓은 땅은 4층으로 올려지고, 6가구가 살 수 있는 빌라가 되었다. 짓는 동안 높은 건물 하나 없이 낮은 이층집이 몰려 있는 길에 먼지를 내리 뿜으며 커다란 트럭들과 공사장 인부들이 날마다 들락거리더니 한 층, 한 층 올려졌다.

조용하던 골목에서 오랜만의 공사는 수많은 먼지와 소음을 일으키며, 동네 사람들을 힘들게 했다. 지나가는 이들이 욕을 해대도 공사는 멈추지 않았다.

그래서일까, 새로 지은 집에는 누가 와서 살려는지, 사람들이 궁금해 했지만, 어디 한번 와봐라, 벼르며 기다렸다.

동네 사람들의 험한 말과 공사를 하는 사람들과의 다툼에도 계속되는 공사였다. 그리고, 골목에서 제일 높은 건물이 되었다.

지은 지 얼마 안 되고, 맨 꼭대기 4층에 서울에서 내려왔다는 아들 둘을 가진 부부가 이사를 왔다.

서울 여자는 세탁소와 미용실에 오가며 동네 사람이 되어갔다. 보이는 동네 사람들과 인사를 나누며 잘 웃는 여자였다.

두 아들도 카센터 앞을 지나다닐 때면 인사를 빼놓지 않고 했다. 엄마가 있을 때나 없을 때나 마찬가지로.

아이들은 공을 들고 지나는 길이 열 번이면, 열 번을 뛰어다녔다. 주말이면 가족이 다 차를 타고 나가기도 하고 그렇지 않은 날이면 아이들은 어김없이 놀이터로 갔다. 놀이터로 가기 위한 제일 가까운 길, 카센터 앞을 지나.

대문이 없어서 구별이 안 되는지, 어느 날은 담벼락을 타고 카센터 안으로 공을 차며 움직였다. 그럴 때마다 인사는 잘한다. 곱게 걸어가지 않는 아이들이 눈엣가시 같았다. 길로 다니라며 몇 번을 나무랐다. 하지만 대답만 잘하는 아이들은 변함이 없었다. 여전히 아이들은 뛰어다니고, 간혹 카센터 안으로 공을 들여보냈다.

아이들이 종이 쓰레기를 가지고 왔다. 몇 번 클린하우스에서 마주치면서부터였다. 인사를 꾸벅하고 자신들의 집과 가장 가까운 담벼락 카센터 가장 바깥쪽에 들고 온 것을 놓고 갔다. 종이는 잘 정리되어 있었고, 가끔 자잘한 것들이 섞여 있어 클린하우스에 가는 길에 내다 버리기도 했다.

두 아이가 하나는 종이상자를, 하나는 책을 묶어 들고 왔다. 여느 때와 다름없이 같은 자리에 내려놓는 아이들을 불러 세웠다. 느닷없는 부름이었는지 작은 아이가 큰아이의 손을 잡고 눈이 동그래져 바라보고 있다.

"그거, 거기 놓지 말고 이리 가져와."

"엄마가 여기에 갖다 놓으라고 했어요."

"그래, 그러니까 여기로 가지고 와."

주춤거리며 가지고 온 것들을 들고 앞으로 온다. 내려놓고 어쩔 줄 몰라 하며 바라보는 아이들에게 박스를 뒤져 자잘한 종이 쓰레기를 쥐여 준다.

"이런 건 저기에 가져다 버려. 이런 건 받아 주지도 않아."

받아 든 아이들이 고개를 꾸벅 인사하더니 돌아간다. 아이들이 밖으로 나가 담벼락을 돌자 서울 여자의 목소리가 들린다.

"어? 그게 뭐야?"

"할머니가 이런 건 클린하우스에 버려야 한 대요."

"그래? 그럼 가자."

"엄마, 근데, 저 할머니 도깨비 같아요. 형, 그치?"

소리가 멀어진다.

그 후로 아이들이 폐지를 가지고 오지 않았다. 여전히 동네를 뛰어다니며 놀기에 바쁜 아이들을 서울 여자는 부지런히 따라다녔다. 아침이면 아이들 학교 가는 길을 손을 잡고 걷다, 혼자서 집으로 돌아오고, 주말에는 아이들이 놀이터를 가면, 아이들을 찾아 손에 먹을 것을 들고 갔다. 가는 길에 세탁소에 들러 나눠주고, 세탁소 여자는 고맙다며 잘 먹겠다고 말을 하는 것이 들리는 날도 있었다.

어느 날인가 비가 오는 날이었다. 머리 위에서 웃음소리가 들려 어디서 들리나 하고 나가보니, 꼭대기에 사는 서울 여자의 집이었다. 4층 전체를 집으로 하지 않고, 한쪽은 옥상으로 만들어진 꼭대기에, 우비를 입은 아이들과 서울 여자가 우산을 쓰고 아이들의 사진을 찍고 있었다. 비 맞는 게 뭐가 좋은지 두 아이가 맨발로 첨벙거리고, 여자는 바가지를 들어 아이들에게 비보다 더 많은 물을 머리에 부어준다. 좋아 죽는 아이들이었다.

"별 지랄을 다 한다. 비 오는데 날 굳이 하는 거야? 아! 물 튀어!"

여자가 물이 뚝뚝 떨어지는 바가지를 든 채 내려다본다.

"지금 비와요. 저희 때문에 물이 튀는 게 아니고 비가 온다고요."

"비만 오나? 손에 든 바가지 물이 뚝뚝 여기로 떨어지는데."

내 손이 가리키는 카센터 마당을 여자가 바라본다.

"거기요?"

여자가 가리키는 손을 바라보자 시멘트 바닥은 내린 비로 젖어 물웅덩이가 생긴 곳도 있다.

"왜 비를 맞고 난리여? 들어가요! 그 집 때문에 시끄러워 살수가 없어. 내가 아주!"

비에 홀딱 젖은 아이들이 제 엄마 옆으로 나란히 선다.

"뭐, 일단 죄송하네요. 물 안 떨어지게 할게요."

여자의 목소리가 힘을 잃어간다. 돌아서는 여자가 우산까지 들썩이게 어깨를 들었다 내려놓고는 놀이를 그만하자고 말을 한다. 제가 뭘 잘못했는지도 모르는 눈치다. 왜 비를 맞고 있는지 날궂이도 저런 날궂이가 없다. 비는 여전히 타닥타닥 소리를 내며 물웅덩이를 만들며 떨어진다.

그 후부터였나보다. 서울 여자는 더 이상 나에게 인사를 하지 않기 시작했다. 뭐, 인사 따위야 크게 신경 쓰지 않는 일 중 하나였지만, 그래도 서둘러 피하려는 모습이 괜히 거슬렸다. 폐지도 가져다주지 않고.

언젠가는 클린하우스에 갔다 올라오는 길에 마주치자, 웃음도 거두고 서둘러 피해 가는 서울 여자 부부기도 했다.

아침에 갔던 건너편 클린하우스로 갔다. 고철을 버리는 곳을 살핀다. 마땅한 게 없어 병을 버리는 곳을 살폈다. 소주병이 다섯 개나 버려져 있다. 손으로 집어 올려 봉투에 넣고 돌아서려는데, 차다 만 쓰레기봉투가 보인다. 툭 쳐보니 한 뼘이나 비어 있다. 한쪽으로 세워 두고 카센터로 서둘러 올라간다. 주워 온 병이 담긴 봉투를 내려놓고, 화장실로 가서 비닐 한가득 찬 쓰레기를 들고 나와 클린하우스로 서둘러 가려는데,

"영순아!"

앞집 늙은 언니가 크게 이름을 부른다. 유일하게 이름을 불러주는 언니다.

"그거 어디 가져다 버리려고? 그러면 안 된다. 요즘은 CCTV

가 다 보고 있어, 봉투 값 아끼려다….”

“내버려 둬요. 나도 그냥 안 버려요. 아침부터 시끄럽기가.”

쏟아내는 잔소리를 뒤로 하고 서둘러 클린하우스로 간다. 한쪽으로 세워둔 그 모양 그대로 있는 쓰레기봉투를 꺼내 내려놓고 묶인 매듭을 풀어 집에서 가지고 온 쓰레기를 채워 넣는다. 한 뼘 비어 있던 봉투에 비해 쓰레기가 더 많은지 발로 밟고 손으로 눌러 봐도 묶는 게 힘들다. 넣을 만큼 넣은 후 다른 비어 있는 봉투를 찾아 꾸역꾸역 밀어 넣는다. 봉투 안으로 들어가지 못하고 바닥에 떨어진 쓰레기는 주워 재사용 봉투가 들어가는 통 안에 던져 놓는다.

버리다 보면 비어져 나오는 쓰레기도 있는 법이다. 쓰레기를 만진 손을 옆으로 늘어뜨리고 혹여나 옷에 닿을까 손가락을 쪽 펴고 걸어간다.

카센터에 도착하니 남편이 아침에 들고 온 철제 책장을 이리저리 살피고 있다. 수도꼭지를 비틀어 손을 씻고 옷에 물을 닦아내며 옆에 선다.

“이게 너무 커서. 어떻게 해야 할 건데.”

“여기 나사가 있네. 이거 풀면 될 거 같은데.”

“말만 하지 말고 해 봐요.”

그제야 드라이버를 찾아 공구함을 뒤적인다. 도움이라고는 전혀 되지 않는다. 남편은 언젠가부터 일을 찾아서 하지 않는다. 명령 아닌 명령을 해야 그제야 제 몸을 움직인다. 남편의 성실함은 게으름으로 바뀌어 있었다.

수입이라고는 집을 세주고 받는 월세와 노후를 위해 들어 놨던 연금, 합해봐야 150만 원이 조금 넘는다. 그 돈으로 손님이 오지 않는 카센터를 유지하고 두 노인이 먹고산다. 딱히 놀러 다니는 것도 아니고 여가 활동을 하는 것도 아니니, 아껴 쓴다면 쓸 수 있겠지만, 어차피 버려지는 쓰레기를 주워가면 돈을 준다니, 그것만큼 거저 얻는 수익이 있을까 싶어 이 일을 시작했다. 부지런히 움직이면 한 달에 20만 원 정도는 벌 수 있다. 더 부지런하면 더 벌 수 있겠지만, 지금은 이게 최선이다.

무슨 말을 하지 않는 남편은 역시나 아무런 말을 하지 않았고, 그때부터 폐지 줍는 할머니가 되었다. 먹고 사는 일은 고달프다. 그렇다고 살아있는 목숨을 버릴 수는 없는 일이라, 부지런히 자식을 먹이고 남편을 먹이는 일이 지금까지다.

몇 시간 후면 또 남편의 밥을 차리고 마주 앉아 말없이 밥을 먹을 것이다. 저 남자는 아침에 입고 나온 옷을 갈아입는 법 없이 마당 의자에 앉아 자라는 상추를, 고추를 바라보고 있을 것이다.

도대체 무슨 생각을 하는지 알 수가 없다. 알아보려 했지만 알 수 없는 마음을 더는 알고 싶지 않다. 저 철 책장만 잘 분리해서 놓으면 된다. 느릿한 모습으로 나사를 돌려 빼내는 일이 지금 저 남자에게 가장 심각하고 중요한 일인 것 같다.

약속된 시간, 오후 3시부터 사람들이 클린하우스에 쓰레기를 버릴 수 있다. 오늘은 종이 쓰레기를 버리는 날이니 부지런히 움직여야 한다. 요즘은 차를 몰고 와 클린하우스에 있는 폐지를 수거해 가는 사람이 있을 정도니, 그들보다 부지런히 움직여야 하나라도 더 가지고 올 수 있다.

혼자서 들고 움직여도 괜찮은 거리를 종이 쓰레기를 버리는 날은 핸드카트를 들고 움직인다. 차곡차곡 쌓아 한 번에 두 곳까지 살피고 올 수 있다. 사람들이 퇴근하고 집에 오는 오후 시간이 되면 클린하우스마다 종이가 쌓여 있을 것이다.

요즘 사람들은 무슨 쓰레기가 그리 나오는지 모르겠다. 여기저기서 불러대는 택배 때문일 것이다. 덕분에 나야 쏠쏠한 수입을 올리지만.

클린하우스를 지나 서울여자의 집 앞을 지나오는데, 큰아이가 박스를 들고 나오는 게 보였다. 주춤하며 계단 위를 올려다보던 아이는 나를 보고 고개를 꾸벅 숙여 인사를 한다.

"그거 가지고 이리 오라."

아이가 움직이지 않는다.

"오래도!"

아이가 박스를 든 채 카센터 마당으로 들어선다.

"여기로."

폐지 정리하는 곳을 가리키자 다가온 아이가 박스를 놓고 돌아선다. 아이를 불러 자잘한 종이를 손에 쥐여 주는데, 서울여자의 목소리가 들렸다. 아이가 소리가 나는 곳을 바라본다.

"동주!"

"네. 엄마, 여기요."

아이의 소리를 따라 서울 여자가 생전 올 일 없을 것 같은 카센터 마당에 발을 들여놓는다. 엄마의 모습을 보고 아이가 손에 쥔 종이를 꼭 쥐더니 냉큼 뛰어간다. 손에 쥔 종이를 엄마에게 보여준다. 아이의 눈높이를 맞추며 여자가 무릎을 구부려 앉는다.

"그거, 저기 가서 버리고 먼저 집에 가."

아이가 자기 엄마를 바라보더니 담벼락을 따라 나간다.

"지금 뭐 하시는 거예요?"

서울 여자를 바라본다. 뭐에 화가 났는지 목소리가 높다.

"뭘 하긴, 내가 뭘?"

"왜 번번이 아이들한테 그러세요?"

이런 일이 많았던가? 몇 번 있기는 했지만 그렇기로서니 이 무슨 패악인지 모를 일이다.

"이게 뭐? 고물상에 갖다 주지 못할 거는 어차피 버려야 해. 저기에다."

"그러니까요. 그래서 저희도 직접 가져다 버리고 필요하신 거만 골라 가시라고 저기에 가져다 두는 건데, 왜 아이들한테 또 일을 시키시냐고요?"

"아줌마, 그럴 수도 있지. 이게 그렇게 소리를 지르며 바락바락할 일인가?"

"소리 지르지 않았어요. 그리고 아이들한테 이런 식으로 나무라신 게 한두 번이 아니시잖아요? 지나다닌다고 뭐라 하고, 지나는 길에 웃으면 큰소리 난다고 나무라시고."

"시끄러우니까 그랬겠지. 유난스럽게 지나다니니까. 그 집이 시끄럽게 사는 건 맞지!"

기가 찬다는 듯 여자가 소리를 지른다.

"아주머니!"

"아, 뭐? 별일도 아닌 일에 왜 와서 난린데? 가요, 가!"

"동네에서 너무하세요! 조금씩 이해하면서 사는 거지, 아주머니 맘에 안 들면 그대로 다 표현하시고, 듣기 싫은 소리는 들으려 하지도 않으시고, 마음대로 하시잖아요. 가끔은 너무하신다고 생각하지 않으세요?"

"너무하긴 뭘 너무해! 내가 누구에게 피해 준 거 있어?"

"보이는 피해만 피해가 아니라구요. 쓰레기봉투도 없이 쓰레기 가지고 가서 여기저기 남는 봉투에 쑤셔 넣고, 음식물쓰레기는 통 옆에 그냥 두고 오시잖아요. 다들 아무 말 안 하고 싶어 안 하는 거 아니에요. 아주머니 성격 아니까 싸우기 싫어 그러는 거지."

서울 여자의 목소리가 높아진다. 얼굴도 붉어질 대로 붉어져 말을 하다가도 팔을 들었다 내리기를 반복한다.

"내가 그 쪽한테 피해를 줬어? 아니, 그깟 종이 쓰레기 여기에다 가져다 뒀다고 지금 유세 부리는 거야? 젊은 여자가 위아래도 없이 지금 뭐 하는 거야? 어?"

서울 여자가 허! 하는 소리와 함께 눈을 동그랗게 뜨고 주먹을 꼭 쥔 손을 가슴께에 올렸다가 내리고 눈을 마주한다.

"위아래도 없다뇨! 처음부터 제가 그랬을까요? 아무 이유 없이? 그러지 말아 달라 부탁하는 거잖아요. 사사건건 동네 사람들에게 시비 걸지 마시고 아이들한테 소리 지르지 마시라고."

"이모, 그러지 마세요. 우리도 몇 번 박스 나오는 거 가져다 줄 때마다, 여기에 저기에 이건 뭐가 문제다, 이런 건 가지고 오지 마라, 그래서 우리도 안 가져다주는 거라고요. 고맙다는 말을 내가 한 번도 안 들어 봤어요. 그러니까 우리 애들 아빠도 가져다주지 말라 하지. 그만 좀 해요. 동네 시끄러워."

뭘 안다고. 언제 왔는지 이제는 미용실 여자까지 합세해서 나를 몰아세운다.

"아니 이것들이 무슨 패악질이야, 응? 도대체 뭘 잘못했다고 이 저녁에 사람을 몰아세워! 니들이야말로 너무하는 거 아니여?"

"동주 엄마, 그냥 가. 저 이모는 말 안 통해."

미용실 여자가 서울 여자의 몸을 잡아당기며 돌려세우려고 한다.

"아무리 그래도 너무 하시잖아요, 한 동네에서. 툭하면 불만만 있으시고. 대체 사람들이 뭘 잘못했냐고요?"

"가, 가! 이리와. 아직 동주 아빠 안 왔지? 커피나 한잔해."

미용실 여자의 손에 몸이 돌려진 서울 여자가 다시 몸을 돌려 뾰족한 눈으로 고개를 돌린다.

"저희 아이들한테 함부로 하지 마세요!"

함부로는 저가 지금 나한테 하고 있다는 걸 모르는지, 저 여자는 오늘 목소리도 크다.

불편한 마음을 뱉어내듯 가래를 모아 '퉤' 하고 뱉어 신발로 찍 닦아내고 돌아서는데, 남편이 주방 문 앞에서 남 일 보듯 바라보고 있다. 내 편이었던 적이 있기는 할까? 저 남자는 끝까지 남의 편이다.

아무 일 없다는 듯, 애가 내려놓고 간 박스 안의 것들을 꺼내 쌓아 올리고 끈으로 묶어 놓는다. 서둘러 다녀오지 못 한 클린하우스에 가야 한다. 다녀와서 혼자서는 반찬을 꺼내 밥도 차려 먹지 못하는 남편의 밥을 차려줘야 한다.

핸드카트에 쌓아 왔던 폐지를 내려놓고, 다시 차곡차곡 정리한 후 끈으로 묶어 놓는다. 제법 쌓인 벽 한쪽에 오늘 아침 주워 온 책장이 분리되어 있다. 내 키보다 더 큰 책장은 이제 내 무릎만치도 오지 않는다. 내 삶도 정리해 놓으면 얼마나 되려나? 서글퍼진다.

아까 사거리 아래로 내려가 폐지를 주웠으니 이제는 위로 올라갈 차례다. 카트를 끌며 올라가다, 미용실을 힐끗 본다. 미용실 여자가 양손으로 컵을 감싸 쥔 서울 여자의 어깨를 쓸어내리고 있다.

뭐가 그리 분한 건지. 다시 곱씹어 봐도 모르겠다. 붉으락푸르락 숨을 몰아쉬던 서울 여자의 낯선 모습이 다시 눈앞에 그려지지만, 고개를 흔들어 털어 버린다. 지났으니 아무렇지 않을 일이다. 다시 와서 대거리를 하지는 않을 것이다. 다른 사람들도 그랬다. 대신, 보고도 모른 척 무시했다.

언젠가부터 사람들을 유심히 바라보게 되었다. 왜 그러는지 모르겠지만, 집 앞을 지나는 사람들을. 오가며 마주치는 사람들을 잠깐이나마 유심히 바라보았다. 일 초, 이 초, 삼 초. 내 눈길을 눈치 챈 사람들에게서 그리 곱지 않은 시선이 왔다.

'왜요? 아, 왜, 왜 그러세요?' 소통을 위해 기다리는 그 시간은 나를 이상한 사람으로 만들어 버렸다. 곱게 말하는 법을 잊어버린 사람처럼 내 입에서 나오는 말은 언젠가부터 끝이 날카로웠다. 누구든 찌를 기세로.

클린하우스에는 정화 활동을 하는 노인들이 나와 정리하고 있었다. 하루 3시간 동안 일을 한다는 저 노인네들은 쓰레기를 버리는 사람들을 관리하고 정리한다.

발품을 팔며 폐지를 줍는 것보다 동네에서 저 일을 한다면 수입이 더 좋을 거 같아, 알아본 적이 있다. 다만, 여러 가지 조건에서 맞지 않아 탈락했다. 남들에게는 없는 땅이 있고, 세를 받는 집이 있고, 달마다 나오는 연금이 있는 덕분에. 여기 있는 노인네들과는 다르다는 이유로.

저 노인네들이 부수입을 얻으려고 끌고 온 유모차에, 가방에, 병을 담는 것을 알고 있다. 저 가방이 가득 차고 노인이 끌고 다니는 유모차가 감당할 무게가 될 때까지는 내가 주울 병이 없을 것이다.

따지고 보면 병이 제일 돈이 된다. 이것도 일이라고 하루 수입이 많은 날이 아무래도 좋지 않겠는가. 없을 것을 알면서도 병이 들어있어야 할 주머니를 뒤적인다.

"없어."

지켜보던 할망구가 나도 알고 있는 것을 알려준다.

"울었어?"

고개를 돌리지도 않고 고철을 버리는 곳으로 간다. 손을 들어 손등으로 눈가를 찍어낸다.

"무슨 일이 있었구먼, 에그!"

얼굴을 안다는 이유로 친근한 척 구는 할망구다.

"지랄 맞아, 지랄 맞아. 요새 것들은 다 지들이 잘난 줄 알어. 어느 날 짠 하고 지들이 태어난 줄 알지."

무얼 알고 하는 말인지, 할망구의 말이 가슴을 콕콕 찌른다.

모르겠다, 이 기분이 뭔지.

"요새 쓰레기 버리러 오는 것들한테도 말도 못 해, 여기 그냥 앉아 있다 뿐이지. 그래도 아줌마는 나보다 낫지 않소."

쪼글쪼글해서 편다 해도 어디부터 손대야 할지 모를 주름을 잔뜩 단 저 노인네가 형광조끼를 입고, 따박따박 주는 돈을 받으며, 저보다 나을 내 삶이라며 부러워한다. 저 노인네 입에서 나올지 몰랐던 투박한 위로를 건네받는다.

"어이, 어이! 이리 와봐."

폐지를 올린 핸드카트를 고무줄로 고정하고 손잡이를 잡는데 소리를 낮춘 할망구가 부른다. 말끝에 손가락을 입술에 붙인다. 빨리 움직이지 않는 내가 답답한지 손짓까지 더해진다.

"어여."

누가 들을까봐 염려됐는지 이번에는 더 목소리를 낮춘다. 마음이 급했는지 어느새 다가온 할망구가 유모차가 있는 곳으로 나를 끌고 가, 병이 다섯 개 들어있는 까만 봉지를 보여준다.

"이거 가져가. 여기까지 왔는데, 빈손이네. 쯧쯧."

손에 봉투를 걸어주고는 등을 쓸어주며 손짓한다. 그 손짓에 다급함이 있다.

"얼른 가. 얼른."

카트 손잡이에 걸린 병이 바퀴가 굴러갈 때마다 달그락, 달그락 소리를 낸다.

그 소리가 마음을 쓸어내린다.

내리막길을 걸어 이 동네에서 쓰레기가 제일 많이 나오는 클린하우스로 간다. 소나무 공원을 끼고 있어서 캄캄하고 음침하다.

얼마 없는 폐지를 카트에 실어 고무줄로 고정하고, 가로등 아래 벤치에 앉는다. 가로등 아래 벤치인데 어두컴컴하다. 어둠에 삼켜지는 것이 마음이 편하다. 찌그러진 달이 울고 있는 것 같다. 손잡이에 달린 병을 건드려 본다. 달그락, 달그락 흔들리며 내는 소리는 걸을 때보다는 크지 않다. 한참을 앉아 소리가 멈추면 다시 툭 밀어 본다.

달그락, 달그락. 어둠이 내린 사방. 조용히 빈병이 흔들리며 소리를 낸다. 다시 또 달그락, 달그락.

그 소리가 마음을 만진다.

늙으면 말이 줄고, 들어도 무시하는 나름의 처세술이 생긴다고 한다. 하지만 무시한다고, 모르는 척한다고 해도, 이미 다 들었다.

나라고 모르겠는가. 나를 도깨비라 부르는 어린아이의 말도, 지독한 아줌마라고 부르는 사람들의 말도. 카센터에서 동네에서 존재감 없이 사는 나의 위치를 모르는 척한다고 해서 상처가 되지 않는 것은 아닌데, 보이는 것이 전부인 사람들은 보이는 것만 보려고 한다.

나라고 상처받지 않았겠는가. 피가 나고 새살이 올라와야 상처가 아니다. 마음에 그어진 한 줄 한 줄이 깊이를 더해가며 스스로 굳은살을 만들어 몸피를 부풀리지만, 무뎌지는 것이지 상처가 나아지는 것은 아니다. 나도 주변으로부터 상처받았다.

나라고 말하고 싶지 않겠는가. 그 나이를 먹고도 자기 밥과 손주들 밥까지 챙기게 하는 딸년에게 내 딸이지만 너는 나쁜 년이라고, 반찬 하나 제대로 챙겨주지 못하는 할머니가 되고 싶지 않아 노력하고 있는 것을.

이 모든 상황은 나 때문이 아니라 너를 만나 살면서 이렇게 억척스러워질 수밖에 없는 삶의 무게였다는 것을. 자식까지 낳고 살면서 서로를 제일 잘 아는 서로의 편이 아닌 남의 편.

너에게도 인정받지 못하는 내가 어떻게 남들에게 인정받을 수 있었겠나. 그래서 너는 내 편이 아닌 남 편인 것임을.

나도 베풀며 살고 싶지만 누구도 알려주지 않은 것을 혼자서 깨우치지 못해 지금의 나라고,

이제 와서 여실히 확인한 동네 사람들의 말과 행동에 달라질 게 무에 있겠나. 달라지면, 안 하던 행동하면 빨리 죽는다고 하

며 입방아에나 오르겠지.

한숨이 다시 올라와 뱉어진다.

한숨은, 크게 입을 벌리면 깊은 숨을 밀어내지 못한다. 깊은 곳에서 올라오는 숨을 입술을 오므려 뱉어낸다. 천천히 흩어지는 숨에도 힘은 있어 나를 숨 쉬게 한다. 오늘도 이 숨이 나를 살린다.

카트를 끌며 움직인다. 남편이 굶고 있을 것이다. 열심히 밥을 차려주면 내 편이 될 수 있을까. 엄마 밥을 먹고 엄마 비위에 맞는 말을 아주 가끔은 할 줄 아는 딸년을 보면 어쩌면 그 남자도 말이라도 한마디 해줄 날 있지 않을까 싶다.

병이 움직이며 달그락거리는 소리를 들으며 집으로 간다. 하나의 오르막이 남았다. 허리를 꼿꼿이 펴고 카트 손잡이를 잡고 움직이려는데 평소라면 길 건너 큰 마트보다 비싸서 잘 가지 않는 조그만 동네 마트가 보인다.

바지 주머니를 만지니, 동전 지갑이 만져진다. 카트를 다시 세우고 지갑을 꺼내 열어보니, 꼬깃꼬깃 접은 천 원짜리가 보인다. 마트 문을 열고 들어가자, 주인 여자가 '에구 웬일이래?' 소리를 낸다.

우유 파는 곳으로 가서 가격을 살핀다. 우유를 사는 일이 뭐 그리 어려울 일이라고 주인 여자가 옆으로 다가와 선다.

"뭐, 할머니 드시게?"

"아니, 애들 좋아하는 걸로 줘. 뭐를 잘 먹을 건가?"

"그럼, 초콜릿이나 딸기로 사요. 흰 우유는 지들 엄마가 사주잖아."

내 손에 들린 흰 우유를 잡아 내려놓더니, 빨간색으로 칠해진 두 개를 손에 쥐여 준다.

"딸기 맛 괜찮죠? 잘 오셨네, 잘 오셨어. 오늘 행사한다고 처음 들여온 건데, 이걸로 해요. 지금 싸."

여자의 뒤를 따라 계산대로 와 손에 든 것을 내려놓고 주머니 지갑을 꺼낸다. 주인 여자는 싱글벙글 웃음이 떠나지 않는다.

"얼마?"

주인 여자가 말하는 대로 천 원짜리를 펴고 동전을 몇 개 내려놓는다. 그렇게 우유를 샀다.

내일 지나 주말 아침이면, 서울 여자의 아이들이 카센터 앞을 지나 놀이터로 갈 것이다. 그럼 불러들여서 손에 쥐여 주어야겠다. 그 아이들은 제 엄마가 없어도 인사를 할 테니.

걸음에 속도가 붙지 않는다. 이러다 집에는 가겠나 싶은 생각을 해보지만, 걸음에 힘이 들어가지 않는다. 돌아서도 갈 곳이 없어, 카센터를 향해 걷는다.

어렵게 올라간 오르막길 끝에는 이제 내리막길이 기다리고 있다. 카트를 잡은 손에 더욱 힘을 주고 어려운 한발 한발을 옮긴다. 가야 할 곳이 보이고, 멀리 뒷짐을 진 남자가 보인다. 한참 내려가는 나를 보는 것 같더니, 어느새 모습이 보이지 않았다. 미용실 문은 닫혔고, 안은 컴컴했다.

카트가 있을 자리에 놓아두고, 우유가 든 비닐봉지를 들고 주방으로 들어간다. 냉장고 문을 열어 봉투채로 넣어두고 반찬을 꺼낸다. 준비하지 못한 저녁 식사는 모든 반찬을 꺼내 늘어놓는 것이 시작이다.

"큼, 큼."

남편은 헛기침과 함께 리모컨을 들고 눌러댄다. 어떤 사람을 또 불러낸 것인지, 여자들의 소리가 왁자지껄 들린다. 어제와 별다른 것 없는 이야기를 쏟아내는 드라마다. 이년, 저년 욕을 하며 보는 나와는 다르게 남편은 묵묵히 바라본다.

가스 불을 켜고 아침에 먹다 남은 찌개를 뒤적거려 놓고 뚜껑을 닫아준다. 냉장고에서 꺼낸 반찬을 접시에 담고 남편의 앞에 내려놓는다.

여전히 남편의 손에는 리모컨이 자석처럼 붙어있다. 티비 속 사람들이 정신없이 말을 쏟아내며 우리 둘 사이에 내려앉은 침묵을 채운다.

식사를 마치고 먹은 것들을 정리하고, 자리에 앉아 어느새 다른 드라마로 바뀐 채널을 바라보는 남편을 두고, 밖으로 나와 카트 옆으로 간다. 봉투를 툭 건드려 소리를 내 본다. 달그락 소리가 멈출 때까지 기다려, 비닐을 내려놓고, 병의 개수를 세며 바구니 안에 넣는다.

남편은 달마다 나오는 돈이면 삶을 유지하는 데 어려움이 없다고 느끼는 것 같다. 당장에 먹고 사는 문제만 해결이 되면 문제가 없을 거라 믿나 보다. 그래도 수중에 돈이 있어야 자식 앞에 면이 서고, 힘들다 할 때 조금이나마 쥐어 줄 수 있을 것인데.

폐지를 줍는 이 일은 엄연한 노동이다. 누군가가 버린 것을 주워 대가를 받아도 나의 수고를 끼친 일이기 때문이다. 자식과 손주, 남편에게 더 나은 반찬을 주고, 철마다 나오는 과일을 사주고, 가끔 용돈도 쥐어 줄 수 있는 일이다.

늙은이의 삶은 초라해지기 쉽다. 이미 늙어버린 몸이 이미 세월을 맞아 몸피를 줄이고, 느릿느릿 걷는 걸음이 젊은이들을 따라가기 힘든데, 어서 따라오라며 손짓하면서도 잡아주지는 않는다. 그러면서도 아닌 척 짐을 더해준다.

나였다가, 누군가의 부인이었다가, 엄마였다가, 결국 할머니까지. 순간순간에 어찌 행복이 없었을까마는, 때에 따른 무게가 더 많아졌다. 좋은 사람이 되는 것은 바라지 않는다. 그저 나쁜 사람이 아니기를 바라기는 했다.

꼬깃꼬깃 접었던 감정을 펼쳐서 하나씩 보여주고, 와서 들여다보라고 하고 싶다. 말하는 재주를 못 가진 나는 보여주는 방법도 알지 못하지만, 젊은 너희들이 빠르게 지나치려 하지 말고 들여다보아 주었으면. 늙어버린 몸이 멈추면 더 이상 아무것도 할 수 없는 무력함만 남은 사람이 될 거 같아 느릿느릿이라도 움직이는 거라고.

백 원, 이백 원이 모여 하루를 사는 돈이 되는 것임을 알아, 억척스럽게 몸을 놀리는 것이라고. 폐지 한 장, 한 장을 모아 내 키보다 커지는 것을 보면 내 삶을 느낀다고, 돈은 믿음이었다가 삶을 유지하는 나만의 방법이었음을 이야기하고 싶다. 하지만 나는 말하는 법을 알지 못한다. 누구도 나의 삶을 궁금해하지 않는다.

드라마가 끝났는지, 느릿느릿한 걸음의 남편이 나와 마당을 할 일 없이 한 바퀴 돈다. 저이의 눈은 담벼락에, 리프트가 있던 자리에 멈춘다. 무슨 생각을 하는지 모르겠지만, 아무 생각 없이 살지는 않으리라. 삶의 끝자락에는 각자의 의미가 날마다 다른 모습으로 떠오르겠지.

"월요일에는 이것들 다 가져다줍시다."

"…어, 그려."

"이번 주는 생각보다 많아 돈이 좀 되겠어."

대답이 없다. 이것들이 다 치워지고 나면 다시 새로운 힘이 솟으리라. 위로가 쌓이고 나름의 의미를 부어 채우다 보면 내 삶도 풍요로워지리라. 비어 있는 곳을 채우는 일이 지금의 나에게는 움직이는 모든 순간의 목적임을 안다.

바지를 탈탈 털어내고 휘둘러본다. 어둠은 사방에 내려앉았고, 희미한 백열등에는 날벌레들이 정신없이 날개를 움직여 날아들었다가 멀어졌다 한다.

삐걱대던 문을 달아 안에서 걸어 잠그고, 날벌레들의 은신처인 백열등의 불을 끈다. 날벌레도 날갯짓의 의미를 잃고 흩어져 버리는 이름 없는 카센터는, 빛마저 잃고 잠에 들 준비를 한다.

안녕, 나의 사랑

전영신

전영신

추계예술대학교 영상시나리오학과 재학 중
생애 최고의 시나리오를 쓰길 꿈꾸었으나
오랜 시간이 지났네요.
인생은 다시 없을 하나니까 다시 꿈꾸어 보려고요.

"스텐바이!"
"액션!"

시간이 지나도 '컷' 소리가 나지 않는다. 왜냐고? 지금 나랑 키스하고 있는 이 남자가 이 영화 감독이니까. 분명히 키스하는 척만 해달라고 했다.

규호는 감독, 촬영, 편집, 배우까지 일인다역으로 단편영화를 찍겠다며 제주에 왔다. 다만 회상장면에서 키스씬이 있는데 그 씬 찍을 때 키스하는 척만 해달라고 했다. 그래서 지금 서우봉 벤치에 앉아 있다. 벤치에 앉아 있는 여자에게 남자가 다가와 옆에 앉는다. 둘은 서로를 바라보다가 갑자기 가까워지며 키스를 하는 장면이다. 규호의 얼굴이 천천히 다가오자 심장이 '쿵, 쿵, 쿵, 쿵' 소리를 크게 내며 나댄다. '이건 연기다, 연기다, 연기다.' 주문을 외우며 아무렇지 않은 척 노력했지만, 우리의 얼굴이 거의 맞닿았을 때 눈을 질끈 감아버렸다. 그리고 우리의 입술이 포개져 버렸다. 속았다. 분명히 키스하는 척만 한다고 했다. 그런데 싫지 않다. 규호의 입술이 점점 떨어진다. 아쉽다.

내 눈을 마주친 규호가 가만히 보더니 나지막하게 외쳤다.

"컷"

이제 어떻게 하지? 규호의 얼굴을 쳐다보기가 부끄러워 와락 안겨버렸다. 아니, 안아버렸다. 예상은 했지만 내 어깨가 더 넓고 팔도 내가 더 두꺼운 거 같다. 무슨 남자가 이렇게 여리여리한지! 조금 안정이 되자 규호의 어깨에 기대었다. 한두 번 보는 것도 아닌데 서우봉의 일몰이 유독 아름다웠다. 우와…. 감탄하며 바라보고 있는데 내 어깨가 톡 떨궈진다. 규호가 카메라를 들고 일어난 것이다. 멋쩍었다.

"너는 이 와중에도 꼭 찍어야겠어?"

"너랑 첫 키스한 날인데 기록해놓고 싶어서 그렇지."

카메라는 놓지 않는 채 힐끔 나를 보는 뚝 던지는 말에 얼굴이 발그레해졌다. 저기 떨어지는 해랑 나랑 누가 더 붉은지 대결하는 거 같다. 첫 키스! 화도 못 내게 한다. 사춘기 소녀도 아니고, 연애가 처음도 아닌데 왜 이러는지.

주차장까지 도착했을 때는 사방이 어두웠다. 해가 지는지 뜨는지도 모르게 함께 걸어왔다. 왼손에 카메라를 든 규호는 기어이 오른손을 내 어깨에 올렸다. 규호의 오른손이 내 쇄골에 살짝살짝 닿을 때마다 온몸이 움찔거렸다.

내 차까지 왔을 때 나는 운전석으로 규호는 보조석으로 떨어져 앉을 수밖에 없었다. 언젠가 올 이런 날을 위해서 처음 운전을 배울 때 한 손으로 하는 연습을 해뒀지. 왼손으로만 운전대를 잡고 핸들을 움직이며 오른손은 옆으로 내려놓았다. 내심 규호가 손을 잡지는 않을까 기대했는데 규호가 묵는 호텔 주차장에 도착할 때까지 그런 일은 일어나지 않았다.

규호가 데려다줘서 고맙다는 인사와 함께 보조석 문을 연다.

진짜 이렇게 가는 거야? 조금 서운하려고 하는데 갑자기 문을 쾅 하고 세게 닫고 들어온다. 규호의 몸 반절 이상이 운전석으로 넘어온다. 그리고 누가 먼저랄 것도 없이 키스를 시작했다. 아까의 조심스럽고 부드러운 키스가 아니라 아주 강렬한 키스. 숨이 점점 가빠졌다. 규호가 갑작스럽게 입술을 뗀다.

"애라 너 오늘 들어갈 거 아니지?"

"응?"

"내 방에서 자고 가."

"음…으음…엄마한테 전화해볼게."

"너 회사 기숙사에 혼자 살면서 무슨 소리야?"

"내가 그런 거까지 말했나?"

규호는 편의점에서 간식거리나 사서 들어가자고 손을 이끌었다. 얼떨결에 편의점까지 따라왔다. 장바구니를 한 손에 들고 열심히 골랐다. 과자랑 초콜릿, 맥주도 넣었다. 아 쟤 술 못 마시지. 다시 빼서 냉장고에 넣어둔다. 규호가 뭔가를 빤히 쳐다보면서 골똘히 고민하고 있길래 뭐야? 하고 봤는데 콘돔이다.

"뭐 살까?"

"내가 어떻게 알아?"

얼굴이 화끈거린다. 휙 돌아서서 과자를 고르고 있었다. 아니, 과자를 고르는 척하고 있었다. 호텔로 들어갔다.

"먼저 씻을래? 난 이것 좀 정리해 놓고 있을게."

규호가 편의점에서 사 온 물건들이 담긴 봉투를 들어 보인다. 샤워 후 갈아입을 옷을 전혀 준비해오지 않았다는 사실을 깨달았다. 다시 입긴 찜찜해서 샤워실에 걸려있는 가운만 걸치고 나왔다.

침대에서 규호가 누워있다가 날 본다. 침대에 가서 앉기는 괜히 좀 그래서 테이블 앞 소파에 앉았다.

'그대 사랑하오,
And I and I always love you
말로는 다 못하오.
난 사랑하오.'

규호가 노래 한 구절을 부르며 다가와 입술에 뽀뽀한다. 놀랄
틈도 없이 샤워실로 들어간다. 뭐지? 저 노랜?

"쉬고 있어. 나도 씻고 나올게."

나중에 가사만 대충 기억해서 검색해보니 윤상 & 김현철의
'사랑하오'라는 노래였다.

호텔 방안을 천천히 둘러보았다. 아까 사 온 과자들이 각을
맞춰서 가지런히 정리되어 있었다. 그리고 침대 옆 협탁에 보이
는 콘돔! 다시 화악 얼굴이 빨개졌다. 뭐야, 쟤? 하도 소심하게
굴어서 손잡는 데만 백만 년 걸릴 줄 알았는데 이렇게 진도를
뺀다고? 대박. 미치겠다! 혼자 테이블 앞에 앉아서 발을 동동
굴렀다.

규호를 처음 만난 건 지난 5월 마지막 주 수요일. 한림작은
영화관에서였다. 휴무일이라 호텔 기숙사가 아닌 한림 본가에서
자고 일어났다.

한림작은영화관은 일반영화도 상영하지만 독립예술영화도 상
영하는 상영관이 2개만 있는 영화관이다. 관람료가 평소에서 7
천원인데 매달 마지막 주 수요일은 문화가 있는 날이라서 6천
원이다. 무조건 가야지. 이날 내 옆에 앉았던 남자가 지금 샤워
하고 있는 규호다.

"먼저 지나갈게요."

"네"

상영관에 입장하려는데 앞에서 키 큰 여자가 밍기적거리고
있어서 먼저 지나가겠다고 했다. 그 여자가 옆으로 살짝 몸을

비켜줬다. 뭐야? 남자야? 목덜미까지 오는 긴 머리에 야리야리한 몸, 어둠 속에서 보아도 새하얀 얼굴. 무슨 남자가 저렇게 예뻐? 신기했다.

좌석에 앉았는데 그 예쁜 남자가 내 옆자리에 앉는다. 다시 한번 슬쩍 봤다. 진짜 남자 맞네.

금방 광고가 시작되고 있었다. 옆자리에 앉아있는 규호를 보고 '뒤에 있는 사람들은 우리 둘 다 여자로 알겠다.'라는 생각을 하고 있었다.

영화가 시작되면서 상영관이 좀 더 어두워지고 규호가 부스럭거리면서 가방 속에서 뭔가를 꺼낸다. 먹을 거겠지. 절로 인상이 찌푸려졌다. 예전에 영화관 옆자리에서 김밥을 꺼내 하나씩 먹던 남자가 있었는데 그 생각이 났다. 그때의 김밥 냄새가 다시 나는 거 같았다.

어? 그런데 이 남자가 가방에서 꺼낸 것은 김밥…아니 먹을 것이 아니다. B5 크기의 노트와 펜이었다. 그리고 영화가 시작되자 노트에 뭔가를 끊임없이 쓰고 있다. 신기한 마음에 눈길이 가서 계속 쳐다봤다. 더불어 그의 외모가 눈길을 끄는데 한몫한 거 같다. 다시 보니 저 긴 머리에 머릿결이 좋아 보였다. 그리고 지적인 분위기를 자아내는 은테를 끼고 있었다. 그때 규호가 휙 돌아보더니 조심히 속삭였다.

"무슨 일 있어요?"

"아니요, 아니요."

훔쳐보다 들킨 느낌이었다. 아! 훔쳐본 거 맞지. 고개를 세게 저으며 그제서야 영화가 상영되는 스크린쪽으로 눈을 돌렸다. 다시 힐끔 보면 열심히 노트에 뭔가 적는다. 뭐 적을 게 있나?

영화가 끝났다. 벌떡 일어나 나가려는데 규호는 나가지 않았다. 어? 스크린에는 엔딩크래딧만 올라가고 있었다. 그런데 규호는 집중해서 보고 있었다. 엔딩크래딧은 꽤 길었고 이미 다른 사람들은 다 나가고 없었다. 심지어 상영관에 불도 켜졌다. 아르바이트생 두 명만 우리 쪽을 보며 '왜 안 나가지?' 하는 표정으로 초조하게 지켜보고 있었다. 결국 난 먼저 상영관 밖으로 나갔다.

하지만 멀리 가지는 못했다.

폭우가 쏟아지고 있었기 때문이다. 예상은 했다. 일기예보에서 기상캐스터가 호우주의보라고 떠들어 대는 걸 듣긴 했다. 영화관에 도착했을 때는 아직 비가 오기 전이었다. 트렁크에 우산이 있지만 귀찮은 마음에 그냥 들어갔다. 그런데 비가 너무 많이 온다.

이대로라면 차까지 뛰어가도 쫄딱 맞을 게 분명하다. 매번 알면서도 당한다니까. 가방을 앞으로 움켜쥐고 속으로 하나, 둘, 셋을 외쳤다. 셋! 하고 뛰어나갔는데 어깨 위로 비가 떨어지지 않는다. 뭐지? 하고 옆을 보니 아까 그 옆자리 남자! 규호였다.

"차 있는 데까지 우산 씌어드릴게요."

"감사합니다."

내 차가 어디 있는지 아는 듯 발걸음이 자연스러웠다.

"제 차가 뭔지 아시는 거 같아요."

"알아요."

"어떻게요?"

"아까 차키 누르실 때 반짝이는 차를 봤어요. 이거죠?"

와… 눈썰미도 좋지. 세심한 사람이구나. 내가 운전석에 올라타자 자신은 버스를 타고 왔다며 싱긋 웃고 돌아선다. 차 앞유리의 와이퍼가 부지런히 움직였다. 와이퍼 사이로 그 남자가 걸어가는 뒷모습이 보였다. 바람이 세게 불어 저 튼튼해 보이는 장우산도 휘청거리고 있었다. 차를 살살 몰고 그 남자 옆까지 가서 목청을 높였다.

"일단 타세요!"

얼떨떨한 표정으로 보조석에 올라탄다.

"바람 때문에 우산 쓰고 걸어가기 힘들 거에요."

"바람이 진짜 세긴, 세네요."

"버스정류장까지 태워다 드릴게요."

버스정류장까지는 걸어서 10분 가까이 걸릴 정도의 거리였다. 여길 이 비에 어떻게 걸어가려고 했담. 버스정류장까지 가는 잠깐의 시간 동안 규호에 대해 알게 된 것은 서울에서 여행온 나랑 동갑인 29살 영화를 전공하는 대학생이라는 것 정도였다.

버스정류장에서 고맙다는 말을 남기고 싱긋 웃고 내렸다. 어쩐지 그 싱긋 웃는 얼굴이 계속 생각난다. 그 당시엔 통성명도하지 않았다. 이름이라도 물어볼 걸 그랬나? 아니면 연락처라도 달라고 그럴 걸 그랬나? 에이. 그러기엔 너무 짧은 만남이잖아. 혹시나 하는 마음에 인스타에 '한림작은영화관'으로 검색해본다. 특별히 그 규호로 보이는 게시글은 없어 보인다. 영화티켓의 좌석번호가 잘 나오게 찰칵 찍어 #한림작은영화관이라고 해시태그를 걸어 올려본다. 혹시 규호도 나를 찾는다면 알아볼 수 있게 말이다.

이틀의 휴무일이 끝났다. 휴무일은 항상 순식간에 지나간다. 하지만 난 출근이 싫지 않다. 에코랜드 호텔 야외수영장은 너무 멋지니까!

우리 호텔 수영장은 포토존으로 유명하다. 한 초록색으로 울창한 숲이 뒤로 펼쳐져 있고 동그란 모양의 수영장의 파란 물이 넘실거린다. 마치 호수에 둥둥 떠 있는 듯한 환상적인 분위기를 자아낸다. 그래서 사진 찍으려고 많은 관광객이 찾아온다.

근데 저 뒤태는 혹시 그 사람? 큰 키에 야리야리한 몸매, 그리고 단발머리. 다른 데가 있다면 가방이 들려있던 손에는 비싸 보이는 큰 카메라가 들려있었다.

"고객님! 카메라 들고 들어가실 건가요?"

남자가 뒤를 돌아봤다. 어? 나와 동시에 외치며 웃음을 터뜨렸다. 그 사람이 맞았다. 이게 우리 둘의 우연한 두 번째 만남이었다.

"여기서 일하세요?"

"네, 라이프가드예요."

"그런데 카메라 들고 들어가면 안 되는 거예요?"

"그런 건 아닌데 너무 비싸 보여서요. 여기 제법 물이 깊거든요."

"그런가요? 그럼 밖에서만 찍어야겠어요."

규호는 카메라로 수영장 외관을 전체적으로 찍기 시작했다. 환상적인 분위기를 자아내는 유명한 포토존 반대편으로는 아기자기한 흰색 호텔 건물이 보였다. 마치 동화 속에 들어온 듯한 기분이었다. 규호는 '와우', '대박' 하는 감탄사를 쏟아내고 있었다. 내가 만든 것도 아니지만 괜히 어깨에 힘이 들어갔다.

"우리 수영장 참 예쁘죠? 한 장 찍어드릴까요?"

"그럼 한 장 부탁드릴게요."

규호가 카메라를 나에게 넘겼다. 너무 무겁고 비싸 보인다. 비치 의자에 내려놨다.

"너무 비싸 보여서 부담스럽네요. 이걸로 찍어드릴게요."

내 핸드폰을 들어보였다. 뭐야? 디게 쑥스러워 보였는데 사진을 찍기 시작하자 다른 사람이 된 듯했다. 찍혀본 경험이 많은 듯 자연스럽게 여러 포즈를 취한다. 규호가 다가가 사진을 보여줬다. 와. 핸드폰으로 대충 찍었는데도 끝내준다. 역시 우리 수영장 최고다.

"오늘 프사 바꾸셔야겠어요?"

"네. 진짜 잘 나왔네요."

"사진 보내드리게 핸드폰 번호 알려주세요."

자연스러웠나? 이번엔 놓치지 않고 규호의 번호를 알아냈다.

"수영하시다 가실 거죠?"

"아…그렇긴 한데 제가 수영을 잘 못 해요."

"여기 수영 잘하는 사람들만 오는 곳도 아닌데요. 뭐."

"혹시 저 빠지면 구해주실 거죠?"

"당연하죠. 저만 믿으세요!"

"든든하네요."

"그럼 놀고 계세요. 이건 제가 저기 스넥 코너에 보관해드릴게요."

규호의 비싸 보이는 무거운 카메라를 양손으로 소중히 들고 스넥 코너 카운터로 향했다. 힐끔 뒤돌아보니 규호가 흰색 가운을 벗고 있었다. 헐! 무지개! 진짜 화려하다. 무지개 모양의 수영복이 드러났다. 무지개가 수영복으로 존재하다니. 수영복은 제법 간지 나는데 수영 실력은 어떠려나? 수영 실력은 확실히 초보인 거로!

다시 가드타워로 올라가 앉아 있었다. 사실 지루한 시간을 보낼 때도 많은데 조금도 지루하지 않았다. 눈치챘겠지만 규호를 살펴보느라고 정신 없었다. 운동을 전혀 한 적이 없는 듯한 마른 몸에 나보다 훨씬 새하얀 피부. 근육질에 하도 해를 받아서 시컴한 다른 라이프가드 남자애들하고는 사뭇 달랐다. 다른 세계에서 톡 튀어나온 느낌이라 자꾸 눈길이 갔다.

대충 물놀이를 하다 나와서 선베드에 앉아서 책을 펼쳐 읽는다. 책 제목이 어디 보자. '여자 없는 남자들?' 픕! 저 책 제목을 보니 여자친구 없는 건 확실하다고 생각했다. 이제 와 생각해보니 이 무슨 말도 안 되는 근거인가? 그런데 여자친구가 없는 건 맞긴 했다. 그 소설이 무라카미 하루키라는 유명한 일본 소설가의 단편 소설집이라는 건 나중에 안 사실이다.

적당히 물놀이를 마치고 나오길래 사무실에 맡겨뒀던 카메라를 챙겨서 돌려주었다.

"물에 들어갔다 나오니까 배고프네요. 이 근처에 맛집 있나요?"

맛집? 자꾸 관광객들이 도민 맛집 물어보는데 진짜 난감하다. 사실 밥은 다 호텔 직원 식당에서 먹기 때문에 관광객들이 주로 가는 주변 맛집은 전혀 모른다. 내가 이 주변에 아는 식당이라고는 딱 하나! 회식 장소!

"교래향이라고 갈치조림 맛집이 있는데요. 아! 거긴 2인분부터 가능해서…아니면….."

"그럼 같이 드시러 가실래요?"

"네?"

"카메라도 보관해주셨는데 제가 살게요. 퇴근이 언제세요?"

"퇴근은 2시 30분이요."

"그럼 사진 보내주신 번호로 연락드릴게요."

교래향은 종종 호텔 회식 때 가는 식당이라 그냥 말한 건데…. 뭐 맛있긴 하잖아. 그럼 맛집이지! 어떻게 되겠지!

마침 내 퇴근 시간에 맞춰 호텔 로비에서 기다리고 있겠다는 문자가 왔다. 답장을 쓰고 있는데 소리 없이 다가온 범준이 뒤에서 '네, 이따 뵐게요?' 하고 읽는 게 아닌가. 아이씨, 뭐야. 범준을 피해서 다시 수영장 쪽으로 갔다. 범준은 자기 근무 타임도 아닌데 내 옆으로 조르르 쫓아와서 선다.

"누나! 아까 그 남자야?"

"뭐가? 신경 *끄지*?"

"만나서 밥 한번 먹을 수는 있는데 마음은 주지마."

"어, 알았다."

"진짜로! 나 작년에 장거리 연애하다 헤어진 거 알지?"

"부산 사는 장미? 우리 호텔에 장미 모르는 애도 있냐?"

"그래. 장거리 연애 생각보다 쉬운 일 아니야. 시작도 하지 마."

"내가 알아서 할게. 신경 꺼줄래?"

"아이씨, 누나! 좀 하지 말라면 하지마."

"니가 장거리 연애하다가 잘못됐다고 나도 그러라는 법 있어?"

"나는 누나가 상처받을까 봐 그러지!"

"상처를 받아도 내가 받는데 니가 무슨 상관이야? 내가 알아서 한다고!"

범준이 짜증 나게 하는데도 그 와중에 가슴이 두근두근 뛰고 입가에 미소가 번진다.

퇴근 시간에 맞춰 호텔 로비에서 규호를 만났다. 근데 렌트를 하지 않았다는 거다. 알고 보니 안 한 게 아니라 못 한 거였다. 이 나이에 면허가 없다나? 미안해하는 규호를 내 차에 태우고 교래향까지 이동했다. 회사 사람이 아닌 다른 사람과는 첨 와보네. 호텔에서 차로 5분도 걸리지 않는 위치였다.

"우리 동갑인 거 같은데 말 놓을까요?"

"그래요."

"나는 애라. 진애라. 넌 이름이 뭐야?"

"저는 김규호예요."

"규호야. 우리 말 놓기로 했잖아."

"으응."

규호는 되게 멋쩍어했다. 그런 모습이 귀여워 보였다.

"여기 한라산소주 1병요."

술 한잔하면서 분위기를 만들어 봐야겠다. 근데 규호는 짠 하고 잔을 부딪치기까지는 했는데 그 잔을 입에 털어 넣질 않는다. 그리고 기어들어 가는 목소리로 말한다.

"나 사실은 술 못 마셔."

"뭐? 술을 못 마셔? 왜? 이 좋은걸?"

"술 못 마시는 게 그 정도로 놀랄 일이야?"

"아니 그런 건 아닌데! 술 못 마시는 사람 첨 봤어."

대학 입학 후 처음 술을 마셔봤는데 솔직히 맛이 없었다고 한다. 그런데 연기전공 동기들 사이에서 배우는 몸과 목소리를 가꿔야 한다며 술과 담배를 하지 말자는 캠페인이 벌어졌다고 한다. 이때다 싶어서 동참했던 게 아직까지 이어지고 있을 뿐이라고 한다.

규호가 술 한잔을 안 먹는 바람에 나 혼자 한라산 소주 한병을 다 마셨다. 솔직히 취하진 않았지만 살짝 기분이 좋아지긴 했다. 일부러 취한 척 꼬부라지는 목소리로 말한다.

"우리 다음에는 카페로 가야겠다."

"다음에?"

"다음에 다시 안 볼 생각이야?"

"봐야지. 다음에는…"

"다음에는?"

"내가 꼭 면허 따올게."

"오. 대박!"

"차도 좋은 거 사서 태워줄게."

"뭐 살 건데?"

"첫차는 소박하게 벤츠 E클래스?"

"우와. 소박한 거 맞아? 너 차 사면 제일 먼저 나 태워줘!"

"알겠어."

"약속! 약속! 손가락 걸어."

그렇게 의미가 있는지 없는지 무의미한 손가락을 걸면서 무한정 가슴이 뛰고 있었다. 고작 5분 거리를 가기 위해 대리 기사를 불렀다.

규호는 서울로 돌아가면 졸업작품도 작품인데 꼭 운전면허를 따야겠다고 몇 번이나 반복했다. 내 차 뒷좌석에 나란히 앉았다. 자리는 둘이 앉기에 넉넉했지만 둘 사이에 틈은 없었다. 내가 티 나게 규호 옆에 붙어 앉았던 거 같다.

규호의 손이 가까이에서 아른거리는데 침이 꼴깍 넘어갔다. 손 한번 잡아보고 싶다. 안 그래도 내가 너무 들이댄 거 같은데 손까지 잡아버릴 순 없다. 나의 왼손이 당장이라도 규호의 손을 잡을 거 같아 오른손으로 꾸욱 누르고 있었다.

늦은 시간이었지만 조명이 켜져 있어 제법 멋진 야경이 펼쳐졌다. 야간조일때는 멋지다는 생각보단 빨리 기숙사 가서 자야겠다는 생각뿐이었다. 그런데 이렇게 야경이 멋지게 느껴지다니! 옆에 누가 있느냐에 따라서 같은 풍경이 다르게 보인다는 걸 새삼 느낀다.

"나 내일 아침 비행기로 서울 가."

"뭐? 내일? 벌써 가?"

"나중에 서울 와라. 나도 또 제주 올게."

"가면 잘해줄 거야?"

"당연하지! 오기나 해."

"너도. 너도 꼭 다시 제주 와."

만나자마자 이별이구나. 그럼 규호는 오늘이 제주에서의 마지막 밤. 이거면 못 잊을 선물이 될까? 규호를 이끌었다. 호텔 뒤쪽이 조명이 없는 어두운 숲 쪽으로 데려갔다.

"좀 이따 들어가도 되지? 나 따라 와 봐."

"너무 어두운 거 아니야?"

"왜 무서워?"

"그런 건 아닌데 너무 어두운 거 아닌가 해서…."

"에이, 너 무섭네, 무서워."

너무 어둡다 보니 살짝 무섭기도 했다. 그렇지만 다 이유가 있지. 바로 그때. 우와! 규호의 입이 다물어지지 않았다. 역시 내 선택이 옳았어! 반딧불이 숲 전체를 반짝이고 있었다.

"진짜 황홀하다…"

"그치?"

"너무 신비로운 거 같아!"

"나 아니면 절대 못 봤을 걸?"

"응, 인정! 고마워."

"그럼 나 서울 가면 어떻게 해줄 거야?"

"어떻게 해주긴. 진짜 잘해줘야지!"

휴무일에 연차를 붙여서 서울에 가기로 했다. 제주공항 면세점에서 카카오프렌즈 매장에 들렀다. 규호에게 선물할 제주에디션 감귤 어피치 인형 키링을 하나 구매했다. 매장을 나오다가 다시 들어가서 감귤 어피치 인형 키링을 한 개 더 구매했다. 그리고 바로 포장을 뜯어내 가방에 달았다. 이런 거 좋아하는 편은 아닌데 귀엽다.

규호에게 전화를 걸었다. 규호는 항공사는 어디인지, 시간은 어떻게 되는지 자세히 물었다. 아무래도 김포공항으로 마중을 나오려는 거 같았다. 1시간 후, 나의 오산이었다는 걸 알게 되었지만 말이다. 김포에 도착하자마자 규호에게 전화를 걸었다.

"도착했어? 그럼 우리 학교로 올래?"

"학교?"

"응. 지금 편집 중인데 너 오면 딱 끝날 거 같아. 학교 구경 시켜 줄게."

대학 졸업한 지가 언젠데 학교 구경? 그래도 규호가 다니는 학교 구경이라니 재미있을 거 같았다. 규호가 카카오톡으로 학교와 학교 안 편집실 위치를 알려줬다.

제주에는 지하철이 없어서 맞는 방향으로 잘 탄 것인지 걱정되었다. 학교에 도착해 물어물어 규호가 말한 편집실에 도착했다. 편집실 문을 열자 규호가 벌떡 일어나 나와 너무 반갑게 반겨주며 의자 하나를 빼준다.

"오느라 고생했지? 여기 앉아."

"아니야, 금방 왔어."

"나 생각보다 편집이 늦어져서 조금만 기다려 줄래? 10분 정도!"

"알겠어. 신경 쓰지 말고 하던 거 해."

규호는 편집기 앞에 앉아 집중했다. 손이 굉장히 빨랐다. 저렇게 영화가 만들어지는 거구나.

멋있다. 본업 잘하는 남자. 규호한테 신경 쓰지 말라고 했는데 신경은 내가 쓰였다. 규호 앞에 앉아 있는 저 여자. 미성년자라고 해도 믿을 만큼 어려 보이는데 엄청 날씬하고, 예쁘기까지 하다. 그냥 딱 여자 아이돌 그룹에서 톡 튀어나온 거 같다. 핑크색 머리카락에 크롭티까지. 상상도 할 수 없이 패션이다. 게다가 규호랑 왜 저렇게 가깝게 붙어있는지 모르겠다.

심지어 "오빠, 이건 저 앞에 붙이는 게 더 나을 거 같지 않아?" 하면서 앵앵거리는데 진짜 듣기 싫어 죽겠다. 멀리서 와서 피곤해서 그런가, 배가 고파서 그런가 되게 짜증 난다.

"미안해! 오래 기다렸지? 다 끝났어."

규호가 편집기 앞 의자에서 일어나며 나를 보길래 엉거주춤

자리에서 일어났다. 그런데 규호 옆에 붙어있던 여자가 규호의 팔짱을 와락 끼며 "오빠, 배고파 죽겠어. 같이 밥 먹으러 가자." 하면서 또 앵앵거리는 게 아닌가. 뭐지? 혹시 여자친구인가? 생각해보니 여자친구가 없을 거라고 나 혼자 생각한 거지 규호 입으로 들은 적은 없다.

　나중에 알고 보니 그 여자애는 민지라고, 규호와 유치원 때부터 동네에서 같이 자란 사촌 동생이다. 지금도 한집에 살고 있다고 한다. 아주 징글징글하게도 대학까지 같은 학교, 같은 과 후배로 들어왔다.
　"친구 놀러 왔으니까 다음에 같이 먹자."라는 규호의 말에 날 한번 쳐다보더니 덥석 내 팔짱을 낀다.
　"언니, 저도 같이 가도 되지요?"
　"제 나이 알아요?"
　"어? 아니요."
　"근데 왜 언니래요? 제가 그쪽보다 늙어 보여요?"
　"아니요. 그런 건 아닌데 오빠 친구라고 하니까 언니라고 생각했죠."
　얘 뭐지? 멕이는 건가?
　"민지야, 오늘은 진짜 안되니까 우리 따로 먹을게."
　"아니야, 같이 가. 저렇게 배고파 죽겠다는데."
　결국 기대하던 일대일 데이트는 물 건너갔다. 셋이 학교 앞 칼국수집에 갔다. 규호와 나란히 앉을 걸 기대 했는데 민지가 규호 옆에 냉큼 앉는다. 아! 꼴불견.
　"근데 나 오빠 친구 중에 모르는 사람 한 명도 없거든요. 근데 이 언닌 내가 왜 모르지?"
　"이 언니 아니고, 진애라에요. 진·애·라."
　"애라 언니, 저는 민지예요. 한민지. 22살이고. 말 놔요."

"그래. 난 29살이니까 말 편하게 할게."

그 사이 칼국수가 다 익었는지 규호가 한 접시 떠서 먼저 민지에게 주려는데 민지가 규호의 손을 막는다. 민지가 턱 끝으로 날 가리킨다. 저게 버릇없이!

"오빠, 장유유서잖아. 저기 나·이·많·은 애라 언니 먼저 줘."

진짜 짜증이 솟구쳤다.

"장유유서니까 나이 많은 내가 먼저 일어날게. 맛있게 먹어."

신경질적으로 일어나 순식간에 밖으로 나가버렸다.

잡으러 오겠지? 뭐야 왜 안 와? 진짜 안 오는 거야? 자존심이 상해서 뒤도 한번 돌아보지 않는다. 하지만 모든 신경은 뒤에 있었다. 호기롭게 일어나 나갔지만 일부러 아주 느린 속도로 걷고 있었다.

저 멀리서 규호가 날 부르는 소리가 들린다. 헉헉거리는 숨소리와 함께 규호의 손이 내 어깨를 잡는다. 아싸 성공!

그 길로 골목식당에 나왔다는 충무로 어느 골목의 '솜이네'라는 분식집에 갔다.

배불리 먹고 남산에 올랐다. 말로만 듣던 남산의 야경이 이렇구나. 밤이라 조금 쌀쌀했지만 규호와 함께 보는 남산의 야경에 마음만은 녹아내렸다.

새벽 근무를 하다 보니 서울 여행 와서도 새벽에 눈을 떴다. 수영이나 하러 갈까? 수영용품을 챙겨 18층에 있는 수영장으로 향했다. 수영장은 입이 떡 벌어지는 빌딩 뷰였다. 통창을 통해 빽빽한 빌딩이 내려다보았다. 이렇게 멋있을 수가.

대학 다닐 때 취미로 수영을 하다가 자격증까지 따게 되고 직업으로까지 이어졌다. 그런데 정작 직업이 된 이후로는 그렇게 재미있게 수영을 즐기진 않은 거 같다.

얼마 만에 홀로 온전히 즐겨보는지. 워밍업으로 천천히 자유

형 20바퀴를 돌았다. 몸이 풀리자 신나게 IM100을 시작했다. 누가 기록을 재고 있는 것도 아닌데 숨이 가빠졌다. 마지막 자유형 구간에서는 25M를 무호흡으로 속도를 냈다.

터치하고 숨을 가쁘게 몰아쉬는데 박수 소리가 들렸다. 올려다보니 라이프가드가 날 내려다보며 손뼉을 치고 있었다.

"수영선수세요? 진짜 잘하시네요."

"선수는 아니에요."

"제가 여기 근무하는 동안 오신 분 중 제일 수영 잘하셨어요."

"근무를 오늘부터 하신 건 아니죠?"

"아니에요. 진짜 잘하셔서 놀랐어요. 최소 수영강사는 되시죠?"

"수영강사도 아니에요."

"절대 일반인 수영 실력이 아닌데요?"

오랜만에 듣는 칭찬에 입꼬리가 주체를 못 하고 올라갔다. 건성으로 듣고 대답하다가 그를 올려다봤다. 빨간 글씨로 굵게 라이프 가드라고 써 있는 흰색 티, 빨간색 바지, 목에 걸린 호루라기까지 내가 거의 매일 입는 근무복이랑 거의 흡사한 옷차림새였다. 다만 복장은 비슷하지만 피부가 하얀데? 얘 진짜 오늘부터 근무한 거 맞네. 하루만 서 있어도 까매지는데. 아니다. 여긴 실내라서 피부가 까맣게 탈 일이 없겠구나.

물 밖으로 나와서 선베드에 누웠다. 남산이 보였다. 남산 뷰라니 기가 막히는구나. 우리 호텔 수영장 뷰가 늘 최고라고 생각했는데 또 다른 매력이 있다. 어제 칼국수집에서 그렇게 나와 규호와 떡볶이를 먹고 케이블카를 타고 올라갔던 남산이 저기 보인다. 남산에서 내려다보이는 서울 야경이 그렇게 멋졌다.

그리고 보니까 규호는 뭐하지? 왜 점심시간에나 만나자고 하는 건지. 원래 늦게 일어나는 타입인가? 카톡이나 보내볼까?

핸드폰을 꺼냈다.

"사진 찍어드릴까요?"

아까 그 칭찬을 예쁘게 잘 해주던 라이프가드가 핸드폰을 꺼내자마자 다가와서 말을 건다. 사진 찍으려고 핸드폰 꺼낸 거 아닌데. 그래도 빌딩 숲을 배경으로 한 수영장에서의 사진을 한 장 남겨가면 좋을 것 같았다.

내 핸드폰을 건네려고 하는데 본인의 핸드폰으로 찍기 시작한다. 엇? 이거 그 상황인데? 규호와 우리 에코랜드호텔 수영장에서 다시 만났을 때 생각이 나서 피식 웃었다. 그 사이 사진을 다 찍었다며 연락처를 알려달라고 한다.

자고 있을 규호에게 사진을 보냈다. 형광핑크색에 야자수가 잔뜩 그려져 있고, 형광 노란색의 끈이 둘러져 있는 화려한 수영복 차림이었다. 수영하고 조식 먹고 1층 라운지카페에서 커피까지 마시고 있었다. 10시쯤 되자 규호한테 전화가 왔다.

"사진은 누가 찍어준 거야?"

"응, 여기 가드가."

"가드?"

"응, 수영장 가드. 너 사진도 내가 찍어줬잖아."

"나 금방 갈게. 기다려."

점심시간에 만나기로 했는데 금방 달려나왔다.

"너는 왜 새벽부터 일어나서 그래? 푹 쉬지."

"나 새벽 근무라 일찍 일어나는 게 버릇인데."

"그럼 나보고 일찍 나오라고 하지!"

"넌 맨날 늦게 일어나잖아."

"그 가드한테는 더 연락없어?"

"가드?"

"아까 사진 찍어줬다며."

"아, 사진. 너 질투해?"

"아니야, 무슨 질투?"

기분이 엄청나게 좋았다. 얘 질투하네, 질투해. 나만 민진지 먼지인지 사촌 동생 질투한 거 같아서 민망했는데 너무 좋다.

우리는 인사동에 가서 점심을 먹기로 했다. 인사동 낙원상가 뒤편의 규호의 단골이라는 김치찌개 식당으로 데리고 갔다. 간판도 없는 허름한 곳이었다.

"서울에도 이렇게 생긴 식당이 다 있어?"

진짜 실망이다. 좀 좋은 곳을 데려갈 줄 알았다. 그렇지만 자기가 좋아하는 곳을 나에게도 소개해주고 싶었다는 말에 기분을 풀려고 노력했다.

식당 안으로 들어가니까 역시나 어떻게들 알고 왔는지 사람이 바글바글하다. 1층에는 자리가 없어서 2층으로 올라갔다. 신발을 벗고 들어가는데 정리할 것도 없이 많은 신발이 뒤엉켜있었다. 표정 관리하느라 힘들었다.

"여기 메뉴가 김치찌개 하나야?"

메뉴판에 '김치찌개 6천원'이라고만 달랑 적혀있었다. 규호는 평상시엔 보지도 않던 메뉴판을 보게 되었다며 너스레를 떤다. 김치찌개 1인분 6천원. 생각해보니 여기 김치찌개 2인분 가격이 아까 내가 마신 아메리카노보다 저렴하네. 나한테 돈 쓰기가 아까운 건지, 아직 학생이라 돈이 없는 건지 푸대접받는 기분에 속상해지려고 했다.

금세 김치찌개가 나왔다. 안에 재료가 다 보이지도 않을 만큼 수북히 쌓인 오뎅, 큼직큼직하게 썰려있는 두부. 비주얼은 끝내준다. 침이 꼴깍 넘어갔다. 바글바글 끓기 시작해서 한입 맛보았는데 진짜 맛있다. 내가 언제 속상했던가? 진짜 맛있다를 연발하며 먹기 시작했다.

다 먹은 뒤 칼국수 사리는 필수였다. 이렇게 어제 못 먹은 칼국수를 먹게 되네.

제주로 돌아온 이후 우리는 매일 통화하고 메시지를 주고 받았다. 다음 휴무일에 또 서울에 가겠다고 말하고 싶었지만 꾹 참았다. 서로 호감이 있다는 건 분명하지만 아직 사귀는 사이도 아닌데 부담스러워 할까봐 망설여졌다.

그렇다고 제주로 오라고 먼저 말을 꺼낼 수도 없었다. 그러다 규호가 먼저 제주에 올 일이 있다고 했다. 1인 제작 단편영화를 찍겠다며 제주로 왔다. 우리는 어쩌다 보니 한 침대에서 눈을 떴다. 찍는다는 영화는 안 찍었지만, 우리만의 영화를 찍었으니까 더 값어치 있는 게 아닌가?

다음날 근무를 서면서도 머릿속으로는 규호 생각뿐이었다. 쉬는 시간에 사무실에 걸린 거울만 쳐다봤다. 입술을 손가락으로 만져봤다. 너무 튼 거 아닌가? 립스틱 같은 거라도 바를까? 근데 립스틱은 어디서 사지? 라이프 가드 동료들은 죄다 남자애들이었다. 아, 스낵코너 카운터 언니한테 물어봐야겠다.
"언니, 립스틱은 어디서 사?"
"올리브영? 근데 왜?"
"아, 그냥."
"에이, 남자 생겼구나?"
"아니야, 선물할 거야."
"이 언니한테만 솔직히 말해봐."
"아니라니까!"

다음날 출근했더니 호텔 전체에 '진애라 남자친구 생겼다'라는 소문이 여기저기 돌고 있었다. 출근하자마자 우리 레저사업부 부장님이 "애라 남자친구 생겼다며? 축하해!" 하는 걸로 시작했다.

근무를 서는 중에 범준이 씩씩거리며 다가왔다.

"그 남자야?"

"뭐가?"

"그 서울 기생오라비처럼 생긴 그 남자냐고?"

"어휴, 난 또."

"누나! 힘들면 말해."

"야, 남자들이 남자보고 기생오라비 같다고 하는 게 무슨 뜻인 줄 알아?"

"비실비실하다?"

"잘생겼다."

"아니거든!"

"몹시 잘 생겼다!"

모든 사람이 나의 연애 사실을 알게 되어 민망하긴 했지만, 기분이 나쁘진 않았다. 퇴근하자마자 규호를 보러 갈 생각에 설레기만 했다. 퇴근 시간은 왜 이리 돌아오지 않는지.

그 뒤로 일주일에 2일 있는 나의 휴무일에는 대부분 서울행 비행기에 올랐다. 물론 규호가 내 휴무일에 맞춰 제주로 오기도 했다. 휴무일이 정확하게 정해져 있는 나에 비해 규호는 스케줄이 들쑥날쑥했다. 그래서 주로 가는 사람은 내가 되었다. 규호가 제주로 오기로 하는 날은 자주 못 오는 일이 생기곤 해서 내가 가는 게 속이 편하기도 했다.

"미안해. 나 촬영하다가 조명감독 애가 얼굴을 다쳐서 응급실이야."

"얼마나 다쳤는데?"

"심한 건 아닌데."

"근데 너가 거기 왜 있어? 가족들 없어?"

"부모님은 시골 사신 대고. 보호자 한 명은 꼭 있어야 입원이 된대."

"그래서 니가 보호자시다?"

"미안. 내가 감독인데 내 영화 찍다 다쳤는데 안 갈 수도 없 잖아."

안다. 이해한다. 그런데 자주 보지도 못하는데 또 이러니까 속상하잖아. 속상함의 반복이다. 그래서 또 내가 갔다. 그게 몇 번 반복됐더니 짜증이 났다.

나는 분명히 화를 내고 있었다. 아니 푸념인가. 아무튼 공식 적으로 삐져있는 상태다. 그런데 헐! 황당해서 입을 벌렸을 뿐 인데 벌어진 입 틈 사이로 들어왔다. 나는 왜 얘의 입술에 이렇 게 약한 것인가. 정신이 혼미해졌다. 내가 왜 삐졌었는지 기억 나지 않는다. 규호의 손이 내 엉덩이를 쓸어내렸다. 나도 모르 게 작은 신음 소리가 새어나왔다. 그러자 규호의 손이 바지 안 으로 들어왔다. 순간 아찔함을 느끼며 강하게 규호를 밀어냈다. 힘이 쓸데없이 세다. 민다고 밀렸다. 운동 좀 그만해야지.

"그만!"

"좋은데 왜."

"나 화가 많이 났거든."

"알아. 근데 풀렸잖아."

"아니라고!"

미안하긴 한가 보다. 또 안 오면 특단의 방법을 생각해보려고 했다. 눈치챘는지 이번 주에는 재깍 규호가 제주에 왔다. 그리 고 해장국집에 갔다.

"해장국 보통 하나랑 곱빼기 하나요."

해장국 보통을 내 자리에 놔준다.

"제가 곱빼기에요."

바꿔주면서 할머니가 나무라듯 말한다.

"이렇게나 안 먹으니까 삐쩍 말랐지. "

"아, 네네."

"하루에 한 끼만 먹고 사나? 왜 이렇게 말랐어?"

"네에."

규호는 건성으로 대충 대답하며 넘길 생각인가 본데 난 그럴 생각이 없었다.

"그럼 할머니는 왜 그렇게 늙으셨어요?"

"뭐?"

"얘보고 삐쩍 말랐다면서요. 할머니는 왜 그렇게 늙었냐고 요."

"뭐어?"

"얻다 대고 지적질이냐고요."

규호가 머리를 잡았다. 곤란하다는 표정이다,

"늙고 못생긴 할머니가 지랄이잖아."

"말 좀 예쁘게 하면 안돼? 그래도 어른이잖아."

"알겠어. 예쁘게 할게."

너는 왜 그리 이뻐 남자가? 눈도 이쁘고, 코도 이쁘고, 입도 이쁘고, 마음도 이쁘고. 속으로만 생각하던 말이 겉으로 튀어나 왔다.

"그 말은 내가 해야지."

"아직은 내가 예뻐보이긴 하나보네?"

휘파람이 절로 나왔다.

회사 직원들이 나의 연애 사실을 다 알다 보니 가족들에게 들키는 건 시간문제였다.

"결혼은 언제 할 거냐?"

"엄마 얘 학생이야, 결혼은 무슨 결혼!"

"내가 못 할 말 했냐. 이제 둘 다 서른이 넘어가지고 너 노처녀로 죽을래?"

"요즘 누가 서른을 노처녀라 그래!"

말은 그렇게 했지만 결혼에 대해 생각은 속으로 엄청 많이 했다.

"규호야, 너는 결혼은 언제 할 생각이야?"

"글쎄. 생각해본 적 없는데. 너도 마찬가지 아니야?"

"그래, 그렇지 뭐."

아니다. 자존심에 그렇게 대답은 했다. 하지만 난 백만 번은 생각한 거 같다. 우리 결혼식장, 웨딩드레스 입은 내 모습, 축하해주는 하객들.

"근데 너 나 사랑하긴 해?"

"당연히 사랑하지."

"근데 왜 결혼 생각이 없어?"

"아직 난 학생이고 결혼할 준비가 전혀 안 되었잖아."

"무슨 준비?"

"지금 나랑 결혼하면 집도 없이 시작해야 해. 괜찮아?"

진짜 짜증 났다. 나를 사랑하긴 하나? 저런 말이 아니라 '단칸방에서 시작해야 하는데 나랑 결혼해 줄래?'라는 말이 듣고 싶었던 거 같다. 그렇다고 진짜 단칸방에서 살 수는 없겠지만.

드디어 규호가 졸업했다. 그러나 규호는 직장인의 모습이 아니었다. 영화 찍는 학생에서 영화 찍는 백수가 되었다.

규호가 제주 한 달 살기를 온다고 한다. 제주에서 제주를 배경으로 시나리오를 쓰고, 촬영까지 할 생각이라나? 이제 매일 보겠다. 너무 좋아.

그런데 숙소 장소가 이상하다. 우리 호텔이 있는 조천도 아니고, 본가가 있는 한림도 아니다. 서귀포 표선이라는 거다.

"대체 왜? 왜 그 멀리 숙소를 잡았어?"

"혼자서 시나리오 쓰고 싶어서."

"나랑 가까이 있으려고 온 게 아니고?"

"그것도 맞는데 매일 너만 볼 수는 없잖아. 나도 빨리 데뷔해야지. 그래야 너랑 빨리 결혼도 하지."

결혼 생각이 아예 생각이 없는 건 아닌가 보네. 또 나 혼자 삐졌고, 나 혼자 풀렸다.

연락이 잘되지 않았다. 직접 규호의 숙소로 찾아갔다. 문을 확 열었는데 여자 2명과 앉아 있었다. 또 배우 아니면 스텝이라고 하겠지.

"애라야, 어떻게 연락도 없이 여기까지 왔어?"

"연락이 없었다고? 핸드폰은 봤고?"

규호가 한쪽 구석에서 핸드폰을 들고나와서 본다.

"미안. 무음이라 몰랐네. 전화 많이 했구나."

"나는 너 연락 없어도 완전 괜찮아. 그러니까 더 이상 연락하지마!"

그 이후로 연락이 정말로 없었다. 진짜? 진짜 연락을 안 한다고? 매일 핸드폰을 보며 규호의 연락을 기다리는 나 스스로가 답답해서 핸드폰 번호도 바꿔버렸다. 그리고 내 연락처를 몰라서 연락을 못 하는 거라고 나 스스로를 위로했다.

2년이 흘렀다. 회사로 몇몇 사람들이 리플렛을 들고 찾아왔다.

"리플렛 여기다 좀 놓고 갈 수 있을까요?"

제주영화제? 영화라는 글자에 자동으로 손이 갔다. 리플렛을 하나 집어 들고 펴봤다. 거기서 보이는 낯익은 이름. 김규호 감독. 그 규호일까? 약력에 하계예술대학교 연극영화과 졸업이라고 써 있는 거 보니 맞는 모양이다. 드디어 감독이 됐네, 김규호. 난 여전히 같은 모습인데 너만 훌쩍 커버렸구나. 자세히 읽어보니 GV시간이 있다.

마스크를 착용하고, 모자를 눌러쓰고, 선글라스까지 낀 채로 극장을 향했다. 이 영화? 무슨 내용인지도 모르겠다. 온통 머릿속에는 이따 규호를 다시 볼 수 있다. 어떤 모습일까. 라는 생각뿐이었다.

"마지막 딱 한 분만 질문받고 마치겠습니다."

나도 모르게 반사적으로 손을 번쩍 들었다. 사회자가 마이크를 가지고 와 내 손에 쥐여주었다. 마이크를 쥐고 일어났다.

"어, 음, 저…."

관객들 모두가 나를 쳐다보는 시선이 느껴졌다. 규호도 날 보고 있을까? 차마 시선을 맞추기가 어려웠다. 마침내 입을 열자 랩을 하듯 속사포처럼 쏟아냈다.

"감독님은 장거리 연애에 대해서 어떻게 생각하시나요? 몸이 멀어지면 마음도 멀어진다고 생각하시나요? 그래서 헤어질 수 있다고 생각하세요? 가까이 있는 사람과의 연애가 더 좋으신가요?"

좌석에 주저앉듯 앉아버렸다. 숨을 크게 내 쉬었다. 달리기를 한 것도 아닌데 숨이 가빠지는 기분이다. 상영관 안에 관객들이 '뭐야?', '왜 저래?' 하면서 웅성거리는 소리가 들렸다.

규호가 마이크를 잡고 톡톡 치는 소리가 들렸다. 조금 뜸을 들이는 거 같더니 입을 연다.

"제가 2년 전에 난생처음으로 차를 샀거든요."

웅성거리던 관객들이 한순간에 조용해졌다.

"제 첫차가 뭐냐면 벤츠 E클래스에요. 하얀색."

'오' 하고 관객들이 반응을 보인다.

벤츠 E클래스? 전에 첫 차로 사서 나 제일 먼저 태워준다고 했던 그 차? 와! 그걸 진짜로 샀어? 고개를 푹 숙이고 있다가 고개를 들어 규호를 봤다.

"근데 아직 보조석에 아무도 안 태웠어요. 혹시 대답이 되었을까요?"

고 백

심은혜

심은혜

　호기심으로 부풀려진 마음은 이것저것 기웃거리지만, 같은 카페 같은 자리에 앉아 혼자 사색하는 것으로 끝나는 심심한 사람입니다.
　익숙한 것에서 멀어지고, 낯선 것에서 익숙해지려 노력 중입니다. 익숙한 일상을 그리고 쓰면서 낯선 일상을 만납니다.

제1화 선영

"이번 역은 김포공항입니다. 내리실 문은 오른쪽입니다."

캐리어를 끌며 내린다. 압축팩에서 꺼낸 패딩처럼 눌린 몸이 펴진다. 아, 시원해. 아직 겨울 냄새가 남아 있는 3월의 아침 바람에 숨통이 트인다. 힘차게 계단을 향해 걷다가 옆구리에 허전함이 스친다. 엄마, 엄마 어딨지? 서른 걸음쯤 뒤에서 종종걸음을 하는 엄마가 보인다.

"엄마, 빨리 와. 늦겠어!"

엄마는 뒤뚱거리면서 연신 팔을 앞뒤로 흔든다. 엄마 허리에 매달린 똥배가방도 덩달아 출렁거린다. 저기 뭘 넣었는지 엄마 배가 두 배나 불룩하다. 모르긴 몰라도 쓸만한 건 하나도 없을 거다.

"에스컬레이터 타야 돼. 내 뒤에 바로 붙어서 와."

개찰구 앞에 줄지어 있는 사람들 뒤에 선다. 사람들은 멍한 눈으로 뭐에 이끌린 듯 전진한다. 나도 목각인형처럼 그곳을 통과하고 공항 내부로 이어진 무빙워크로 발걸음을 옮긴다. 아차차, 엄마! 엄마 또 어딨어? 무빙워크 오르다 말고 뒤를 돌아본다. 엄마가 국제선 방향에서 방황하고 있다. 분명 이 사람 저 사람 기웃거리다 헷갈렸을 거야. 짝다리 짚고 캐리어에 몸을 살짝 기댄다. 엄마, 거기서 뭐 하는 거야. 내 뒤에 바로 붙어서 오라니까, 참. 여기야 여기.

엄마가 멋쩍은 표정을 지으며 내 쪽으로 걸어온다.

무빙워크 위를 성큼성큼 걷는다. 엄마가 바싹 붙어서 캐리어와 자꾸 부딪힌다. 아까는 못 쫓아오는 엄마가 신경 쓰이더니 지금은 너무 쫓아와 뒤가 거슬린다. 걸음을 재촉해 앞으로 조금 떨어지지만 엄마 발과 캐리어 사이는 자꾸 좁아진다.

"엄마, 천천히 와. 캐리어에 자꾸 부딪히잖아."

엄마가 멍한 표정으로 고갤 든다.

"너무 딱 붙어 걷지 말라고."

"그래, 알았다."

공항은 평일인데도 여행 가는 사람들로 북적인다. 삶에 찌든 도망자가 이리 많은 걸까. 도망자로 보기엔 표정이 들떠있다. 비행기마냥 양팔 벌려 빙빙 돌아다니는 남자아이를 피해 지나간다. 근처에 서서 일행과 핸드폰을 같이 보는 남자의 요란한 대화가 귀에 거슬린다.

탑승수속을 마치고 핸드폰을 만지작거린다. 9시! 10시 25분 비행기니까 1시간 정도 여유 있네. 뭘 할까 하고 주변을 둘러보다 엄마가 눈에 들어온다. 엄마 손은 허리를 받치고, 눈은 주변 의자에 가 있다. 30분이 멀다 하고 허리와 무릎을 쉬게 하던 엄마를 2시간 넘게 꼬박 움직이게 했으니, 눈이 저절로 의자에 고정될 만하다. 출근길 지하철을 피해서 여유 있게 이동할 수 있는 비행기로 잡을 걸 그랬어. 이 생각을 이제야 한다니, 나도 참.

"엄마, 아침 못 먹고 나왔는데 배고프지 않아? 다리도 아플 텐데 우리 어디 들어가서 먹으면서 좀 쉴까?"

엄마 눈과 입이 동그랗게 커진다. 이 표정, 보름 전 제주에 같이 가자고 했을 때 보고 지금이 두 번째다.

"그래도 돼? 앉아 있을 시간 되겠어?"

푸드코트 입구에서 키오스크로 음식을 고른다. 엄마 음식만 주문하고 나는 커피나 마실까 했는데 막상 음식 냄새를 맡으니 식욕이 돌았다. 나는 비빔밥을, 엄마는 뚝배기를 주문했다. 테이블 아래 손을 모아 속으로 식전 기도를 하고 젓가락을 집는다. 채소를 좌우로 흩트리면서 고추장을 대충 묻힌다. 채소 한 젓가락, 밥 한 젓가락 입에 넣으니 아삭하며 씹힌다.

"이리 줘 봐. 그 나이 되도록 비빔밥 하나 제대로 못 먹냐?"

비빔밥 그릇을 엄마가 낚아챈다. 밑반찬으로 나온 미역 줄기와 무생채, 어묵볶음을 숟가락으로 박박 긁어 비빔밥 그릇에 쏟아 넣는다. 눈 뜨고 밥그릇의 주도권을 빼앗겼다. 이런 굴욕이!

"고추장이 채소랑 밥에 잘 비벼져야 맛있지. 그렇게 따로따로 먹으면 비빔밥 맛이 나니?"

팔꿈치 치켜들고 숟가락으로 힘차게 비비는 엄마 모습을 보니 입맛이 사라졌다. 나는 젓가락을 차갑게 내려놨다.

밥 먹는 거 하나까지 간섭받는 신세라니, 엄마의 그 잘난 가르침에 신물이 난다. 밥 한 숟가락에 반찬 올리는 순서에도 '원칙'을 논하는 엄마다.

나는 창밖으로 고개를 획 돌렸다. 비행기 오르기 전부터 이번 여행이 걱정된다. 혼자 갔다 올 걸 그랬나.

"이제 됐다. 한 번 먹어봐. 아까랑 완전히 딴 판일 거다."

엄마가 내미는 비빔밥 한 숟가락을 가만히 쳐다보다 주기도문을 떠올린다.

'우리가 우리에게 잘못한 사람을 용서하여 준 것 같이 우리 죄를 용서하여 주시고, 우리를 시험에 빠지지 않게 하시고, 악에서 구하소서.'

참자! 시험에 빠지지 않고, 그대를 용서하리라. 하나님 이름으로!

"알았어. 내가 알아서 먹을게. 엄마 밥이나 먹어. 빨리 먹고 비행기 타러 가야 해."

두 달 전, 치열하고 끈질겼던 이혼소송이 끝났다. 일 년 반이 걸렸다. 처음 이혼을 생각했을 때 지인이 해준 말이 명언이었다.

"이혼은 인내력 싸움이야. 먼저 지치지 않을 자신 있으면 해. 질겨야 끝낼 수 있다."

얽힌 인연을 이어가는 것도 힘들지만 끊어내기는 더욱 지독한 일이라는 걸 알았다. 나와 거미줄처럼 이어져 있는, 혹은 이어질 모든 사람이 두렵게 느껴졌다. 그중 한 가닥을 내 몸에서 떼어냈다. 드디어 지긋지긋한 연을 끊었으니 이젠 좀 자리에 앉아 지친 티를 내고 한숨 돌려도 되지 않을까.

오늘 제주로 2박 3일 여행 간다. 혼자 조용히 가려다 엄마를 동행자로 정했다. 일종의 죄책감이랄까.

"첫째가 잘 돼야 동생들도 잘 산다. 결혼하고 아이 낳아 남들처럼 평범하게 사는 모습 보는 게 내 소원이야. 힘들어도 참아. 다들 문 닫고 사니까 모를 뿐이지, 열어보면 다 똑같아."

엄마의 기대를 저버렸다. 불효자식 낳은 죄로 마음 편할 날 없었던 엄마도, 어쩌면 지금이 지친 티를 내고 한숨 돌릴 때인지도 모른다. 조용한 바닷가에 앉아 바람이라도 쐬면 우리의 처절했던 지난날이 위로받을 것 같다.

비행기 좌석번호를 확인한다. 37B, 37C. 복도를 한쪽에 끼고 나란히 붙은 자리다.

나는 내리기 편한 복도 자리가 창가보다 나았지만, 엄마는 달랐다. 비행기 로망을 채워줄 창가 자리가 딱 하나 있었다. 어이없게도 엄마는 그 자리를 너무 쉽게 포기했다. 고작 나랑 떨어져 앉는다는 이유로! 혼자 어른인 척하다가 어떨 때 보면 어린애 같은 엄마다.

내가 가운데 자리에 앉고 엄마에게 복도 쪽 자리를 내준다. 엄마는 승무원의 인사를 일일이 받아주고 대답한다. 구명조끼 사용 안내에 연신 고개를 끄덕끄덕하며 집중한다. 고개를 앞뒤로 돌리며 다른 승객을 구경한다. 엄마를 외면하려 하면 할수록 더 잘 보이는 까닭이 뭘까?

나는 창가 쪽으로 얼굴을 돌리고 눈을 감는다. 하나님! 엄마가 제게 말 걸지 않게 하옵소서.

엄마는 일주일 전부터 짐을 쌌다. 가볍게 외투 하나 달랑 걸치고 맛있는 밥이나 먹고 오자 했지만, 엄마의 짐을 보면 한달 살이도 가능할 것 같다.

"3월이어도 아침저녁엔 아직 추워. 패딩 하나씩 챙겨야 해. 난 머리랑 목이 썰렁하면 추워서 못 견디겠더라. 목도리랑 모자도 챙겨야겠다. 이건 너무 두껍나? 좀 얇은 걸로 할까? 색깔은 이게 예쁜데. 너무 겨울 느낌인가?"

"꽃 피는 봄에 혼자 눈사람 만들 거야? 뭘 그렇게 입어?"

"혹시 모르니까 둘 다 가져가 봐야겠다. 제주는 날씨가 변덕스럽다던데, 우산이랑 우비 넣을까?"

"렌터카 예약했으니까 많이 걸을 일 없어."

"작은 가방도 가져가야지. 허리쌕이 어디 있는데, 찾아봐야겠어. 지갑이나 약 같은 건 금방 꺼낼 수 있어야 하거든. 아 참, 약! 병원 가서 약 받아와야겠다. 여행 때는 진통제 있어야 돼. 파스도 다 떨어졌네."

"아, 몰라. 알아서 해."

승무원이 음료 서비스하는 소리가 들린다. 오렌지 주스를 마시는 엄마의 꿀꺽 소리가 유난히 크게 들린다. 나는 숨죽여 잠든 시늉을 한다. 진짜 잠이라도 들었으면 좋겠는데, 의식은 몽롱한 경계선에 머물 뿐 깊은 수면에 닿지 못 한다. 밤새 뒤척인 건 엄마도 마찬가지일 텐데, 어쩜 이렇게 나와 다른지!

오늘 아침엔 5시쯤 일어난 모양이다. 새벽부터 뭘 하나 봤더니, 계란을 삶아놨다. 열 개나 챙기려는 걸 간신히 말려 세 개만 넣었다. 화장도 뭣도 다 내팽개치고 고양이 세수만 하고 나온 나로서는 엄마가 유난스럽기 이를 데 없다.

"우리 비행기는 제주공항에 안전하게 도착하였습니다. 아름다운 제주에서…"

비행기 좌석 벨트 푸는 소리가 여기저기 들린다. 엄마가 나를 흔들어 깨운다.

수화물 찾는 곳까지 묵묵히 행렬을 따라 걷는다.

"우리 짐 빠트린 거 아냐? 왜 없어?"

엄마는 나의 대답을 구하지 않고, 나는 대답할 의사가 없다. 엄마는 허공에 질문만 던져 놓고 이 짐 저 짐 기웃거린다. 나는 팔짱 끼고 몇 발짝 뒷걸음친다. 나는 저분과 일행이 아니랍니다. 여러분, 오해하지 마세요.

다들 자기 일에 빠져 정신없는 틈을 타 짐을 찾고 슬쩍 엄마를 꺼내온다. 미리 예약 해 뒀어도 렌터카를 인수받기까지 서류 작성, 보험 안내 등 시간이 꽤 걸렸다.

시내를 빠져나와 해안도로를 달리니 그제야 청량한 하늘이 눈에 들어온다. 사진에서 봤던 유채꽃 향기가 느껴진다.

쓰읍 하아, 드디어 제주에 도착했구나!

"엄마, 첫 번째 코스는 방주교회야. 일단 가는 길에 새우튀김

우동 맛집이 있으니까 점심으로 그거 간단히 먹고 갈 거야."

"제주 와서도 교회 타령이냐?"

뜻밖의 대답이 당황스럽다. 아니, 왜 갑자기 짜증?

"얼마 만에 여행인데 오자마자 교회부터 찾으니…."

눈앞에 아른거렸던 유채밭이 사라졌다. 애꿎은 핸들만 비틀어 잡는다.

"불교 집안에 자식은 교회에 빠져서 원. 하느님 아버지 하면서 기도하는 거 보면 도무지 이해가 안 가더라. 사람들끼리 몰려 다니면서 기도문 웅얼거리는 것도 으스스해. 하느님이 왜 네 아버지니? 옛날엔 종교 다른 사람하고는 결혼도 안 했다. 그래서 네가 이혼당한 거야. 너희 시집도 불교라며. 교회 핑계 대면서 제사도 무시하고."

하나님을 아무렇게나 부르는 것이 가시처럼 느껴졌다. 내가 무시당하는 것 같았다.

"그러는 엄마의 부처님은 뭐가 다른데? 엄마 손 닳도록 빌고 108번 굽어 절해서 뭘 얻었는데? 우리 집이 어째서 불교 집안이야? 기껏해야 석가탄신일 하루 절에 가는 거 갖고 매일 공들이는 것처럼 부풀리지 마."

"…"

엄마는 창가 쪽으로 고개를 돌렸다.

"난 엄마보다 하나님한테 위로받고 산 날이 더 많아. 엄마의 사랑보다 하나님의 사랑으로 견디며 살았다고. 그리고 난! 이혼당한 게 아니라, 내가 이혼한 거야."

엄마랑 같이 오는 건 역시 무리였다. 혼자 조용히 멍때리고, 실컷 숨 쉬었어야 했다. 진공에 갇힌 것처럼 숨이 막힌다.

창문을 내린다. 바다의 짠내와 들꽃 향기가 코끝을 스친다. 해안도로 변에 관광객들이 차를 세워 사진을 찍는다. 초록색 같기도 하고 파란색 같기도 한 바다는 평온하다. 구름 사이로 쏟아지는 햇살은 누군가의 통로 같다.

'환안 날에 나를 부르라. 내가 너를 건지리니, 네가 나를 영화롭게 하리로다.'

하나님, 저를 구원하러 손을 뻗으신 건가요? 저 여기 있습니다. 진공에서 저를 꺼내주소서.

소리 없이 긴 호흡을 내뱉는다. 차 안에 공기가 차오르며 가느다란 바람 한 가닥이 지나간다.

"방주 교회는 교인이 아니어도 사람들이 많이 찾는 유명한 데야. 건축하는 사람들도 가고, 주변이 한적하고 경관이 예뻐서 사진 찍으러 간대. 근처에 우동 맛집이 있어서 먹고 산책하기도 하고. 그러니까 엄마도 너무 삐뚤게 보지 마."

잠자코 듣고 있던 엄마는 똥배가방에서 뭔가를 찾는다. 비닐이 부스럭거린다. 문 한쪽 귀퉁이에 탁! 하고 부딪치는 소리가 들린다.

들숨으로 가슴을 부풀려 호흡을 참는다. 설마, 아침에 봤던 비닐팩? 동그란 게 들어있는 그거? 엄마, 엄마만 드세요. 나한테 권하지 마세요. 제발, 아무것도 권하지 마세요.

"선영아, 계란 먹을래?"

"…"

"엄마가 계란을 또 기가 막히게 삶잖니. 편의점 파는 것만큼, 아니 그보다 잘 삶았어."

"이제 새우튀김우동 먹으러 갈 거라니까. 엄마나 드세요."

엄마는 저런 변신 마법을 어디서 배웠을까. 숨 막히던 그전 모습은 온데간데없고, 알사탕 먹는 어린애처럼 해맑다. 엄마의 계란 먹는 소리에 내비게이션 목소리가 잠긴다. 볼륨을 높인다.

식당 주차장에 차를 세우고 안으로 들어간다. 우동만 먹고 나오기 아쉬울 만큼 고급스러운 분위기다. 웨이트리스가 우리를 테이블로 안내한다.

"엄마, 여기 왕새우 튀김 우동이 시그니처 메뉴이긴 한데, 다른 것도 있으니까 한번 봐봐."

"우동집 간다니까 동네 가겐 줄 알았는데, 호텔이었어? 비싸보인다. 오메, 4만 원 넘는 우동도 있어?"

나는 메뉴판을 한 장 한 장 넘기면서 구경하고, 엄마는 우동 가격을 보더니 그대로 덮는다.

"딴 거 볼 필요 뭐 있어. 대표 메뉴를 먹어야지. 우동집 왔으니까 난 새우튀김우동. 올 때 계란 먹어서 별로 안 배고파."

김이 모락모락 나는 우동 그릇에, 아니 대접에 커다란 새우튀김이 올려져 있다. 숟가락으로 국물을 맛본다. 뜨끈한 한술에 마음이 녹는다. 배 안 고프다는 엄마도 우동 앞에서 신나 보인다. 양손에 숟가락과 젓가락이 들려있다. 우동 먹는 엄마를 물끄러미 본다.

"면발이 쫄깃하고 맛있네. 국물 먹어봐. 아, 시원하다. 맛있다, 맛있어. 유명할 만하네. 새우가 이렇게 큰 것도 있니? 두손으로 들어야겠다. 어머, 이 소리 들어봐. 바삭하게 씹히네. 안은 촉촉하고 고소해. 너무 맛있다, 진짜."

엄마의 그릇이 빠르게 비워진다.

"아휴, 튀김은 칼로리 폭탄인데. 콜레스테롤 환자는 새우 먹지 말래. 혹시 먹게 되면 머리부터 꼬리까지 다 먹으라더라. 콜레스테롤 낮춰주는 성분이 있다고. 너 그 꼬리 안 먹니? 버릴 거면 내가 먹게."

어디서 주워들었는지, 그다지 믿음이 가지 않는다. 엄마 입이 두 배로 바쁘다. 우동 면을 호로록 빨더니 입 주변으로 국물이 튄다. 우동 대접을 두 손으로 들어 후루룩 마신다. 보기만 해도 시끌벅적하고 정신없다. 뜨끈한 국물로 가슴이나 쓸어 진정시키자.

방주교회는 우동집 만큼 사람이 많다. 하지만 마음은 어쩐지 차분해진다.

'수고하고 무거운 짐 진 자들아, 다 내게로 오라. 내가 너희를 쉬게 하리라'

하나님의 빛이 뱃머리를 닮은 교회 건물을 비춘다. 지옥 같은 삶에서 나를 구원하러 온 방주로구나. 배에 올라타듯이 교회 입구로 다가간다.

예배 시간에 맞추지 못한 게 아쉽다. 혼자 왔으면 이곳에서 2박 3일 기도 했을 텐데! 아쉬운 마음으로 개방된 예배당을 들어선다. 의자에 앉아 손을 모으고 고개를 숙인다.

'전지전능하신 하나님 아버지, 영광과 찬양을 올립니다. 아버지에 대한 믿음과 사랑을 말미암아 제 안에 뿌리내린 미움을 거두어 주시옵고, 사단으로부터 저를 지켜주시옵소서. 날마다 하나님과 함께하는 삶을 살게 하여 주시옵….'

"나무 관세 모살."

갑자기 눈이 번뜩 떠졌다. 엄마가 합장하며 허리 숙인 모습이 엄숙하기까지 하다. 나도 모르게 피식 나온 웃음에 엄마가 어리둥절한 눈으로 내 눈치를 살핀다. 예전에 우리 중학교 교장 선생님 마주칠 때도 저러면서 나무 관세 모살하더니! 나무아미타불 관세음보살도 아니고, 하여튼 어설프다.

"엄마 지금 하나님이랑 인사한 거야?"

"어, 내가 뭐 잘못 했니?"

"아냐. 잘했어, 엄마. 우리 하나님은 전지전능하셔서 뭐든 알아들으실 거야. 나무 관세 모살이든 나마스떼든 인사한다는 게 중요하지. 아멘이라고 하면 더 좋겠다."

엄마와 함께 방주교회 옆에 있는 카페에서 차 마시며 관광지를 검색한다. 다음 목적지는 차로 30분 거리에 있는 외돌개! 절벽에서 제주 바다를 보며 시원한 바람을 실컷 느껴 보고 싶었다.

외돌개 주차장이 꽉 차 맞은편 공터로 차를 돌려 세운다. 외돌개로 이어진 산책로에 삐죽 튀어나온 풀꽃이 앙증맞다. 부서지는 파도 소리가 시원하게 들린다. 무심히 기울어진 소나무 그늘에 엄마와 나란히 섰다.

외돌개가 지쳐 보인다. 어쩌다 절벽에서 나와 혼자 됐을까? 끝없는 파도에 다 부서지면 어쩌려고. 간신히 서 있다는 말이 딱 어울리네, 누가 나한테 그랬던 것처럼.

끝내고 싶은 것이 지난했던 이혼만은 아니다. 맏딸의 무게, 아내의 무게, 그리고 직장인의 무게가 버거웠다. 사람들의 기대와 바람이 달갑지 않았다. 기대는 더 큰 기대가 되고, 인정받기는 점점 어려웠다. 15년 넘게 일한 회사에서 변변치 못 한 직급에 머물러 있는 것도, 벗어 던지고 싶은 마음 때문일 테다.

차라리 외돌개처럼 혼자인 게 나을지도 모른다. 누구에게 얽매이지 않고 자기 몫만 감내하면 되겠지. 저 돌기둥처럼 부서지지 않는 인내만 있다면 말이다. 견디다 보면, 가벼운 바람도 만나고 간지러운 파도를 느끼는 날이 찾아올 것 같다. 두 손을 힘주어 깍지 낀다.

'내게 능력 주시는 자 안에서 내가 모든 것을 할 수 있느니라. 강하고 담대하라. 두려워하지 말라.'

엄마도 무슨 생각에 잠겼는지 웬일로 말이 없다. 슬쩍 엄마를 본다. 눈 주변에 깊은 주름이 여러 갈래 있다. 거뭇거뭇한 피부, 늘어진 목이 초라해 보인다. 물들인 검은 머리 안으로 길게 자란 흰 머리가 보인다. 엄마가 오늘따라 더 작아 보이네. 정수리가 보일 만큼 조그맣다니.

4시 8분. 숙소까지 1시간 걸리는데 어두워지기 전에 빨리 가야 한다. 겨울은 아니지만 아직 해가 짧다. 언제부턴가 밤에 운전하기가 두려워졌다.

시력이 나빠졌다고 여기고 안과에 갔지만 정작 야맹증 진단을 받았다. 이후 밤에 잘 나가지 않았다.

"엄마, 빨리 와. 숙소에서 좀 쉬다가 그 근처에서 저녁 먹자."

바람결 하나하나 느끼며 걷던 아까와는 사뭇 다른, 쫓기는 발걸음이다.

숙소는 제주 시내로 잡았다. 전망은 아무래도 상관없다. 바다야 차 타고 나가면 관광하는 내내 왼쪽 아니면 오른쪽에 보일 테니까. 주차 편하고 평점이 그럭저럭 있는 곳이면 충분했다. '에벨도프트 비치'. 그래도, 이름만은 '바닷가' 느낌이 있다. 바다 안 보이는 제주 한복판에 건물 만들어 놓고, 덴마크 바닷가 마을 이름을 붙였다. 그곳의 분위기를 담고 싶었는지 건물은 유럽풍이 난다.

엄마는 TV를 틀어놓은 채 잠이 들었다. 나는 침대에 기대 저녁 먹을만한 식당을 검색한다. 멀지 않은 곳에 있는 흑돼지 구이 식당이 제격이다. 저녁 먹고 근처 야시장을 둘러볼 참이다.

"엄마, 일어나. 저녁 먹으러 나가자."

엄마는 화들짝 놀래며 두 손으로 머리를 쓸어 올린다.

"어휴, 깜빡 잠들었네. 몇 시야?"

"6시 넘었어."

"벌써 그렇게 됐어? 밤 되면 추우니까 패딩 챙겨가자."

"고기집 갈 거라서 난 그냥 갈래. 괜히 패딩에 고기 냄새나 배지. 입지도 않을 건데."

엄마가 나갈 준비할 동안 방 입구에 서서 기다린다. 엄마가 안절부절못하길래 화장실이 급한가 했더니, 짐 가방에서 패딩을 만졌다 놨다 한다. 괜히 간섭했다가 말싸움만 하지. 현관에 나가 있자! 엄마는 눈치를 살피며 가디건을 걸치고 나오다, 다시 방으로 들어가 목도리와 모자를 챙긴다. 현관문을 잡은 내 손가락이 방정맞게 움직인다. 엄마가 현관에서 신발을 신다 말고 다시 급하게 방으로 들어간다.

"아, 참. 내 정신 좀 봐. 지갑을 챙겨야지."

"계산은 내가 할 건데 뭐 하러 챙겨. 그냥 나와. 빨리 가자. 저녁 시간이라 사람들 많을 거야."

고기 굽는 냄새가 식당 위치를 알려준다. 냄새는 이미 많은 사람을 끌어모았다. 식당 안은 숯불 열기와 고기의 뜨거운 김으로 가득하다. 다행히 빈 테이블이 있다.

안쪽 자리에 엄마와 마주 앉는다.

"흑돼지 2인분, 차돌박이 된장찌개, 맥주 1병 주세요."

식당 직원이 숯불을 넣고 밑반찬을 깔아준다.

"엄마, 나중에 후식으로 냉면 먹자."

엄마는 벽에 걸린 메뉴를 보고 옆 테이블을 힐끗거린다. 엄마 행동에 더 이상 나의 에너지를 소모하고 싶지 않다. 엄마는 엄마대로, 나는 나대로 저녁을 즐기면 되는 거다. 젓가락으로 밑반찬을 집어 먹었다.

직원이 고기를 구워준다.

"이쪽은 익은 거예요. 제주는 고기를 멜젓에 찍어 먹어요. 멸

치 젓갈이에요. 드셔보세요."

불판 한 구석에서 달궈진 스텐 종지를 직원이 집게로 가리킨다. 우리는 노릇노릇하게 구워진 삼겹살을 종지에 넣었다 뺀다. 조심스럽게 코 가까이 갔다가 입 속에 넣는다.

"맛있어요. 불판에 끓여서 그런지 젓갈 냄새가 안 나네요. 엄마도 먹어봐. 맛있어."

"고소하네. 맛있다. 고기가 아주 촉촉하고 부드러워요."

"고기가 두꺼워서 육즙이 그대로 있어요. 모녀이신가 봐요. 보기 좋아요. 두 분 웃는 모습이 닮았네요."

닮았다니요, 누가요? 빈말이어도 그런 말 마세요. 우린 너무 달라 평행선 같은 모녀랍니다. 웃는다고 다 좋은 게 아니에요. 저랑 같은 표정 짓고 있는 엄마도 같은 생각일걸요?

"딸이 엄마 여행 시켜준다고 해서 왔어요. 해외여행 가자는 걸 가까운 데로 가자고 제주 온 거예요. 주말이었으면 사위랑 손자도 같이 왔을 텐데, 전 조용한 게 좋아서 평일에 오느라 우리 둘만 왔어요."

세상에나! 이건 또 무슨 소리지? 입으로 가져가던 젓가락을 멈춘다. 어깨를 세우고 능청스럽게 말하는 엄마가 거북하다. 나와 눈이 마주친 엄마가 눈을 움찔움찔한다. 유치한 사인으로 슬쩍 넘어가려는 엄마는 더욱 가증스럽다.

"엄마, 거짓말하면 벌 받아."

"아, 아니, 내가 무슨, 거짓말했니? 나 여행시켜 준다고 온 거 맞잖아."

갑자기 싸해진 분위기를 느꼈는지 직원이 우리 눈치를 살핀다.

"아, 고기가 너무 익으면 맛이 없어요. 육즙이 마르면 딱딱해지니까 촉촉할 때 어서 드세요. 필요한 거 있으면 벨 눌러 주시고요. 맛있게 드세요."

"엄마한테 사위랑 손자가 어딨어?"

엄마는 주변 살피면서 아무렇지 않은 척 젓가락을 집었다, 탁 하고 내려놓는다.

"이혼했어도 사위는 죽지 않고 살아 있으니까 있는 거 맞지 뭐. 손자는, 아쉽게 태어나지 못해서 그렇지…. 그래도 저 사람 앞에서 거짓말이라고 굳이 말할 필요가 있니? 너 이혼한 것도 모르고, 유산한 것도 모르는데, 그냥 그렇다 말하면 뭐 안돼? 이 나이 돼서 자식 자랑 안 하는 부모가 어딨어? 내가 자랑할 게 얼마나 없으면 거짓말까지 하겠니?"

"엄마는 내가 그렇게 부끄러워? 엄만 나보다 남들 시선이 중요하지? 내 마음은 본체만체하고, 엄마 체면만 살피잖아. 나 땜에 남들한테 손가락질받는다는 둥, 나 같은 사람 좋아하지 않을 거라고 막말이나 하지. 내가 그렇게 부족한가? 내가 유산하고 이혼하면서 얼마나 힘든지 생각해 봤어?"

엄마는 말없이 맥주잔을 채우고 비운다. 눈물이 왈칵 쏟아진다. 손등으로 쓸어보지만, 다시 흐르는 눈물을 감출 수 없다. 자리에서 일어나 식당을 나왔다.

정처 없이 걷는다. 흐릿한 시야가 무엇 때문인지 알 수 없다. 치밀어 오르는 분노 탓인지, 눈물 탓인지, 야맹증 탓인지! 지나가는 사람들과 몸이 부딪힌다. 야시장 방향인지 아닌지 확인하지도 않은 채 씩씩대며 그냥 걸었다. 야시장을 구경할 기분이 아니었지만, 숙소로 돌아가고 싶지도 않았다. 작은 방에서 엄마와 단둘이 있어야 할 시간을 견딜 자신이 없었다.

고기집 냄새가 사라지고 바다 냄새가 난다. 바닷가가 아닌데도 소금기 짙은 바닷바람이 내 머리카락을 헝클어 놓으며 시야를 가렸다. 제주 공기에 스며있는 짠내인지 내 눈물의 찜찔름인지 모를 짠맛이 기분 나쁘게 고였다.

엄마의 차가운 뒷모습이 보인다. 저만치 걸어가는 엄마를 불러 보지만 돌아보지 않는다. 영영 이대로 혼자 남겨질까 봐 집으로 몸을 돌리지 못 하고, 길 위에 멍하니 서 있다. 덩달아 따라 나온 동생들과 골목길에 앉아서 엄마를 기다린다. 보채는 동생을 어르며 골목 어귀를 자꾸 기웃거린다. 해는 긴 그림자를 서서히 접어 두었다가 다시 길게 늘어트린다. 불 켜진 가로등 아래 나와 동생, 그리고 나방만 모여있다.

기억 속에 엄마 얼굴은 희미하다. 쾌쾌한 땀 냄새와 옷에 묻은 뿌연 흙먼지, 무거운 한숨 소리만 진하게 배어 있다. 그마저 그리워 어둠 속에서 엄마 흔적을 찾는다.

어린 시절 기억은 언제나 어둠과 기다림이다.

아무도 다니지 않는 시간, 깊은 어둠 속에서 엄마가 터벅터벅 걸어 나온다. 누가 먼저랄 것도 없이 나와 동생은 엄마에게 달려간다. 동생들은 엄마의 손에 들린 바구니를 잡아당겨 먹을 것을 뒤진다. 나는 울컥한 마음을 꾸역꾸역 삼키고 엄마를 와락 안아 찌든 땀 냄새와 흙먼지를 느낀다.

혼자 남겨진 설움을 엄마 품에 녹이고 싶지만, 엄마의 거친 손이 나를 떼어낸다. 차갑고 지친 목소리, 무거운 한숨 소리가 심장 깊숙이 박힌다. 겨울도 아닌데 추웠다. 나는 다시, 엄마와 거리를 두고 서 있다.

정신없이 불어대는 바람마저 끈적하고 축축하다. 바람에 뒤죽박죽된 머리를 그대로 둔다. 얼굴이 가려져 표정을 읽을 수 없으니, 맘껏 슬퍼하기에 오히려 좋다. 발을 멈추고 바람에 내 몸을 맡긴다. 검은 하늘 뒤에 숨어 보고 있을 하나님을 향해 고갤 든다.

"하나님, 현재의 고난은 장차 우리에게 나타날 영광과 비교할 수 없다 하셨습니다. 하나님의 믿음을 말미암아 저를 지켜주소서. 등대처럼 하나님의 빛으로 저의 어둠을 쫓아주소서."

퍽!

뭔가에 세게 부딪힌 어깨가 뒤로 밀렸다. 얼굴이 벌건 취객이 죄송하다며 연신 허리를 굽힌다. 낯선 얼굴을 외면하고 허둥지둥 발걸음을 옮긴다. 거리는 네온사인에 화려하게 빛나고 사람들은 잠들 기미가 없다. 여기저기서 들려오는 웃음소리에 내 몸이 움츠린다. 도망치듯이 뒤돌아서다 가슴이 철렁 내려앉는다. 입 밖으로 터져 나가는 비명을 손으로 막는다.

"엄마!"

전화기를 꺼내 보니 부재중 8통 와 있다. 통화 버튼을 누르지만 연결되지 않는다. 8시 55분. 식당도 받는 사람 없다. 현재 위치를 확인해 보니, 숙소와는 걸어서 40분 정도 떨어진 곳이다. 택시 호출에 응답이 없다.

다급해진 마음에 뛰어보지만 거센 바람이 나를 막는다. 혼자 식당에 앉아 있을 엄마 생각에 무작정 달린다. 목구멍을 할퀴며 지나가는 거친 숨은 점점 빨라지고, 흐르는 땀과 콧물을 훔친 자리에 소금기 닿은 쓰라림이 남는다. 엄마는 어떻게 하고 있을까.

저녁 먹던 흑돼지집이 보인다. 식당은 마감 준비로 한산하다. 엄마와 앉았던 테이블은 이미 치워져 있다. 숙소로 몸을 돌리며 주머니에 손을 넣는다. 열쇠가 만져진다. 엄마는 열쇠도 없이 어디로 간 걸까?

골목에 쪼그려 앉은 노인을 볼 때마다 가슴이 덜컥한다. 사람들이 모여있는 한쪽에서 말싸움 소리가 크게 들린다. 숨죽여 무리에 다가간다. 싸움 한복판에 서서 엄마의 얼굴을 찾는다. 우락부락하게 생긴 아저씨가 싸우다 말고 나를 노려본다.

"당신 뭐야?"

슬금슬금 뒷걸음질 치며 싸움판을 빠져나온다. 헐떡거리며 숙소 앞에 발을 멈춘다. 건물 밖에서 객실을 올려다보지만, 불이 꺼져있다.

"하나님, 하나님 아버지 제발! 엄마를 지켜주세요. 엄마를 지켜주지 못하는 하나님은 필요 없다고요!"

하나님에 대한 첫 반항이었다. 계단을 오르는 발이 빨라졌다. 하나님을 부르고 있었지만 내 간절함이 닿길 바라는 곳은 나를 위해 십자가에 매달린 나만의 하나님, 엄마였다.

제2화 순자

　잠 못 드는 새벽만큼 느린 세상도 없다.
　초침 소리는 쉬지 않고 들리는데 어째서 아직도 4시인지, 저
놈의 벽시계가 소리만 내고 제자리걸음 하는 게 아닌가 싶다.
20년 만에 여행 가는 날이라 그런가 누워도 앉아도 시계만 보
인다.
　며칠 집을 비울 텐데 집안일이라도 해놔야겠다. 빨래도 개고,
싱크대에 나와 있는 그릇도 닦아 정리하고, 쓰레기도 버리고.
참! 밥통, 밥통에 밥이 있었지. 냉동실에 넣어 놓고 가야 하는
데 깜빡할 뻔했다.
　걸레 들고 이 방 저 방 돌아다니다가 캐리어가 눈에 들어온
다. 이미 여러 번 확인한 캐리어를 다시 연다.
　뭐 놓친 거 없나? 겉옷, 속옷, 모자, 양말, 허리쌕, 콜레스테
롤약, 당뇨약, 진통제, 소화제, 멀미약…. 아, 계란을 삶을까? 빈
속에 약 먹으면 쓰리니까 이거라도 먹어야지. 선영이도 출출할
때 주려면 열 개 정도는 해야겠네.
　남이 자식들이랑 여행 간다고 하면 나만 벙어리처럼 아무 말
못 했는데, 큰딸 덕분에 설움을 던다. 그렇다고 마냥 즐거워할
수도 없다. 번듯한 직장에 들어가 결혼하고 잘 사는가 싶더니

두 달 전 이혼을 했다. 강풍에 누운 벼처럼 축 처진 딸이 애처롭고 밉다. 억척스럽게 살았던 지난날이 헛수고 같다.

5시 50분. 뜨겁게 삶아진 계란을 찬물에 헹군다. 큰딸이 어제 분명 6시 30분에 집에서 출발한다고 했는데, 아직 누워있다. 깨울까? 알아서 일어나겠지. 괜히 건들었다가 짜증만 내지 뭐. 딸이 요즘 부쩍 신경질적이다. 6시 돼도 안 일어나면 그때 깨워야겠다.

서랍에서 비닐을 꺼내 삶은 계란을 넣는데 뒤에서 딸이 불쑥 나타난다.

"몇 시에 일어난 거야? 뭐 해?"

"응, 한 5시쯤 일어났어. 간식으로 갖고 가려고 계란 삶았어."

"10개씩이나? 간식은 가는 길에 사 먹으면 되지. 짐만 되게… 3개만 가져가. 난 안 먹어."

비닐에 3개를 담고, 딸이 양치하러 돌아선 틈에 한 개 더 넣는다.

공항 가는 지하철을 탄다. 출근길 인파에 떠밀리지 않으려 쇠기둥을 단단히 붙잡는다. 양팔로 기둥을 감싸 몸을 기댔더니 밀려드는 사람들로 가슴이 짓눌린다. 눈을 감고 얕은 호흡으로 정신을 겨우 가다듬는다. 목적지 가까워져서야 빈자리가 생겼다. 아침에 미리 먹은 진통제 약발이 벌써 떨어졌나, 자리에 털썩 주저앉아 손바닥으로 무릎을 둥글게 문지른다.

김포공항이라는 안내 방송과 함께 딸이 내리자는 신호를 보낸다. 무릎에 손을 짚고 끙하며 몸을 세운다. 지하철의 작은 흔들림에도 넘어질 것 같다.

평소 같았으면 남들 다 내리고 그 뒤를 천천히 걸었겠지만, 오늘은 딸의 속도에 맞춰야 한다.

엉거주춤 발을 옮겨 딸 뒤에 선다. 문이 열리자 난간에 발빠짐 주의 표시가 보인다. 아, 저런 표지판은 쓸데없이 많아서 괜히 더 신경 쓰인단 말이야. 딸의 속도를 맞춰야 한다고 생각하니 발이 더욱 무뎌졌다. 멀리뛰기 도움대 서 있는 아이처럼 발이 떼지지 않는다.

큰딸은 벌써 저 앞을 걸어가고 있다. 나도 젊었을 땐 너처럼 날아다녔지. 선영아, 같이 가. 눈을 질끈 감아 다리를 뻗는다.

승강장 도어를 나오니 싸늘한 지하 공기가 관절을 긁고 지나간다. 시린 손가락을 성글게 접어 주머니에 넣는다. 왼쪽에 있는 엘리베이터와 에스컬레이터로 걸어가는 큰딸을 번갈아 본다. 목멘 소리로 딸을 불러 보지만 지하철 소리에 묻힌다. 에스컬레이터 입구에서 딸이 빨리 오라고 손짓한다. 팔을 열심히 휘저어도 거리는 금방 줄어들지 않는다.

"에스컬레이터 타야 돼. 내 뒤에 바로 붙어서 와."

겨우 딸을 쫓아 에스컬레이터에 몸을 싣는다. 가쁜 숨 고를 새 없이 에스컬레이터 끝에 도착한다.

딸을 따라 개찰구를 통과하고 고갤 들어보니 딸이 사라졌다. 어이쿠, 놓쳤구나! 금방까지 바로 앞에 있었는데 어떻게 이럴 수 있지?

제자리에서 한 바퀴 돌며 두리번거린다. 반대편 출구 앞에 딸이 피곤한 얼굴로 서 있다.

딸을 따라 무빙워크에 올랐다. 가만히 서 있어도 알아서 땅이 움직여 준다. 한숨을 내 쉬며 허리쌈에서 손수건을 꺼낸다. 이마를 닦으려고 고개를 들자 딸은 이미 저만치 걸어가고 있다.

걸어야 하는구나. 걷는 거였어. 무빙워크 옆으로 전동차가 미끄러지듯 지나간다. 사람이 타긴 했는데 돈을 따로 내는 건가? 저거 탄 사람은 가마 위에 앉은 기분이겠지. 내가 이럴 때가 아니지, 딸을 놓치면 안 돼. 아, 무릎이 또 말썽이야. 비행기 타기 전에 진통제 하나 더 먹어야겠어.

딸의 뒤꿈치와 캐리어를 주시하며 걷는다. 발이 캐리어에 자꾸 부딪힌다. 부딪히지 않으려 보폭을 좁히면 딸이 멀어지고 딸을 쫓으면 금세 가방과 부딪힌다. 딸이 갑자기 멈춰 서서 붙어 있지 말라고 짜증 낸다.

무슨 말을 어떻게 해야 할지, 머리 속을 뒤진다.

"그래, 알았다."

공항에서도 나는 딸의 뒤를 졸졸 쫓아다녔다. 이대로 제주 여행을 잘 다녀올 수 있을지 걱정이다.

딸 없이 아무것도 못 하는 내가 한심하고, 혼자 남겨질까 불안하다. 걱정과 달리 눈은 딴 곳을 향한다. 저 의자에 앉아 있으면 안되나? 한 걸음 옮기기가 힘들다.

"엄마, 아침도 못 먹고 나왔는데 배고프지 않아? 다리도 아플 텐데 우리 어디 들어가서 먹으면서 좀 쉴까?"

정신이 번뜩 트인다. 의자 있는 곳으로 간다니 힘을 안 낼 수 없다.

역시 딸을 쫓아 식당에 들어간다. 딸이 기계 화면을 손가락으로 누르며 주문하는 것을 물끄러미 본다. 테이블 위에 올려진 번호표가 다른 세상으로 가는 버스표 같다. 비행기 자리 배정도 기계에서 하고, 밥이랑 커피 주문도 기계가 받는 세상이다. 딸이 있는 그곳이 너무 멀게 느껴진다.

딸은 비빔밥을 고르고 나는 뚝배기를 시켰다. 맛있게 먹자고 하려다, 고개 숙여 기도하는 딸을 보고 말을 삼킨다.

교회 다니는 딸을 때리며 말렸던 기억이 난다. 종교는 불교뿐이라고 생각했던 고지식 때문은 아니었다. 학교 다닐 땐 주말 내내 교회 사람들이랑 몰려다니더니, 커서는 제사 같은 건 미신이라고 아빠 제사상에 절 한번 안 했다. 남자보다 교회가 좋다고 아침저녁으로 기도하질 않나, 혼기 놓치기 전에 선보라고 해도 싫다는 딸을 겨우 달래 결혼시켜놨더니 애도 못 낳고 저리 이혼하고 왔다. 선영이 쟤는 교회가 좋아서 간 것이 아니라 집이 싫어서 교회로 도망간 게 틀림없다.

숟가락 든 채 딸이 먹는 것을 본다. 기도하는 모습을 봐서 그런지 비빔밥 먹는 꼴도 못마땅하다. 손목에 힘이 하나도 없어 보인다. 사람은 밥심으로 산다는데, 한 끼라도 제대로 먹어야 힘을 내지. 역시 밥은, 어미 손맛이 들어가야 제맛이지!

딸의 밥그릇을 가져와 밑반찬으로 나온 채소를 더 넣는다. 고추장이 밥알 하나하나에 모두 덮어지도록 힘차게 비빈다. 딸이 한 입 먹고 눈이 동그래질 상상하니 비비는 숟가락에 더욱 힘이 들어간다.

"알았어. 내가 알아서 먹을게. 엄마 밥이나 먹어. 빨리 먹고 비행기 타러 가야 해."

딸은 미간을 찌푸리며 돌 씹은 표정을 한다. 한 숟가락 내민 손이 무안해진다.

비행기 의자에 앉았다. 딸이 불편한 자리 앉겠다며 나에게 복도 자리를 내줬다.

창가에 앉은 남자를 슬쩍 본다. 저 사람은 구름도 보고 아래 육지도 구경할 테지. 아까 자리 정할 때 창가 쪽으로 할 걸 그랬나? 아니, 아니다. 혼자 멀뚱멀뚱 앉아 뭐 해? 궁금해도 물어볼 사람 없이 괜히 초라해 보일걸. 딸이랑 나란히 앉아서 여행 얘기라도 하면서 수다 떨어야지.

"안녕하십니까."

여기 근무하는 직원은 여자도, 남자도 곱다. 말끔히 빗어 올린 머리칼에 빛이 난다.

다소곳한 미소에 익숙한 얼굴이 그려진다. 우리 큰딸도 웃는 얼굴이 예뻐서 승무원으로 일했으면 누구보다 잘했을 거다. 자식 같은 직원의 인사를 무심히 받을 수 없다.

"네, 안녕하세요. 아가씨 참 예쁘네요. 네, 안녕하세요. 네, 네."

딸은 눈을 감고 의자에 머리를 기댔다. 비상시 탈출 방법과 구명조끼 사용법에 대한 안내 방송이 나온다. 딸이 자느라 못 들을 테니 내가 잘 듣고 알아둬야지. 혹시 모를 상황에 나까지 허둥지둥할 수 없으니 말이다.

딸과의 수다는 이미 물 건너간 듯하다. 도착할 때까지 잘 모양이다. 주변 승객을 훑어본다. 호칭을 들어보니 서로 가족인 것 같다. 아들이랑 며느리, 손자도 둘이나 있다. 팔자 핀 사람은 표정도 여유로워 보인다. 저 부부는 무슨 걱정이 있을까. 얼굴을 뒤로 돌려버렸다.

대각선 자리에 흰머리 노인이 앉아 있다. 비어 있는 옆자리가 궁금해진다. 일행이 안 온 건가, 없는 건가. 머리는 나보다 하얀데 건강해 보이네. 몇 살쯤 됐을까? 나는 저 노인처럼 혼자 비행기 탈 수 있을까? 허리를 꼿꼿이 세워서 그런가, 교양 있어 보인다. 나도 허리랑 가슴을 좀 펴야지.

기장 안내 방송, 승무원 음료 서비스를 귀에 담고 입으로 즐기다 보니 1시간이 생각보다 짧았다.

비행기에서 내리자 다시 딸 꽁무니 쫓기가 시작된다. 짐을 찾고, 셔틀버스를 타서, 렌터카 대여 서류를 쓰고, 키를 받고, 차에 오르기까지 나는, 캐리어와 처지가 다르지 않았다. 주인의 손에 이끌려 다니는 캐리어만 한 존재였다.

"엄마, 첫 번째 코스는 방주교회야. 일단, 가는 길에 새우튀김 우동 맛집이 있으니까 점심으로 그거 간단히 먹고 갈 거야."

고작 알게 된 일정에 딸을 쏘아본다.

"제주 와서도 교회 타령이냐?"

교회를 탐탁지 않게 여기는 걸 알면서 굳이 그곳으로 가는 심보를 이해할 수 없다. 가만히 듣던 딸의 눈에 힘이 들어간다. 꽉 다문 입 주위로 실룩거리는 턱관절이 눈에 띈다.

"그러는 엄마의 부처님은 뭐가 다른데? 엄마 손 닳도록 빌고 108번 굽어 절해서 뭘 얻었는데? 우리 집이 어째서 불교 집안이야? 기껏해야 석가탄신일 하루 절에 가는 거 갖고 매일 공들이는 것처럼 부풀리지 마. 난 엄마보다 하느님한테 위로받고 산 날이 더 많아. 엄마의 사랑보다 하나님의 사랑으로 견디며 살았다고. 그리고 난! 이혼당한 게 아니라, 내가 이혼한 거야."

엄마보다 하느님한테 위로받고, 하느님 사랑으로 견디며 살았다니! 누가 내 명치를 세게 때린 것 같았다. 숨이 막혀 더 이상 말을 잇지 못했다. 나는 이 아이에게 어떤 엄마였을까. 세상 가장 큰 사랑은 엄마로부터 나온다는데 사랑도, 위로도 주지 못한 나는 엄마였을까?

내 자식 굶기지 않으려고 먹을 거 구하는 데만 정신이 팔렸다. 엄마로서 헛살았구먼! 큰딸은 집이 싫어서 교회로 도망간 것이 아니라, 엄마 사랑과 위로가 그리워 누군가를 붙잡고 있었는지도 모른다. 심장을 후비는 고통은 온몸을 타고 관절로 이어진다.

떨리는 손으로 허리쌕 지퍼를 연다. 진통제, 진통제 어딨어? 무슨 약을 먹어서든 아픔을 멈추고 싶다. 왈칵 쏟아지는 식은땀이 느껴진다. 가만있자. 정신 차려야지. 빈속에 약 먹으면, 진정은커녕 쓰려서 허리도 못 펼 텐데.

속을 달래줄 요량으로 삶은 계란을 꺼낸다. 딸에게 미안한 마음에 계란을 까서 내밀지만 역시나 손이 무안해진다. 혼자 우적

우적 계란을 씹는다.

식당 주차장에 차를 세우고 안으로 들어간다. 원목 테이블에 빨간 의자가 놓여있다. 낮은 천정과 나무 기둥이 한옥처럼 아담하면서도 호텔 뷔페식당처럼 고급스러웠다.

메뉴판을 펼쳐 우동을 찾다가 가격을 보고 흠칫한다. 어쩐지 뷔페식당 분위기다 했더니 우동이 뷔페가격이다. 이 돈이면 우리 동네 시장 국숫집에서 곱빼기에 곱빼기를 먹어도 남는다. 갑자기 이곳이 너무 낯설다. 오늘이 처음이자 마지막이 될 테니 고개를 돌려 다시 한번 눈에 담는다. 무시무시한 식당이로군!

내 앞에 대접이 하나 놓인다. 얼마 만에 먹는 면인가!

굵고 탱글탱글한 면 위에 길쭉한 튀김이 올려져 있다. 아직 뜨거워 보이는 면발을 거침없이 입에 넣고 호로록 빤다. 쫄깃한 면발과 시원한 국물이 허한 속을 채워준다. 부드러운 가루가 물과 섞여 말랑해지고, 익으면 쫀득해지는 성질도 마음에 쏙 든다.

반찬거리 사기도 빠듯한 시절 국수는 몇 푼 안 되는 돈으로 헛헛한 마음을 달랬던 선물 같은 음식이다. 그러나 그놈의 콜레스테롤과 당뇨 때문에 나를 위한 유일한 사치를 잃었다.

오늘에야 비로소 한동안 찜찜했던 뒤끝을 날려버린다. 여기까지 와서 미각의 행복을 무시하는 건 인간적이지 않다. 다시 못 먹을 이 우동에 내 오감을 맡긴다.

감칠맛 나는 육수는 싸구려 시장 국수와 비교가 안 된다. 왕새우 튀김을 크게 베어 물고, 혀로 왼쪽 오른쪽 굴리며 뜨거운 김을 뱉는다. 새우 머리부터 꼬리까지 잘근잘근 씹어 삼킨다.

우동 그릇을 두 손으로 바쳐 국물을 쭈욱 마시고 내려놓으며 딸 접시에 올려져 있는 새우 꼬리를 쳐다본다.

"너 그 꼬리 안 먹니? 버릴 거면 내가 먹게."

딸은 말없이 숟가락으로 국물만 떠먹는다.

 뜨끈한 우동의 여운을 느끼며 교회로 이동한다. 하얀 건물에 높게 세워진 십자가만 있는 줄 알았더니 방주교회는 어쩐지 미술관 같았다. 유리에 비친 햇살, 구름, 인공 수조가 그림 같다.
 물끄러미 건물을 쳐다보다 딸이 안으로 들어가는 것을 보고 서둘러 뒤따라간다. 긴 의자에 딸이 앉아 있다.
 교회 내부를 둘러보지만 어딜 봐도 창고다. 정면에 밋밋하게 걸려있는 십자가는 스산한 느낌이다. 까칠까칠하고 썰렁한 빈 둥지 같다고 해야 할까. 이곳이 딸에겐 내 품보다 따스하고 포근했다는 말이 믿어지지 않는다.

 '난 엄마보다 하느님한테 위로받고 산 날이 더 많아. 엄마의 사랑보다 하나님의 사랑으로 견디며 살았다고.'
 머릿속에서 딸의 목소리가 맴돈다. 나를 얼마나 원망했을꼬. 이만큼 잘 자란 것도 저 십자가 덕분인지도 모른다. 내가 자식들 덕분에 여태 살았던 것처럼. 부족한 엄마를 대신해 준 십자가에게 마음을 전한다.
 "나무 관세 모살."

 딸은 외돌개라는 바닷가로 나를 안내했다. 풀내 나는 산책로 옆으로 철썩거리는 파도가 보인다.
 몰려오는 파도는 외돌개만 못살게 군다. 여기저기 튀어나온 거친 모서리에서 돌기둥의 고달픔이 느껴진다. 바람에 흔들리는 풀꽃, 그 사이로 폴짝 뛰는 작은 벌레, 나뭇가지를 오가는 새들, 맑은 하늘. 외롭고 슬픈 건 외돌개뿐이다. 나도 저 외돌개 같이 살 때가 있었다. 세상이 왜 나만 못살게 구는지 서럽기만 했는데… 죽지 못해 살았다.

21살 때 시집와 노름하는 남편이랑 살면서 세 아이를 낳았다. 남편은 차라리 없는 게 나았다. 아이 셋, 남편, 그리고 남편의 빚더미까지 책임져야 했다. 밤낮으로 일을 했지만 삶은 나아지지 않았다. 매 순간 모든 희망을 놓고 싶었다. 모두가 잠든 새벽에 혼자 눈물짓다 아침을 맞는다. 방 안으로 들어오는 햇살에 정신 차리고 다시 일하러 나갔다.

내가 다 갚지 못한 업이라도 있는 건가. 나만 못살게 굴면 됐지, 선영이는 무슨 죄로 저리 힘들게 하는고. 가슴이 저리다.

딸이 시간을 확인하더니 갑자기 다급해 보였다. 왜 그러냐 질문도 없이 그저 딸을 살피며 자세를 고쳐 선다. 딸이 내 팔을 잡아끌며 왔던 길로 몸을 돌린다.

"엄마, 빨리 와. 숙소에서 좀 쉬다가 그 근처에서 저녁 먹자."

이유도 모르고 같이 조급해진다. 딸의 뒤꿈치를 밟지 않고 놓치지도 않는 거리를 유지하며, 뛰지도 걷지도 않는 걸음으로 간다.

숙소로 들어와 침대에 몸을 기댄다. 저녁때까지 시간이 좀 남았다니 TV나 보면서 허리와 무릎을 쉬게 할 참이다. 딱히 관심 없는 드라마에 시선만 멍하니 풀어놓는다.

"엄마, 일어나. 저녁 먹으러 나가자."

수업 시간에 졸다가 들킨 학생처럼 눈이 번뜩 뜨인다. 딸이 손으로 밥 먹는 시늉을 한다. 방 앞에 서서 입 모양으로 빨리빨리를 외친다.

어두워진 창밖을 보며 패딩을 챙기다 딸에게 핀잔만 듣는다. 가디건 하나 겨우 걸치고 나오다 발길을 돌려 모자와 목도리를 챙긴다. 현관문을 잡고 기다리는 딸을 의식하며 급하게 신발을 신다가 다시 돌아선다.

"아, 참. 내 정신 좀 봐. 지갑을 챙겨야지."

딸의 지친 목소리가 들린다. 약 들어있는 허리쌕이 생각났지만 한 번 더 돌아서면 딸이 진짜 화낼 것 같아서 그만두기로 한다.

딸을 따라 식당에 들어간다. TV에서 제주 오면 꼭 먹어야 하는 음식 중 하나가 흑돼지구이라고 여러 번 들었던 터라 그 맛이 궁금했다. 벽에 메뉴판이 크게 걸려있어서 멀리서도 잘 보였다.

관광지라 그런가, 카운터 근처를 서성이는 저 남자 얼굴처럼 바가지가 뻔뻔하다. 배 나온 모양새를 보니 심보도 놀부 못지않을 듯하다. 다른 테이블을 보니 다들 같은 거 먹는가 보다. 불판에 고기, 찌개랑 냉면, 쌈 채소. 우리 동네 고기집이랑 뭐가 다른 건지, 괜한 기대를 했네.

우리 테이블에도 밑반찬이 깔리고 숯불과 고기가 나온다. 직원이 능숙하게 고기를 구워준다.

"이쪽은 익은 거예요. 제주는 고기를 멜젓에 찍어 먹어요. 멸치 젓갈이에요. 드셔보세요."

딸이 먼저 맛을 보고 나에게 고기 한 점 권한다. 해봐야 고기 맛이지 하고 입에 넣었다가 뜻밖의 고소함에 입이 벌어진다. 씹었을 때 쭉 나오는 육즙이 감칠맛을 더했다.

"고소하네. 맛있다. 고기가 아주 촉촉하고 부드러워요."

"고기가 두꺼워서 육즙이 그대로 있어요. 모녀이신가 봐요. 보기 좋아요. 두 분 웃는 모습이 닮았네요."

멋쩍게 웃는 딸과 눈이 마주친다. 웃는 딸이 곱다. 이 웃음이 오래 이어지길 빈다.

"딸이 엄마 여행 시켜준다고 해서 왔어요."

나를 부러워하는 직원의 표정이 보인다. 고개와 허리에 절로 힘이 들어간다.

"해외여행 가자는 거 가까운 데로 가자고 제주 온 거예요. 주말이었으면 사위랑 손자도 같이 왔을 텐데, 전 조용한 게 좋아서 평일에 오느라 우리 둘만 왔어요."

다시 식사를 이어가려다 싸늘한 딸의 시선과 마주친다. 도둑질하다 들킨 것처럼 몸이 움찔했지만, 아무렇지 않은 척 머리를 쓸어 올린다. 딸에게 윙크를 보내며 직원의 눈치를 본다.

"엄마, 거짓말하면 벌 받아."

갑자기 얼굴이 뜨거워진다. 불판에 너무 가까이 앉았나, 의자를 조금 뒤로 민다. 직원이 내 표정을 못 봤을 리 없다. 이대로 가만히 있다간 대망신이다.

"아, 아니, 내가 무슨, 거짓말했니? 나 여행시켜 준다고 온 거 맞잖아."

싸해진 분위기를 느꼈는지 직원이 우리 눈치를 살핀다.

"아, 고기가 너무 익으면 맛이 없어요. 육즙이 마르면 딱딱해지니까 촉촉할 때 어서 드세요. 필요한 거 있으면 벨 눌러 주시고요. 맛있게 드세요."

서둘러 직원을 보내고 물 마시는 척 컵을 든다. 이놈의 주둥이를 꿰매야지. 그냥 가만히 있으면 될 것을. 이미 엎질러진 물이다.

"엄마한테 사위랑 손자가 어딨어?"

딸은 이대로 넘어가지 않을 심사인지 집요하게 나를 추궁했다. 옆 테이블 남자가 우리 쪽을 쳐다보는 것 같다. 나는 아무렇지 않은 척 젓가락을 집었다 탁하고 내려놓는다.

"그래도 저 사람 앞에서 거짓말이라고 굳이 말할 필요가 있니?"

"엄마는 내가 그렇게 부끄러워? 엄만 나보다 남들 시선이 중요하지? 내 마음은 본체만체하고, 엄마 체면만 살피잖아. 나 땜에 남들한테 손가락질 받는다는 둥, 나 같은 사람 좋아하지 않을 거라고 막말이나 하지. 내가 그렇게 부족한가? 내가 유산하고 이혼하면서 얼마나 힘든지 생각해 봤어?"

오늘따라 입이 자꾸 탄다. 맥주를 빈 잔에 채우고 단숨에 비운다. 코끝이 찡해 눈이 저절로 감긴다. 딸은 눈물을 훔치며 밖으로 나가버렸다.

딸의 빈자리가 횅하다. 고기는 지글지글 소리 내며 익지만, 집게 들 힘이 없다. 육즙이 말라가는 고기를 그냥 쳐다본다. 고기 뒤집는 걸 포기하고 벨을 누른다.

"소주 한 병 주세요."

시끌시끌한 식당 소리를 들으며 30년도 넘은 지난 일을 떠올린다. 품앗이로 겨우 하루 벌이하고 녹초 된 몸으로 집에 돌아온다. 잠시 앉을 새 없이 배고프다고 달려드는 아이들 뒤로 난장판이 된 집안 꼴을 보면 세상이 원망스러웠다. 동생들이 어지른 물건을 그대로 뒀다고 어린 큰딸에게 야단친다.

지금 생각해 보면 그렇게까지 화낼 일도 아니었는데…. 매정한 입에 쓰디쓴 술 한 잔 붓는다.

분노에 찬 남편의 화풀이 대상이 되는 날이면 새벽에 혼자 집을 나와 친정집으로 밤새 뛰어갔다. 친정엄마는 눈물과 흙먼지로 뒤범벅된 나를 차갑게 돌려보냈다. 호적 파간 딸이 돌아온 게 알려지면 동네 보기 부끄럽다며 혀를 찼다. 친정엄마에게 달려갈 때보다 집으로 돌아오는 그 길이 더 큰 아픔이었다.

해가 뜰 무렵 집에 도착해 멍하니 앉아 있던 젊은 내가 보인다. 빈 술잔에 숨겨둔 눈물을 따른다. 술잔이 찰랑거린다.

술 취한 남편은 코 골며 세상 모르게 잠들어 있다. 방바닥에 동서남북으로 제각기 갈라져 잠들어 있는 아이들을 물끄러미 바라본다.

"너 혼자 살려고 나오면 니 새끼들은 어떻게 살라는 거냐. 나를 무시하는 건 넘어가도 내 새끼 홀대하면 눈 뒤집히는 게 어미다. 너만 도망 나오면 니 새끼들은 노름쟁이 아빠 밑에서 사람 새끼 대접 받을 수 있겠냐? 이 악물고 지켜라. 이 악물고 살아. 남들도 다 그렇게 산다."

그날 이후 '순자'는 세상에서 사라지고 '엄마'라는 이름만 남았다. '엄마'인 나에게 아이는 전부였고, 큰딸은 자존심이었다. 큰딸의 행복과 성공이 고행에 대한 보상이었다.

그런 딸이 유산으로 힘들어하다 가정마저 던지고 나왔다. 선영이 너만은 남들처럼 평범하게 살길 바랐는데, 무엇이 욕심이었을까. 하늘이 무너지는 것 같았다. 마치 내가 버림받은 기분이었다. 내게 허락되지 않았던 그 평범함이 어째서 딸조차도 누리지 못하는 걸까. 나의 결핍이 자식에 대한 집착이 되었다.

"나 없이 나를 만들려고 선영이를 못살게 굴었어!"

새벽에 찾아온 나를 차갑게 돌려보내던 친정엄마 뒷모습이 떠오른다. 그때 친정엄마가 나를 안아줬다면 어땠을까. 나를 위로해 줬다면 어땠을까?

술잔을 비우고 채워보지만 돌아오는 대답은 없다.

3병째 소주병을 들고 온 직원이 말을 건다.

"8시 30분이에요. 저희 영업시간이 9시까지라서 이 소주까지만 드셔야겠어요."

빈 의자에 앉아 있던 딸을 그리며 전화번호를 누른다. 전화벨만 실컷 울리다 부재중 메시지로 넘어간다.

고기는 바싹 말라 숯처럼 까맣게 변해 있다. 소주에 고기의 탄 맛이 느껴진다. 식당 밖에 서 있는 나뭇가지가 휘청한다. 우리 딸 어디서 혼자 울고 있나, 겉옷도 하나 없이.

"연결이 되지 않아 삐 소리 후 소리샘으로 연결되오며…"

전화기를 끄고 주머니에 손을 넣어 지갑을 꺼낸다. 비틀비틀 계산대로 걸어간다.

"밥 사준다고 지갑 필요 없다는 애는 어디 간 거야? 챙겨오길 잘했지. 이 나이에 돈 없이 밥 먹고 경찰서 갈 뻔했네."

계산 받는 직원이 걱정스러운 눈을 하고 있다.

"따님이 멀리 가셨나 봐요. 안 오시네요."

"아, 네. 어디 바람 쐬러 갔다가 회사 전화 받았나 봐요. 회사 일로 통화하다보면 몇 시간이고 전화할 때가 있더라고요. 나중에 숙소에서 보자고 문자 받았어요."

이 와중에 또 거짓말이라니 원. 역겹다, 진짜! 보이지도 않는 영수증에 얼굴을 처박는다.

"술 많이 드셨는데, 숙소는 가까우세요?"

숙소? 이름도 기억나지 않는다. 외우기는커녕 써진 글을 따라 읽기도 어려운 발음이었다.

식당을 나와 거리를 둘러본다. 왼쪽이던가, 오른쪽이던가? 무슨 편의점을 지나간 기억은 난다. 베, 뭐였는데. 숙소 이름을 모르니 물어볼 수도 없고, 택시를 잡을 수도 없네. 요새 아이들처럼 핸드폰으로 길 찾는 법을 미리 배워둘 걸 그랬나.

할 일 없이 전화기 화면만 켰다 끈다. 등 뒤에서 직원의 시선이 느껴진다. 내가 숙소를 진짜 알고 있는지 의심하는 눈치다. 일단, 내뱉은 말이 있으니 아는 척 자리를 옮긴다.

몸이 가는 데로 걷는다. 거리는 아직도 밝고 시끌시끌한데, 어쩐지 황무지를 홀로 걷는 기분이다. 휘청거리는 거리를 눈에 힘주어 노려본다. 제아무리 세상을 흔들어도 나를 쓰러트릴 순 없지! 바닥에 깔린 보도블럭 선을 따라 일자로 걷는다.

낯선 티를 내고 싶지 않다. 두리번거리지 말자. 숙소가 어디냐고 불쑥 물어올 것 같아 지나가는 사람의 눈을 피한다. 처량한 내 꼴을 모두가 비웃는 것 같아 견딜 수 없다.

귀신에게 홀렸는지 아까 본 듯한 사람과 간판이 자꾸 눈에 들어온다. 쌀쌀한 밤기운이 두꺼운 피부를 뚫고 들어온다. 시린 무릎과 뻐근한 허리를 달래줄 게 맨손밖에 없다. 횡단보도 앞에 세워진 기둥에 몸을 기대고 손으로 통통 친다.

맞은 편에 환하게 불 켜진 가게가 보인다. 아, 그 편의점이다! 편의점 뒤로 하얀 건물이 서 있다. 주변 건물과 확연히 구별되는 외국식 건물이 우리 숙소라는 걸 알아봤다.

숙소 카운터에 젊은 청년이 서 있다.

"우리 딸이랑 같이 나갔다가 딸은 어디 좀 갔다 온다고 내가 먼저 들어왔어요. 열쇠가 딸한테 있어서 그런데 방문 좀 열어줄 수 있어요?"

"예약자가 누구시죠? 몇 호세요?"

"예약자는 박선영이요. 몇 호더라. 3층인가 4층인데, 건물에서 저쪽이었어요."

팔을 뻗어 왼쪽을 가리킨다.

"박선영이란 분이 있기는 한데 몇 호인지 정확히 아셔야 해요. 동반인 등록 안 되어 있어서 예약명만으로는 방문을 열어드릴 수 없습니다. 아니면, 박선영님께 연락하셔서 방 번호 확인해 주시거나."

주머니를 더듬거리며 다시 전화기를 꺼낸다. 통화 버튼을 눌러보지만 역시 부재중 메시지로 넘어간다.

하는 수 없이 건물 입구 계단에 팔짱 끼고 앉았다. 술 때문인지 하늘이 파도처럼 넘실거린다. 여행 간다고 새벽부터 움직여서 그런가, 눈꺼풀이 자꾸 감긴다. 공기가 쌀쌀하다. 몸을 웅크려 고개를 숙인다.

누가 나를 흔들어 겨우 눈을 뜬다. 낮에 체크인 도와주던 직원이다.

"어머님 여기서 주무시면 감기 걸려요. 따님은 어디 가셨어요? 왜 밖에 나와계세요?"

직원은 내게 계속 말을 걸었지만, 알아들을 수 없다. 축농증 걸린 코처럼 귀와 눈이 꽉 막혔다. 휘청거리는 몸을 직원에게 의지해 방으로 들어간다. 직원이 나를 침대에 눕히고 뭐라 얘기하더니 사라진다.

제3화 우리

딸도 나처럼 어제 입은 그대로 침대에 누워있다. 나는 핸드폰
소리를 죽이고 유튜브 보면서 옆에 앉아 있다. 날 밝은 게 느껴
지는지 딸은 자꾸 뒤척인다.

"선영아, 깼어?"

"몇 시야?"

"알아서 뭐 하게. 더 자고 싶으면 더 자. 오늘은 뭐 구경하려
고 욕심내지 말고 편하게 쉬자. 푹 자고 근처 해장국 집이나 찾
아서 밥 먹자."

이불을 딸 어깨 위로 고쳐 덮어주며 짧게 토닥인다. 딸은 이
불에 얼굴을 파묻고 다시 잠이 든다.

우리 앞에 뜨겁게 달궈진 해장국이 하나씩 놓인다. 딸의 뚝배
기 쪽으로 날계란을 가져가던 내 손을 얼른 거둔다. 깨진 껍질
사이로 미끄덩한 계란이 뚝배기에 떨어진다. 와글거리던 해장국
이 한 김 식는다.

"너 계란은 네가 넣어라, 싫으면 말고. 그리고 앞으론 '엄마'
대신 '이순자 여사'라고 불러. 이제부턴 누구의 엄마 말고 이순
자로 살아야겠다. 너도 누구의 딸, 누구의 아내, 누구의 누구로

살지 말고, 박선영으로 살아. 지금처럼."

애써 딸 눈을 피해 해장국을 내려본다. 밥 한 공기를 붓고 숟
가락으로 휘젓는다.

"어제는 어디 가서 뭐 했길래 온몸이 젖었데? 밤새 춥다면서
나를 팔로 꽉 붙잡고 안 놔주더라고. 어휴, 땀 냄새 때문에 죽
는 줄 알았어. 몸은 축축하고 끈적끈적한데 못 알아듣는 말을
계속 중얼거리니까 잠을 잘 수 있어야 말이지. 뭔 잠버릇이 그
렇냐?"

딸이 피식 웃으며 해장국 한술 뜬다.

"코는 안 골았어?"

"왜 안 했겠냐. 이 갈고, 방귀 뀌고 다 했지. 고상한 척 혼자
다 하더니. 나만 알기 억울하다."

숟가락 가득 밥을 떠서 입에 넣었다. 뜨거운 밥알이 입 안을
돌아다닌다.

"어젠 엄마 어떻게 숙소 왔어? 열쇠도 나한테 있었는데."

"야, 내가 너 아니면 아무것도 못 하는 어린앤 줄 아냐? 이래
봐도 노름하는 남편 데리고 애 셋을 키운 여자야."

딸은 숟가락으로 해장국을 쿡쿡 찌르기만 하고 먹지 못한다.

"암튼 어제 식당에 엄마 혼자 두고 나와서 미안해. 전화도 안
받고."

"그나저나 너 밥값 내기 아까워서 도망간 거 아냐? 어제 식당
은 너무 비싸더라. 고기가 다 고기지 뭐. 흑돼지니 뭐니 해서
바가지만 씌우고 말이야. 지금 먹는 구천 원짜리 해장국이 훨씬
맛있다. 푸짐하고 뜨끈한 게."

어제 먹은 술이 씻겨 내려간 기분이다. 이마에 맺혔던 땀이
식당 문을 나오면서 시원한 바람을 맞는다. 잇몸을 활짝 드러내
이쑤시개로 쑤신다. 딸이 나를 뱁새눈으로 쳐다본다. 나도 큰
눈으로 왜? 라고 받아친다.

"이순자 여사님, 이제 어디로 모실까요? 어디 가고 싶으세요?"

"절은 없니? 관광지는 입장료만 비싸고 사람 많아서 시끄러워. 절은 공짜고, 조용해서 쉬기 좋잖니."

딸이 피식 웃는다.

"내가 어제 교회부터 갔다고 지금 절에 가자는 거야?"

"나도 마음의 평화를 빌어야겠다. 넌 밖에 앉아 있으면 되잖아. 근처 그런 거 없나 찾아봐. 유명한데 아니어도 돼."

딸은 조용히 핸드폰으로 검색한다.

주변에 가정집들이 늘어서 있는 게 동네 주민이 다님직한 절이다. 열려 있는 문으로 작은 마당과 법당이 보인다. 반기는 이 없이 나 혼자 두 손 모아 숙이며 들어간다.

법당 입구에 신발을 놓고 불상 앞에 선다. 고장 난 무릎을 어정쩡하게 굽히며 바닥에 엎드린다.

어디 하소연할 데가 없을 때, 오늘처럼 불상 앞에 엎드려 속으로 푸념하곤 했다. 그땐 불상의 시선이 참 무심해 보였다. 고통받는 나를 어찌 무덤덤하게 바라보는지, 잔인하기까지 했다.

몸을 일으켜 불상과 마주한다. 얕은 미소가 보인다. 미간은 매끈하게 펴져 편안해 보인다. 내 마음을 알고 있는 건가?

법당을 나와 딸이 앉아 있는 정원 의자에 같이 앉는다. 따스한 봄볕이 야생초 생기를 더한다. 어느 집 주방 도마질 소리가 난다.

"내가 네 아빠 때문에 못 살겠다고 도망 나왔을 때, 외할머니가 매몰차게 돌려보낸다고 엄청 섭섭했는데, 생각해 보니 이해되더라. 자식이 일곱인데, 나처럼 뛰쳐나온 놈 다 받아 주다가는 집에 남아나는 게 없었을 거야. 이불은커녕 누울 자리 없고,

쌀도 부족했으니까."

시린 무릎을 손바닥으로 둥글게 문지르며 하늘을 본다. 무릎
만큼이나 가슴도 시리다.

"겨우 버티고 계셨던 거야. 외할머니도 스스로 구하려고 돌아
서는 내 모습이 마음 아파도 모른 척하셨나 봐."

딸은 말없이 고개를 작게 끄덕인다.

"운명 직전에 왜 그렇게 내 이름을 부르셨는지 알 것 같아.
엄마라는 존재만으로도 힘이 많이 됐다고 내가 먼저 말해 줄
걸 그랬어. 가시는 길 무거운 마음 덜어 드리게."

"외할머니가 하늘에서 듣고 계실 거야."

잔디밭에 앉았다 날아가는 이름 모를 새를 바라보다 딸에게
고갤 돌린다. 딸의 고개도 나를 향했다.

"다행히 나는 네 외할머니만큼 형편이 나쁘지 않아. 자식 몇
안 되고, 방 있고, 이불도 넉넉하니까. 네가 머물 자리는 충분
하다. 필요하면 내 옆에 계속 있어도 좋아. 대신 숙박비는 조금
이라도 내고 지내라. 유지 관리 비용은 필요하니까."

딸이 소리 없이 웃으며 손가락으로 OK 사인을 보낸다.

"선영아, 너 기억나니? 외할머니한테 갔다가 퇴짜 맞고 새벽
에 집에 온 날이야. 너희들 잠든 모습 보다가 혼자 생각에 잠겼
는데 어느새 네가 일어난 거야. 무슨 생각으로 그랬는지 모르지
만 너의 짧은 팔로 나를 조용히 안더니 등을 토닥토닥해 주더
라고. 다 알고 있는 것처럼. 해봐야 7살쯤 됐을 텐데."

"내가 그랬어? 마음 따뜻한 딸이었네."

"네가 그때 엄마 안 안아줬으면 어느 바다에 빠져 죽었을 거
다. 네가 생명의 은인이야. 고맙다, 선영아. 늘 고마웠어. 인사
가 늦었네."

스님 없는 법당에 녹음 된 불경이 울렸다. 흘러나오는 목탁 소리가 우리를 토닥거리는 것 같다. 가벼운 봄바람이 불어온다.

세 자매

소소

소소

어느새 두 번째 이야기입니다. 여전히 모자라고 여전
히 서툰 모습으로 내놓아야 하는 이야기지만, 쓸 수 있
음이 감사합니다.

위로를 주고 싶었나 봅니다. 아니, 어쩌면 내 삶에
위로가 필요해, 위로를 찾고 있는 중 인지도 모르겠습
니다.

앞차의 빨간 불빛이 번쩍번쩍. 그 빛마저 흐릿해, 앞차와의 거리가 가늠되지 않는다. 운전에 집중해야 함에도, 머릿속은 안개보다 더 아득하게, 아무것도 잡히지 않는다.

'너무 급했나? 천천히 움직일걸.'

은경 언니나 은순 언니도 점심에나 도착한다고 했는데, 굳이 무리해서 나선 이유는 단 하나, 어젯밤 은총이의 전화가 지금, 이 안개를 뚫게 했다.

"이모."

"은총, 이모 내일 간다. 기다려라."

"은순 이모랑 같이 올 거야?"

"글쎄. 언니랑 가기는 힘들 거 같은데. 난 내일 아이들한테 들렀다 올 거라."

"그래? 그러면 이모 좀 빨리 와라."

"왜? 무슨 일 있어?"

"아니, 이모부터 보고 싶어서. 은순 이모는 내일 점심때나 온다니까."

더 물어도 내일 이야기하겠며, 다른 사람들보다 내가 편하다는 은총이의 말에 더 캐물을 수 없었다.

심상치 않은 분위기가 풍겼지만, 전화기 너머로 듣는 것은 한계가 있다. 얼굴을 보고 표정을 살피며, 세세하게 이야기를 들어주고 싶다.

자신을 낳은 엄마를 비롯한 우리 세 자매를 호출했다는 건 처음 있는 일이니까. 별일이 아니기를 바랄 뿐.

위로 두 언니는 고등학교를 진학할 시기가 되자 자연스럽게 두 시간 거리 떨어져 있는 도청소재지가 있는 도시로 갔다. 야간상고가 있는 곳.

자식들 교육에는 도통 관심이 없는 엄마, 그리고 자식들 교육과 더불어 집안일에는 관심이 없던 아빠, 그런 부모를 둔 우리 세 자매는 은순 언니를 필두로 야간상고를 다녔다. 무슨 소설이나 영화 속에 나올 것 같지만, 그때 우리에게는 최선이었다.

낮에는 공장에서 일을 하고, 밤에는 학교에 가서 공부했다. 고등학교도 보내주고, 낮엔 일한 월급까지 주는 곳. 말 그대로 주경야독.

몸은 고되고, 마음은 어린 나이에 창피했다. 하지만 선택의 여지 없이 우리 세 자매는, 다시 돌아가도 그렇게 했을 것이다.

그 시절 은순이 언니가 먼저 집을 떠나 기숙사가 딸린 봉제공장에 취직하고 공순이가 되었다. 누가 가라고 한 건 아니지만, 은경 언니마저 고등학생이 되자마자 집을 떠났다.

그렇게 혼자 시골에 남아 엄마를 돕는 딸이 되었다.

"이번 주는 언니들 온다냐?"

주말이 다가오면 엄마의 레퍼토리였다. 언니들 온다냐? 엄마는 날마다 언니들을 기다렸다. 하지만 언니들은 집에 오는 횟수가 점차 줄고, 엄마에게는 그리움의 대상이 되어갔다.

나는 언니들이 한번 올 때마다, 이것저것 사 들고 오는 것이 너무 좋았다. 엄마는 내가 무얼 입고 다니는지 알지 못하고, 신경도 쓰지 않았지만, 언니들은 달랐다. 사이 좋지 않았던 두 언니지만, 집에 올 때는 나의 것을 꼭 챙겨왔다. 엄마 같은 언니가 둘이나 생겼다.

은순 언니는 고등학교를 졸업하고 더 이상 공장에 다니고 싶어 하지 않았다. 공장에 다니면 기숙사에 살 수 없고, 기숙사에 살 수 없자 미련 없이, 나에게는 너무나 크게 느껴졌던 도청소재지를 벗어나, 더 넓은 경기도로 떠났다.

은경 언니는 고등학교를 졸업하고도 공장에 다니는 선택을 했다. 나는 세 살 터울인 은경 언니와 함께 살게 되었다. 나와 함께 살기 시작하고 얼마 되지 않을 무렵부터, 늦은 시간에 기숙사에 돌아오면, 기숙사 통금 시간인 11시가 되어도 은경 언니는 집에 오지 않는 날이 많았다.

은순 언니와는 국민학교 시절부터, 은경 언니와는 국민학교를 졸업하고부터 떨어져 살아서인지, 우리 세 자매에게는 흔히 말하는 자매의 정은 없다.

돈을 벌기 시작하면서 언니들은 스스로를 가꾸기 시작했다. 예뻐졌다는 말이다. 시골 햇빛은 도시와는 달라, 언니들과 비교하면 유난히 까맣고 작은 나는. 제일 작고, 예쁘지 않았다. 우리 셋 중 그래도 제일 외모에 자신 있어야 할 사람은 은경 언니다. 셋째 딸이 제일 예쁘다는 공식 같지 않은 공식은, 우리 집에서는 통하지 않았다.

어쨌든 셋 중 제일 예쁜 얼굴을 가진 은경 언니는 인물값을 톡톡히 했다. 스무 살이 되고 더위에 지친 땅이 쫙쫙 갈라지던 날, 하늘이 땅의 말라감을 보고 비를 내려 주었다.

그날의 은총이, 언니에게도 내렸다. 언니는 그날 아기를 낳았고, 우린 은총이를 만났다.

은총이는 하나님의 은총을 받고 태어나지 못했다. 언니가 왜 아이의 이름을 은총으로 지었는지는 모르겠다. 어쩌면 언니에게 은총이 되기를 바랐던 것은 아닐까? 이름처럼 살았다면 어땠을까?

은총이 나이는 고작 스물한 살. 언니는 은총이를 스무 살에 낳았다. 언니는 사회적으로 성인이 되는 나이, 스물에 엄마가 됐다. 은총이는 이제 제가 태어났던 제 엄마의 나이를 넘어섰다.

여름의 은총은, 더위를 이기지 못해 하늘을 향해 싸우듯 소리를 내는, 땅의 사람들에게 달래듯 내리는 소나기 같은 은총이였을 텐데. 언니에게 은총이는 일회성이었다. 눈먼 사랑이 남긴 아주 무거운 은총이었다.

은총이 아빠를 한번 본 적이 있다. 언니의 뱃속에 은총이가 있던 때. 아빠라는 사람은 은총이가 세상에 나오고 얼마 후 사라졌다. 언니는 미혼모가 되었다. 남편이 사라지고 은총이와 시골집으로 내려가 한동안 있었다.

어느 날, 다시 공장의 기숙사로 혼자서 돌아왔다. 이미 여기저기 소문이 몸집을 부풀려 사실과 한데 어우러져 언니를 쫓아다녔지만, 신경 쓰지 않았다. 언니의 하루하루는 아무 일도 없었다는 듯 흘러가고 있었다.

엄마의 나무에는 바람이 일었다. 이제 막 생겨난 가지는 엄마의 마음을 들쑤셨다.

"언니는?"
"몰라, 집에 오니까 없어."
"어쩌려고 그런다니?"
"…."
"언니 오면 전화하라고 해. 잉?"
"어."

뚝. 전화는 끊겼다. 엄마는 밤이면 밤마다 전화해댔다. 내가 깜깜한 방의 불을 켜기 전부터, 소리를 내며 빨간 불빛이 수없이 번쩍거렸을 것을 안다. 엄마의 전화 어디에도 나의 안부는 없다.

출근 준비를 하는 나와 달리 언니는 아직 이불 속이다. 이불 끝으로 뽀글거리는 노란 머리카락이 삐죽이 나와 있다. 일어날 기미는 전혀 없다.

"언니, 일어나. 통근버스 올 시간이야."

"아, 먼저 가."

"그리고, 엄마가 꼭 전화하래."

"알았다고!"

가방을 메고 현관문을 여는데, 번쩍이는 불빛과 함께 전화벨이 울린다. 시끄러운 전화벨 소리가, 언니 곁을 맴도는 술 냄새가 빠져나올까 싶어, 얼른 문을 닫았다.

버스가 오고, 줄을 선 아줌마들과 가방을 멘 사람들이 올라타고도 잠시 시간을 맞추기 위해 기다리던 버스에, 언니는 올라타지 않는 날이 수두룩했다.

주말에 혼자서 시골집으로 가는 날이 많았다. 은경 언니는 언젠가부터 집에도 내려오지 않았다.

"언니는?"

"몰라."

"미친년, 어쩌려고 그러는지, 요즘 대체 뭐 하고 다니는 거래?"

"몰라, 모른다고! 엄마가 물어보던가!"

"내가 묻는다고 말을 해주면, 내가 너한테 물어보냐? 어디서 그런 것이 나왔는지. 남편 복 없는 년은 자식 복도 없다더니, 이제 저 조그만 것까지 여기 던져두고 가면? 에휴, 징한 것들!"

아기 울음소리가 들린다. 은총이가 소리에 놀랐는지 울며, 기어서 엄마에게 간다. 엄마의 다리에 매달리는 아이의 등을 쓸어

내리는 엄마의 손이 두툼하다.

"불쌍한 것. 이 불쌍한 것을 어쩐다냐?"

엄마의 나무에 새로 나온 가지는 불쌍한 가지였다. 그래도 엄마의 두툼한 손은 그 작은 등에서 떠나지 않는다.

은총이를 안아 유모차에 태우고 명자네에 갔다. 같은 중학교를 나와 일반 고등학교에 다니는 명자는, 둘도 없는 친구다.

"은총이네? 야! 누가 보면 니가 엄만 줄 알겠다."

은총이를 보며 웃는 명자가, 집에서 있던 그대로 나와, 슬리퍼를 신고 옆으로 선다. 동네를 따라 걷는다.

"힘들지는 않고? 공장 다니면서 공부할라믄 힘들겄다."

"힘든 건 없는데, 좀 창피해. 아침이면 버스 타는데 교복 입은 애들 많잖아? 근데 나는 아줌마들 사이에서 서 있으니까. 자꾸 쳐다보는 것 같애."

"그래도 너 이뻐졌다. 촌사람 같지 않다."

"그래? 그래도 나, 여기 살면서 너랑 학교 다니고 싶다. 그러면 은총이도 날마다 보고, 좋잖애?"

"누가 보면 니가 진짜 은총이 엄만 줄 알겠다."

웃었다, 소리 내어. 은총이도 함께 웃었다.

은총이는 할머니 손에 자랐다. 주말이면 최선을 다해 버스로 두 시간 남짓 걸리는 시골집으로 가려고 애썼다. 은총이는 날마다 이모를 기다리니까.

아침부터 저녁까지 비워진 기숙사는, 이 도시에서 내가 유일하게 돌아갈 곳이었다.

늦은 밤, 현관문을 열기 위해 문 앞에 서면, 희미하게 벨 소리가 마중을 나온다. 불을 켜기도 전에 울리는 전화벨에 맞춰 번쩍거리는 빨간불을 보면, 마음이 급해진다. 불을 켜지도 못하고 전화기에 손을 뻗는 날이 많아졌다. 은총이는 엄마 대신 나를 찾았다. 싫지는 않았다. 아이는 그 늦은 시간까지 잠들지 않고, 이모인 나에게 전화해, 하루를 말했다.

그렇게 혼자 걷고, 말을 하고, 앙증맞은 가방을 메고 어린이집을, 유치원을, 학교에 다니며 자랐고, 그 사이 은총이의 엄마 은경 언니는 다시 결혼했다.

은총이는 언니의 결혼식에 나의 손을 잡고 갔다. 은총이 나이 고작 여덟 살이었다. 형부는 은총이의 존재를 알고는 있었지만, 받아들이지는 못했다. 언니의 새로운 시댁에 은총이의 존재는 없었다.

은총이도 은경 언니가 엄마인 것을 알았지만 엄마라고 부르지는 않았다. 하긴 언니가 엄마 노릇을 하는 것을 본 적이 없다. 스스로 몸에 익히고 터득했겠지, 엄마는 있으되 없음을.

그렇게 기다리던 언니가 시골집에 와서 결혼을 알렸을 때, 엄마는 '그려'라고 했다. 언니는 새로운 시댁에 은총이 이야기를 하지 않을 거라고 말을 하며, 엄마도 그쪽 어른들을 만나면 입조심하라고 당부시켰다.

엄마는, 은총이의 존재를 없는 셈 치려는 언니의 수에 동조하고 결탁했다. 말을 마친 언니가 황급히 시골집을 벗어나자, 엄마는 은총이를 한동안 숨어서 바라보다 눈가를 닦아냈다. 그밤, 엄마는 은총이의 등을 하염없이 쓸어내렸다. 아이의 등은 엄마의 손보다 넓었고, 엄마의 손은 야위었다.

"이 불쌍한 것을 어쩔 거냐? 불쌍한 것!"이라고 말을 하며.

언니는 제 버릇을 누구에게 주지도 않았고, 고치려 들지도 않았다. 결혼식을 하기 전 임신했다. 딸을 낳고 다음 해, 또 아들을 낳았다. 아들을 낳고 언니는 시댁에서 뿌리 깊은 나무가 되었다.

두 조카를 데리고 형부와 은경 언니가, 또 다른 두 조카를 데리고, 은순 언니와 형부가. 아주 가끔 시골집으로 내려왔다. 네 명의 조카는 은총이를 누나, 언니라고 불렀지만, 네 명의 조카에게 있는 엄마가, 은총이에게는 없었다.

나는 은총이의 손을 잡고 단단히 받쳤다. 은총이한테 비빌 언덕이 있어야 한다면, 그건 나여야 할 테니까.

일 년에 한 번 정도는 두 언니의 가족들과 함께 모두 시골집에 모였다. 은총이는 그날을 싫어했다. 아이가 초등학교 4학년 무렵부터는, 아무리 단단히 받쳐주어도, 어쩌다 언니들 가족이 오는 날이면 집을 나가 친구네서 자고 왔다. 네 명의 조카는 은총이를 찾았지만, 형부나 언니들은 찾지 않았다. 은총이는 원래대로 집이 비워지면 다시 왔다.

중학생이 된 은총이는 누구나 겪는다는 사춘기를 누구보다 요란하게 보내고 있었다.

그즈음 나는, 지금은 전남편, 아이들 아빠라 불리는 그 남자를 만나 정신을 못 차릴 때라, 은총이를 챙겨줄 여유가 없었다. 우리 엄마, 즉, 할머니를 괴롭히며 사춘기를 지냈다. 그나마 집에 오는 날이 많았던 나마저 집을 찾는 주말이 줄자, 외로움은 더 컸던 걸까? 밤이면 엄마를 괴롭혔다. 엄마는 나에게 전화를 걸어 은총을 어떻게 하면 좋을지 수시로 묻곤 했다.

"은총이 저것을 어찌하면 좋을지, 나는 모르겠다."

"왜? 왜 또? 무슨 일인데?"

"통 말을 안 해. 방에 툭 처박혀서 나오지도 않고, 밥도 잘 안 먹고. 어찌해야 좋을지 모르겠다. 쟈 엄마한테 전화 함 넣어볼까?"

"그러지 마. 엄마가 전화하면 언니가 은총이한테 전화해서 아이 마음 심란하게 한다. 내가 주말에 갈게요."

간다는 약속을 하고, 약속을 지키지 못한 주말이 허다했다.

언니는 은총이의 일에 관심이 없었다. 문제가 있음을 이야기라도 하면, 위로는 커녕 전화를 걸어 이년 저년을 찾으며 아낌없이 욕을 쏟아부어 주었다.

언젠가 은총이를 보러 왔던 날이었다.

"은총아, 이유가 뭐야? 왜 할머니를 힘들게 해?"

"…."

말이 없다. 입은 꼭 다물고 고집스럽게 한 곳만 바라보며 말을 하지 않았다.

"은총아, 말을 하지 않으면 몰라. 이모한테 말을 해줘야지."

"…."

"이모랑 살까?"

은총이가 고개를 들어 바라본다. 눈빛이 흔들린다.

바라던 말이었던 걸까?

"그럼, 할머니는? 할머니는 어떻게 해?"

엄마를 걱정한다. 왜지?

"할머니를 왜 걱정해? 할머니는 여기서 할아버지랑 살아야지."

"나마저 가버리면, 할머니는 외로울 텐데."

"할머니한테는 이모가 얘기할게. 너가 가고 싶은지 그렇지 않은지가 중요해, 지금은."

"이모, 나는 자꾸 누구에게 짐이 되는 것 같아. 그게 너무 싫은데, 그렇게 안 되는 방법을 모르겠어."

고민은 이해가 되지만 내가 풀어주지 못하는 숙제 같은 거였다. 선택은 은총이가 하는 것이 옳다.

"네가 원하는 게 뭔지, 말해 줄 수 있을까?"

은총이가 고개를 가로저었다. 입을 꾹 다물고 말을 하지 않는다.

그 밤, 은총이가 잠이 든 것을 확인하고 은순언니에게 전화를 걸어 은총이와 나눈 이야기를 말해 주었다.

"그럼, 내가 데리고 있을게. 여기 와서 중학교 마치고 고등학교까지 다니면, 은총이도 다 큰 나이 될 거니까. 일단은 빛나하고 자매처럼 지내면서 있으라고 해보자. 너도 결혼 얼마 안 남았는데, 은총이 옆에 데리고 있다 더 상처받을라. 내가 얘기할게."

내가 시골에 내려가고 난 다음 주, 은순 언니는 은총이를 경기도로 데리고 갔다. 언니의 첫째 딸인 빛나와 나이 차도 얼마 나지 않아 둘은 자매처럼 사이가 좋았다.

언니를 따라 경기도로 간 후, 전화 통화를 할 때면, 아이는 많이 안정되어 있었고, 목소리도 밝았다. 외로운 건 오히려 엄마였다. 은총이를 보내고 엄마는 한동안 힘들어했다. 은총이는 엄마에게 친구이자 딸이고, 보살펴야 하는, 어쩌면 자식보다 더 애틋한 존재였는지 모를 일이다.

한동안 잘 지내더니, 고등학교를 다니며 다시 방황을 시작했다. 결국 고등학교를 마치지 못하고 자퇴했다. 그리고 경기도를 벗어나 할머니가 있는 곳이 아닌 내가 있는 곳으로 왔다. 내가 사는 곳과 은경 언니가 사는 곳이 멀지 않음에도. 우리 집 근처에 작은 원룸을 얻어 살며 아르바이트를 전전했다. 그렇다고 마냥 철없이 굴지도 않았다. 바리스타 학원에 다니고 바리스타 자격증을 따더니, 유명한 프랜차이즈 카페에 취직했다. 그렇게 자리를 잡고 밝게 지냈다.

그 무렵, 잘 지내지 못하는 건 오히려 나였다. 남자와 여자가 만나 아이를 낳고 부부로 산다는 건 매우 어려운 일이라는 것을 깨닫고 있던 나였으니까. 항상 은총이가 나에게 보호받고 내가 챙기고 있다고 생각했는데, 아니었다. 세상에서 보면 고등학생이었지만, 나에게는 커다란 힘이었다. 오히려 위로받고 의지하고 있음을 남들은 모르지만, 나는 알고 있었다.

아이들 아빠와 남이 되고, 아이들의 부모로만 남는 일은 생각보다 힘들었다. 그 과정은 살면서 준 상처보다 더 많은 상처를 남겼다.

아이들은 남편이 키우기로 하고, 나는 한 달에 두 번 만나기로 합의했다. 아이들을 두고 은순 언니가 있는 곳으로 갔다. 사업수완이 좋았던 언니는 빵 가게를 하며 돈을 벌었다. 언니가 빵을 만드는 것도 아니고 단지 관리와 운영만 할 뿐이었는데, 지역 내에서 입소문이 빠르게 번져 탄탄한 입지를 갖게 되었다.

내가 이혼할 때 언니는 다른 사업을 구상 중이었다. 혼자가 되면 언니 옆으로 와서 일을 도와 달라는 말에 거절할 이유가 없었다. 주변을 정리하고 바로 언니에게로 갔다. 가게와 가까운 곳에 살 집을 얻고, 언니의 빵 가게를 맡아 관리하면서, 나름의 새 출발을 하고 있었다.

은총이도 언니가 있는 곳으로 와 나와 함께 살기를 바랬지만, 은총이는 그걸 바라지는 않았다. 이제는 스스로 하고 싶다고 말하는 의견을 존중했다. 더는 아이가 아니기에, 스스로 선택한 일에 책임을 져보는 것도 필요한 일이 아니겠나 싶었다. 서로의 일이 있고 맡은 바 책임이 있다는 건, 가까운 이들에게 소홀해지기도 한다는 말이라는 것을 깨달아 가고 있었다.

한 달에 두 번, 아이들을 만나기 위해 은총이가 있는 곳으로 내려와 아이들과 지내고. 가끔 남편이 허락해주면 은총이의 작은 원룸에서 다 같이 잠을 자기도 했다.

고등학생의 나이이지만 사회생활을 하고 자신의 생계를 책임지는 아이에게서는 영글지 못한 초록의 향기가 났다. 꽉 쥐어짜면 초록의 잎에서 아직 여물지 않은 연두 물이 흐를 것 같았다. 여러 계절을 지나고 영그는 은총이는 이제 어른이었다.

스스로 독립을 하고 이모의 도움은 최소로 받으려던 그 아이는 나의 눈에는 아직도 어린, 뭐랄까, 동생 같기도 하고, 나의 위로 같기도 하다. 막내로 태어났으나, 막내처럼 자라지 못하고 은총이의 언니 같기도, 엄마 같기도 한 나였던 거 같다.

은총이가 보고 싶다. 무슨 말을 하고 듣고 싶어 서두르기를 바라는 건지. 영글지 못한 초록의 비릿한 향기가 차 안을 가득 채운다. 안개가 걷히고 이제 제법 속도가 나기 시작한다. 무슨 일이든 어차피 벌어진 일일 테니, 가보면 알 일이다.

오랜만에 시골집에 우리 세 자매와 엄마, 아빠. 그리고 은총이. 다른 집안의 핏줄을 타고난 이들 없이 모이는 날이다. 은총이는 예외다.

엄마 밥도 먹고 오면, 그걸로 좋은 걸 테지. 불안한 마음은 끝까지 외면한다. 아직은 대면하지 않았으니 불안해하지 않아도 된다.

대문 앞, 먼지를 일으키며 주차하고 잠깐 숨을 고른다. 무슨 일인지도 모르면서 숨을 고르는 게, 마치 좋은 일이 아니라는 것을 어렴풋이 알겠다. 크게 숨을 들이쉬고 차 문을 열고 내렸다. 문이 닫혀있다.

"엄마! 은총아!"

시골에서 초인종은 무슨. 이렇게 큰 소리로 불러도 아무도 뭐라 하지 않는다.

"이모!"

은총이가 나를 부르며 안에서 문을 열어준다. 마당에 내가 먼저 들어서고, 은총이가 열린 현관문으로 나온다.

"빨리 왔네?"

아이가 여유롭게 으스대며, 몸을 흔들고 웃음을 보인다. 불안해하지 않은 척 웃어 보인다.

"빨리 오라고 하셔서요. 엄마는?"

"할머니는 시장에, 이모들 온다고 장 보러."

"에이, 미리 연락할걸. 내가 사와도 되는데. 가봐야 하는 거 아니야?"

"괜찮아, 할머니의 시간을 방해하지 말자."

바뀐 것은 하나도 없는 집을 괜히 둘러본다. 오래됨이 어색하지 않은, 다양한 모양의 색을 뽐내는 그릇들이 잘 정리되어있고, 불을 켜도 캄캄할 것만 같은 주방, 색이 바랜 오래된 냉장고, 무언가 퀴퀴한 냄새가 나지만, 이 냄새를 나는 안다. 나의 어린 시절을 함께 했던, 어쩌면 엄마의 냄새. 냉장고를 열어 살핀다. 맞다, 우리 집이다.

물을 한 잔 따라 식탁에 앉자, 은총이도 맞은편에 앉는다.

"뭐야? 이제 얘기해."

어지간히 급했다. 앉자마자 말을 하라고 다그친다. 피식 웃는 은총이다. 여유 있는 척 말하지만, 할 말이 없는 것은 아닌 눈빛이다.

"무슨 일 있어?"

"있지."

"그만 뜸 들이지? 이러면 불안한데."

"이모."

"응."

"나, 만나는 사람 있어."

"정말? 남자친구 생긴 거야?"

"응, 근데."

"야, 뭐? 답답해, 빨리빨리 말해. 숨 넘어가겠다!"

"하하하. 근데, 이제. 남자친구 아니야. 아이 아빠야."

차라리 은총이가 띄엄띄엄 말할 때 말을 잘라 버렸어야 했다. 괜히 기다려 줬다. 그러니 할 말이 없지.

"이모?"

"뭐라고?"

못 알아들은 게 아니다. 멀쩡하게 다 알아들었다. 그래도 확인해야 한다.

"뭐라고?"

다시 물었다.

"나. 아기 가졌어."

지금 은총이가 하는 말은 마치, 뭐랄까, 알아들으면 안 되는 말 같다.

"남자친구가 있다며? 근데 아기도 있어?"

"응, 삼 개월 됐대."

어떤 미친놈이 이 어린아이에게 손을 댔을까? 아니지. 이 조그만 년이 겁도 없이! 하! 벌컥 물을 마셨다.

"놀랐지? 미안해. 전화로 하기에는 좀, 더 그렇잖아."

"…."

"이모? 괜찮아?"

아니 안 괜찮다.

저런 폭탄을 던져주고 괜찮냐고 묻는 너는 대체!!

"은총아, 병원은 가봤고?"

"응. 오빠랑 같이 갔지."

"오빠? 근데 넌 왜 혼자 왔는데? 그 오빠는 어디 있어?"

"내가 먼저 이모들 만나서 얘기하고, 그러고 나서 만나라고 했어."

"이게 무슨 말이야? 왜, 못 올 이유라도 있어?"

"아냐. 그런 거 절대 아냐. 내가 넘어야 할 것들이 있으니까."

넘어야 할 것이 있는 걸 알면, 같이 와서 넘어야지 왜 혼자 감당하게 하는 거지? 그놈 어딘가 문제가 있는 건 아닌지, 마음이 앞서 나가 달음질친다.

"불러! 내가 그냥 아주, 아휴!"

은총이가 아무 말도 없이 한숨을 쉬는 나를 바라본다.

"이봐, 이봐. 이모가 그러는데 다른 이모들은 어쩌겠어? 오빠 죽이려 들걸?"

"니가 지금, 알면서 이래? 너 어쩌려고 그래?"

"말했잖아, 나는 엄마가 될 거야. 오빠랑."

"야, 미쳤어? 그게 쉬운 건 줄 알아? 이모들 사는 거 보고도 쉬워 보여?"

"이모, 나도 하나도 안 쉬워. 안 쉬운 줄도 알고. 그런데 아기가 생겼잖아? 나 잘할 수 있어. 오빠도 좋은 사람이고."

"뭐 하는 사람이야?"

"시청에서 일해, 공무원. 우리 매장 손님이었는데, 좋은 사람이야. 지금도 내 걱정 엄청나게 하고 있을걸? 오빠네 부모님도 좋은 분들이셔. 나 딸처럼 예뻐해 주시고, 나도 너무 좋아."

딸처럼 예뻐해 주신다니…. 딸로 살아본 적이 없는 애가 그 기분을 어떻게 알까? 거기에 마음을 빼앗긴 걸까? 대꾸할 말이 떠오르지 않는다.

"그 어른들도 아시니?"

"오늘쯤 아시지 않을까? 오빠도 오늘 얘기한다고 했거든, 몇 번 놀러 가서 같이 밥도 먹고, 오빠도 외동이라 내가 가면 딸이 하나 생겼다고 좋아하셔."

다 알고 있는 걸까? 알고도 그렇게 해주시냐고 묻고 싶은데, 말문이 막혀 말이 나오지 않는다. 이 속내를 감춘 질문에 은총이는 이해를 못 한 건지, 듣는 만큼, 내키는 만큼만 말을 하는 건지.

답답해 물을 한잔 더 마셔야 할 것 같아 냉장고 앞에 서서 문을 연다.

"다 얘기했어. 내 사정, 다 이해하신다고 하셨고."

속내를 알아차렸나 보다 그런데 무얼 이해했다는 거지?

"뭘 이해한다는 거야?"

억눌린 말이 비집고 나온다.

"엄마 없이 자란 거? 엄마가 있지만 엄마들보다 이모들이 더 신경 쓰고 키워준 거? 그래도 엄마 사랑 못 받은 거?"

그걸 다 여과 없이 이야기했다고? 너 바보냐고 말을 하고 싶은데, 목소리가 사라졌다.

물을 따라 쉬지 않고 한잔을 다 마신다. 그리고 크게 숨을 내쉰다.

"은총아, 너는. 그래 뭐랄까, 우리한테는 딸이고 동생이고, 그래, 한 번도 너를 다르게 생각한 적 없어. 그냥 가족이야, 가족."

"알아. 이모들이 나한테 최선을 다한 거. 그래도 채은이 엄마는 아니잖아."

은경 언니를, 자기를 낳아준 엄마를, 지금의 형부와 낳은 딸의 이름을 넣어 남을 부르듯 한다. 마음에 상처가 깊은 줄 알았지만.

지금, 이 상황이 내가 혼자 감당하기에는 벅차, 다시 말문이 막힌다.

컵을 들고 자리에 앉아 마주한다.

"이모, 알아. 얼마나 걱정하는지 이해도 되고. 근데 나는, 누구보다 내 가족이 필요한 건지도 몰라. 이모들이 신경을 써 준다고 해도 나는 항상 부족했어, 채워지지 않았다고. 근데 오빠 만나고는 아니야. 내가 웃어, 나를 웃게 해준다고."

웃게 해준다고 한다. 말을 하며 보이는 웃음이 낯설다. 어쩌면 이건 행복인지 모르겠다. 아니 저 눈빛을 안다. 저건 사랑이다.

아직 영글지 못한 초록에서 짜낸 연두의 잎은 너무 급했다. 천천히 영글어 짙은 초록으로 변해도 될 텐데, 과정 없이 초록이 되려고 한다.

"나 돈도 모아놨어. 오빠네 부모님도 그냥 아무것도 해 오지 말래, 나만 오면 된다고. 이모들 보고 싶어 하셔. 오빠 군대도 다녀왔고, 직장도 남부럽지 않고, 우리 둘이 잘 해낼 수 있어."

"몇 살인데?"

기껏 하는 질문이 이렇다. 직업도 괜찮고, 아직 들은 바로는 남자네 부모님도 나쁘지 않은 거 같으니 궁금해졌다.

"스물여덟, 나하고 7살, 7살 차이야."

눈물이 비집고 나왔다. 어떻게 해야 하지?

"이모, 울지마. 난 괜찮아. 지금 너무 행복해."

"은영이 왔냐?"

입을 벌리려는 찰나 엄마의 목소리가 들린다.

"할머니 왔다."

은총이가 뛰어나간다. 휴지를 뽑아 눈 주변을 닦아내고 거울을 봤다. 숨기기는 힘들겠다.

"엄마. 나 왔어요."

"일찍 왔네."

"응. 뭘 이렇게 많이 샀어?"

"그냥. 너희 온다는데 먹을 것은 없고, 아빠는 오다 마을회관에 잠깐 들른다고 해서 가셨어. 배고프겠다. 은총이도 아무것도 안 먹었는데."

엄마는 내 얼굴을 보지도 않고 말을 한다.

"엄마. 엄마도 들었어?"

엄마가 멈췄다. 하지만 돌아보지 않는다.

"그냥 뭐, 쟤가 알아서 하게. 나쁜 놈은 아녀. 어제 은총이 데려다주고 갈 때 봤어. 그냥. 뭐."

엄마의 말끝은 잠겼다. 물웅덩이에 잠긴 엄마의 목소리는 서둘러 물기를 털어내려 하는 듯 담담해지려 했지만, 털어내지는 못했다.

엄마의 말에 엄마가 운다. 은총이도 운다. 그리고 내가 운다. 각자 서 있는 곳에서 울었다, 세 여자가. 아빠도 일부러 들어오지 않은 것이리라.

가지 많은 나무, 바람 잘 날 없다 했던가? 엄마의 나무에 생살을 째고 새 가지가 올라올 때마다 바람이 몰아쳤다. 그 나무는, 햇빛보다도 거센 바람을 이겨내는 일이 더 많았으리라. 엄마에게도 포근한 바람이란 게 있었을까? 엄마를 감싸주는 바람은 있었을까?

엄마의 삶이란 게, 온통 밭만 보이는 이곳에서, 동이 트자마자 밭으로 나가 거친 밭 일구며, 시간이 되면 밥을 차리고, 다시 또 밭으로….

무능한 아빠는 엄마를 아껴 주는 법이 없었다. 엄마가 아빠 때문에 웃는 모습을 본 적이 있었던가? 그런 엄마가 은총이가 오고 나서는 종종 웃곤 했다. 짧은 머리카락에 손가락 들어갈 틈도 없이 꼬불거리는 파마를 하고, 희끗희끗 늙었다는 말이 그렇게도 잘 어울리던 나의 엄마는, 웃는 법이 없는 대신 우는 법도 없었다.

두 언니가, 그리고 내가 시집을 가던 날 나란히 앉은 엄마, 아빠를 향해 인사를 하는 순간에도, 엄마는 눈물을 보이지 않았다. 아니, 눈시울을 적시지도 않았다. 그런 엄마가 지금 은총이 때문에 운다. 소리 내어 울지 않아도 알 수 있다. 지금의 엄마는, 운다.

엄마를 안아주고 싶었지만, 그런 딸이 아니었던 나다. 마음으로 움직일 때, 나보다 엄마와 산 세월이 적은 은총이가 움직였다. 나의 엄마를, 자신의 품에 넣었다. 엄마의 어깨가 들썩인다. 그 모습이 하나도 어색하지 않은 것이, 엄마는 몇 번이나 은총이의 품에서 울었을까?

"불쌍한 것, 이 불쌍한 것! 흑흑. 할미가 미안하다."

등을 쓰다듬어주며 은총이의 품에 안겨 엄마가 운다.

"할머니, 나 때문에 울지마. 나 이제 안 불쌍해."

그 말에, 팽팽하던 줄이 끊어졌다. 눈물이 흘러내렸다.

주저앉아 엉엉 소리 내 울었다. 내가 운다고 해결될 일이 아닌데, 내 속 안의 울음주머니에 쌓아 둔 것들을 다 쏟아냈다. 울고 나니 그렇게 후련할 수가 없었다. 저 배 속에 아기가 있든 없든, 은총이는 은총이다.

엄마가 식탁 의자에 앉아있다. 내 울음이 멈추기를 기다린다, 집 떠난 딸들을 저렇게 기다렸을까? 냉장고 소리가 윙윙 돌아가다 끊어지기를 반복한다. 팽, 코를 풀고 엄마를 바라본다.

"엄마, 배고파. 밥 줘."

다시 눈물이 흐른다. 웃으며 말을 하는 나의 입꼬리는 다시 울먹거린다. 아직 비워내지 못한 눈물주머니를 꼭 짜낸다.

"그래, 밥 먹자. 먹어야지, 애기도 배고프겠다."

엄마는 벌써 은총이의 아기를 걱정한다.

엄마를 도와 밥상을 차리고, 은총이는 핸드폰을 들고 방으로 간다.

"엄마."

무슨 말을 하려 했던 건 아닌데, 괜히 불러 본다.

"이따가. 쟤 어미 오면, 네가, 말 잘해서, 애기, 안 다치게 해라."

"응."

엄마가 말을 처음 배우는 사람처럼 띄엄띄엄 말을 한다. 은총이가 방에서 나왔다. 아무 일 없다는 듯 밥상 차리는 것을 돕는다. 눈이 마주쳤다.

"으이구!"

은총이의 머리를 쥐어박듯, 주먹을 쥔 손을 올려 살짝 비틀고, 머리를 쓰다듬어주었다. 마주 보고 웃었다. 눈가에 맺힌 눈물을 달고서.

자식들 먹을 것이 없어, 시장에 갔다 왔다는 엄마의 말은, 거짓말이다. 이미 넘치게 준비해 둔 음식을 꺼내 금세 밥상이 차려진다. 자식들 먹을 것을 담으며 마음을 비워냈나 보다.

밥을 먹고 오랫동안 설거지를 했다. 닦아낼 것 없는 주방 바닥을 박박 밀어 닦아냈다. 그리고 마당을 쓸었다. 엄마는 방에 누워, 은총이는 거실에서, 그렇게 각자의 시간을 보냈다. 얼굴을 마주하면 눈물이 흘러서. 마주 보고 있는 게 힘들었다.

아무 일이 없는 게 아니라는 듯 얼굴은 퉁퉁 붓고, 목소리는 맹맹한데, 대문 밖 차가 멈추는 소리가 들린다.

은순 언니와 은경 언니가 왔다. 움직이기 편하게 각자 알아서 오면 될 것을, 은경 언니는 저녁에 내 차를 타고 나가면 된다고, 굳이, 은순 언니를 자기 집으로 불러들여 언니의 차를 타고 왔다.

"뭐야? 오랜만에 우리 김씨들만 모여서, 좋은데."

은순 언니가 웃으며 들어선다.

"엄마, 배고파. 밥 먹자. 집에서 밥 먹으려고 그냥 굶고 왔다니까."

은경 언니가 엄마의 밥을 재촉한다.

밥은 무슨! 매도 빨리 맞는 것이 낫다고 지금 밥이 문제가 아니다. 엄마도 나와 같은 생각인지 식탁에 앉아 일어나지 않는다.

"뭐야, 왜들 그래? 무슨 일 있어?"

은순 언니가 괜히 움츠러든 목소리로 말을 한다. 은경 언니는, 언니 옆에 서서 나를 보다 엄마를 보다. 은총이는 애써 외면한다.

"뭐냐? 너 엄마랑 싸웠냐?"

"언니들."

쉽게 말이 나오지 않아 숨을 들이마셨다.

"은총이, 은총이, 임신했대."

못 들을 소리를 들었다는 듯, 무슨 말인지 모르겠다는 듯, 나를 바라보는 두 언니에게 쐐기를 박아 준다.

"우리, 할머니 된다고."

"뭐래, 미쳤냐?"

아직 아니다. 이제 미칠 것이다.

자리에 앉지도 못한 우리 세 자매가 은총이에게 시선을 두자, 은총이가 웃는다.

웃는다, 저게. 그래도 저렇게 웃어주니 좋다.

"은총아. 은영 이모 뭐라는 거야? 응?"

은순 언니가 은총이를 보며 말을 하라고 재촉한다. 이렇게 황망한 은총이의 일이니, 확답이 필요할 거다.

"이모, 은영 이모 말이 맞아요."

언니들에게는 틀린 말인 거 같은데, 누구 하나 맞는다고 생각하지 않는 표정인데, 맞단다, 내 말이.

"언니, 은총이 삼 개월 됐대."

"니네 지금 뭐라는 거냐? 누가 뭘 하고, 뭘 해?"

은경 언니가 못 들을 소리를 들었다는 듯, 참으로 시시껄렁하게 말을 한다. 잔뜩 찌푸린 눈은 은총이에게 향해 있다. 한 번도 그렇게 오랜 시간 본 적이 없었는데, 참 오래도 봐준다. 마치 잡아먹을 듯한 얼굴로.

"뭐라는 거냐고?"

은총이 요것도 은경 언니의 시선을 피하지 않고 똑바로 본다.

"임신했어요."

"이 미친년이!"

말과 동시에 손을 올린다. 은순 언니가 빠르게 언니의 손을 잡아보려 했지만, 은총이의 머리카락이 날린다.

"너 뭐 하는 거야? 애한테 왜 손을 대!"

"지금 이 소릴 듣고도, 아무렇지 않아, 다들? 나만 이상한 거야?"

은총이가 고개를 든다. 머리를 가지런히 쓸고 아무 일 없다는 듯, 정말 아무 일이 없다는 듯.

"놀라게 한 건 미안해요. 그런데."

"나랑 얘기해. 내가 얘기할게."

내가 나섰다. 먼저 들었으니 어른의 책임을 다하기 위해 나섰다.

"뭐야, 너는 알고 있었어?"

은경 언니의 먹잇감이 바뀌었다.

"아니, 나도 조금 전에 들었어. 다들 이제 알 거고 내가 조금 일찍, 알았어."

"아, 진짜! 미쳐버리겠네! 엄마는? 엄마는 알고 있었어?"

"엄마도 어제 알았대."

"엄마! 엄마는 대체 애를 어떻게 본 거야? 이 지경이 되도록 뭐했냐고!?"

뜬금없는 일이다. 화살이 빠르게, 잡을 새도 없이 날아가 엄마를 향했다.

"너 지금 제정신이야? 왜 엄마한테 그래?"

은순 언니가 은경 언니를 향해 날이 선 소리를 낸다.

엄마는, 무얼 보는지 미동도 없다.

"어쩐지 불길하더라. 저년이 문자로 오늘 와달라고 하는데. 안 하던 짓 한다고 했더니. 이러려고. 아, 진짜, 저걸!"

사납다. 은경 언니가 사납게 소리 지르더니. 다시 은총이에게 달려든다.

"은총이 내버려 둬라. 내버려 둬! 인제 와서 네가 무슨 어미 노릇을 하겠다고!"

"엄마!"

은경 언니가 벼락같은 소리를 낸다.

"좋은 사람이고, 은총이 저것도. 잘 살 거고, 그러니까, 니들도 은총이 앞에서 어리석은 짓거리 할 생각 말아."

"어린 년이 어디서 몸을 함부로 굴리고 와서는 뭐라고? 다들 미쳤어?"

"야!"

"언니!"

언니의 말이 너무 과해 은순 언니와 내가 동시에 소리 질렀다. 그 와중에도 평온한 엄마다.

"은경이 너, 너도 알 것이다. 자격 없는 거. 그러니까 은총이 그만 잡어. 인제 와서 무슨 니가 무슨 어미라고, 애 놀란다. 시끄럽게들 하지 말고 밥이나 먹어."

"아-악! 엄마! 무슨 밥 같은 소리야? 너 이리 와! 이리 안 와?"

은경 언니가 목부터 얼굴까지 빨개질 대로 빨개졌다. 보이지 않는 곳이 다 빨개졌을 거다. 불이 붙었다. 입에서는 이미 불이 나오고 있다. 어미 노릇을 못 해 부끄러워 그런 건지, 은총이에게 화가 나 그런 건지, 소리까지 지르면서 지랄이다. 정말 지랄이다.

"은총이는 일단 할머니 모시고 잠깐 방에 들어가 있어. 아니, 나가. 그래 은총이도 잠깐 나가. 은경이 때문에 안 되겠다."

은순 언니가 엄마와 은경 언니 사이에 서서, 은총이를 당겨 엄마 옆에 세우고. 엄마의 손을 잡아 일으켜, 엄마의 손을 잡게 한다. 은총이가 엄마를 이끌어 방으로 들어간다.

"이게 무슨 상황이라니? 은영이 네가 얘기해봐. 진짜야?"

"응, 맞대. 나도 조금 전에 알아서. 어떻게 할 수가 없었어."

"이게 무슨 일이니. 대체? 은총이가 이럴 거라고는 상상도 못

해서, 나도 무슨 말을 해야 할지 모르겠다.”

“니들 다 뭐냐? 그렇게 은총이, 은총이 하더니. 결국 애가 저렇게 될 때까지! 니들은 뭐했냐고?”

이모들이 죄인이다.

“야, 김은경! 말 함부로 하지 마라. 우리가 애를 부추겼겠어? 은총이도 성인인데 아무 생각 없이 저랬겠냐고?”

“웃기고들 있네! 엄마나 니들이 오냐오냐하니까, 저 머리에 피도 안 마른 게 저러고 막 살고 다녔지!”

“야! 지금 그걸 말이라고 하냐? 말 가려서 해라. 그리고 엄마는 무슨 죄냐? 니가 사고치고 쳐다도 안 볼 때 엄마가 저렇게 키워놨으면, 고맙다고는 못할망정, 뭐? 엄마는 애를 어떻게 봤냐고? 이 미친년이 뚫린 입이라고. 진짜 보자 보자 하니까!”

“아! 진짜! 내가 무슨 죄를 지어서 저런 것을!!”

“언니!”

“넌 지금 뭘 잘했다고 이 지랄인데? 니가 엄마 노릇 제대로 했더라면 이 사달이 났을까? 너는 은총이나, 엄마한테 절을 해도 시원찮아. 네 행동 하나에 가족들이 얼마나 힘들고 또 피해를 봤는지 알아? 이 서방이나 너나 은총이만 보면 무슨 벌레 보듯 하고, 은총이는 이 눈치 저 눈치 보고, 야, 니가 은총이 따뜻한 밥을 한 끼 해줬어? 철마다 옷을 한 벌 사줘 봤어? 낳는 거 말고 니가 한 게 뭐냐고?”

은순 언니가 가슴을 툭툭 두드린다. 휴지로 눈을 꾹 누르더니 뗀다. 언제 나왔는지 은총이가 은순 언니 옆에 서 있다. 이 거지 같은 상황에 제일 마음 다치는 건 저 아이다.

“은총아, 왜 그랬어?”

다시 복받쳐 오르는 눈물을 흘려보낸다.

“이모, 울지마. 나 괜찮아. 아기 아빠도 좋은 사람이야.”

“그래도, 은총아. 이건 아니잖아.”

"이모, 나. 외로웠던 것 같아. 근데 오빠 만나고는 무섭지 않더라고, 이런 게 사랑받는 거구나 하고 알겠더라고. 그래서 난 괜찮아."

"이 미친년아! 지금 몸 간수 제대로 못 하고 뭐라고 지껄이는 거야? 너는 나를 보고도 남자가 믿어지디? 정신 차려!"

엄마라는 저 여자는, 모진 말을 표독스러운 얼굴로 쏟아낸다. 그득그득 주름 한줄 한줄에, 은총이를 향해 쏟아낼 욕들이 붙어 있고, 입을 벌려 나오는 말들에는, 저게 엄마인가 하는 의문의, 말들을 쏟아낸다. 엄마 같지 않다, 여전히!

"그러게, 전에는 정말 이해가 안 됐거든요. 왜 나를 낳았을까? 이렇게 귀찮아하고 돌보지 않을 걸 몰라서? 아님, 내 아빠가 미워서? 한동안은 아빠 때문이라고 생각했어요. 그래, 힘들었겠지, 힘들었을 거야. 그런데 아니라는 걸 알겠더라고요. 채은이나 채민이한테는, 나한테 하는 것과는 다르더라고요. 그저 나 같은 건 당신 인생에 검은 점이었겠지. 파버릴 수 있다면 지져버리거나 뗐을 텐데. 할머니 때문에 그렇게 못 한 거잖아요. 인제 와서 엄마 노릇 바라지 않아요. 막지만 말아요. 막말만 하지 말아요. 내가 오빠한테 위안을 찾고 지금 뱃속에서 아기가 자란다고 했을 때, 나를 품었던 사람도 같은 마음을 가졌을까? 계속 생각해봤고, 내 맘과 같기를 바랐는데, 아니에요. 이제 알겠어요, 내가 어떤 존재였는지. 지금까지처럼 앞으로도 우린 남이에요. 나도 그걸 바래요."

은경 언니가, 엄마라는 사람, 맹수 같은 눈빛으로 바라보며, 달려든다.

"이 미친년이, 지금 그걸 말이라고 하는 거야?"

말릴 새도 없이 손을 올리는 언니를 보며, 잡아보지만 결국 은총이의 머리를 향해 언니의 손이 날아갔다. 은총이의 머리가 툭 꺾이는데, 손은 아랫배에 있다.

"네. 평생 이해해 보지 않으려고요. 그냥 나쁜 사람으로 기억하려고요. 오빠한테도 얘기했어요. 엄마는 은순 이모랑 은영 이모라고, 그렇게 나를 키웠다고."

"하! 저년이 끝까지! 그래, 니들이 엄마니까 잘 알아서 해라!"

나와 은순 언니를 향해 손가락질해대는 은경 언니.

아무도 말을 하지 않는데 여전히 씩씩대는 은경 언니는, 은총이를 무섭게 노려보다. 고개를 휙 돌려버렸다.

"너만 억울하냐? 나도 억울해. 야! 너 낳고 나도 힘들었어. 엄마는 아무나 하냐? 니네 아빠라는 놈도 그렇게 가고, 나 혼자 어떡하냐고? 나도 겨우 스무 살인데, 할 줄 아는 것도 없고, 너는 덜컥 태어나고, 나라고 미안한 마음이 없었겠냐? 그냥, 시간이 그렇게 흐른 거라고!"

"그래도 나라면 그렇게 안 했을 거예요. 어떻게 그래, 자식인데? 나는 이제 고작 삼 개월 됐다는 이 아기도 이렇게 소중한데."

은총이가 배를 감싸 안으며 언니를 바라본다. 언니는 은총이를 노려보는 눈길을 사납게 돌린다.

아무도 말을 하지 않는다. 서로의 눈을 바라보지도 않는다.

잠시동안, 그렇게 있었다. 열린 창문으로 바람이 들어왔다, 사라졌다, 다시 들어와 소용돌이쳤다. 그렇게 쉬지 않고 바람은 들어오고 나갔다.

은순 언니가 털썩 소파에 주저앉는다.

"이게 무슨 일이니. 은총아. 이리 와."

옆에 앉은 은총이의 손을 잡고, 바라만 본다, 한참을.

"으이구!"

언니가 머리에 꿀밤을 준다. 아프지도 않건만 은총이가 엄살을 부린다.

은경 언니가 사납게 신발을 꿰차고 밖으로 나간다. 차를 가지고 오지 않은 게 다행인 건지. 차를 가지고 왔다면 바로 가버렸을 텐데, 지금은 차도 없으니 뭘 어쩌지도 못할 테다. 욕을 하며 동네를 싸돌아 다니다, 화가 가라앉으면 들어오겠지.

은총이를 사이에 두고 은순 언니와 손을 양쪽에서 잡았다. 앞으로 새로 맞이하게 될 은총이 아기의 아빠에 관한 이야기를 들었다. 나는 창밖만 바라보았다.

받아들여야 한다. 은총이에게 네 엄마처럼 살고 싶어 그러는 거냐고 말을 할 수 없다. 그건 해서는 안 될 말이다. 자기 엄마와 다르게 은총이 내리기를 기도했다. 간절히. 다시 눈가에 눈물이 맺혔다.

엄마가 방에서 나왔다. 느릿느릿, 소파에 앉아있는 우리 셋을 지나쳐 주방으로 가, 냉장고를 열어 이것저것 꺼낸다. 일어나 엄마 옆에 선다. 엄마의 지시대로 움직인다.

점심시간이 훌쩍 지난 시간이다. 늦은 점심상에 다 같이 둘러앉았다. 오랜만에 모두가 모인 식사 자리건만 누구 하나 쉽게 말을 꺼내지 않는다. 은경 언니의 불은 아직 꺼지지 않았다. 여전히 붉으락푸르락, 얼굴에 사나움이 덕지덕지 붙어 있다. 말한마디에 짐승 같은 입을 벌릴까 봐 눈치만 본다.

"할머니, 너무 맛있어요."

은총이가 침묵을 깬다. 엄마가 은총이 앞에 접시를 놓아준다.

"야, 너 언제 갈 거냐?"

김은경에게 가장 만만한 건, 나다.

"밥 먹고 가자. 너는 애들 보러 갈 거잖아?"

"그래, 너네는 가. 나는 오늘 여기서 자고 내일 갈게."

은순 언니가 나를 보며 말을 한다. 작게 한숨을 쉬었다.

"어쩔 거냐고! 갈 거야?"

내가 대답이 없자 은경 언니가 소리를 버럭 질러댄다. 역시나 내가 제일 만만한가 보다.

"그래, 이모, 애들 기다리겠다."

내 마음을 아는지 은총이가 대신 대답한다. 말이 나오지 않아 고개만 끄덕인다.

밥을 먹고 다 같이 정리하는데, 엄마가 보따리를 만든다. 우리 아이들을 위한 보따리가 하나, 은경 언니를 위한 보따리가 하나. 그렇게 엄마에게 소리를 지르고, 엄마가 챙겨주는 보따리는 아무렇지 않게 받아 든다.

시동도 걸지 않은 차에 떡하니 자리를 잡고 앉은 은경 언니는, 누구에게도 인사를 하지 않고 앞만 보고 있다.

"조만간 오빠랑 이모들 보러 갈게."

은총이를 안아주었다. 말이 나오지 않아 고개만 끄덕였다.

"조심해서 가고, 은경이랑 싸우지 말고."

은순 언니의 말에는 웃었다.

"엄마, 갈게."

엄마는 손짓으로 인사를 했다. 엄마의 손짓에 얼굴이 일그러졌다.

눈물이 떨어질 거 같아 서둘러 돌아서서 차 문을 열어, 시동을 걸고 창문을 올렸다. 은경 언니는 눈을 감고 있었다.

차가 움직이는데도 눈을 뜨지 않는다. 앞으로 한 시간 반을 이렇게 가야 한다. 라디오를 켤까 했지만 켜지 않고 창문을 내렸다. 바람이 몰아치며 들어온다. 속도를 올린다.

"나 너랑 죽고 싶지 않다."

눈을 뜨기는 하네.

"나도야. 괜찮아?"

"괜찮지 않을 건 뭔데."

그래, 벌어진 일이고 은총이는 결심을 했다. 은총이가 괜찮다는데, 우리가 괜찮지 않을 건 뭘까.

"언니, 은총이 미워?"

앞만 보더니. 이제는 볼 것도 없는 도로를 바라본다.

한참을. 바라본다.

바람 소리가 거슬려 창문을 닫고 에어컨을 켰다.

"은총이를 보면 나를 보는 거 같아서, 제대로 볼 수가 없었어. 미운 건 아닌데, 밉지는 않은데, 아니, 미울 때도 있었지. 근데 이게 뭐랄까, 부담스럽기도 하고, 용기가 없었던 거 같아. 미안한데, 걔를 보면 미안한데, 말을 못 하겠더라고. 언니나 너는 은총이의 이름을 부르는데, 나는 그러지 못하겠더라고. 이름을 부르면, 안될 거 같아서. 그 어린 게 무슨 죄냐 싶다가도, 그 애는 나한테 무슨 벌 같은 거야. 너는 죄가 없지만 나는 너 때문에 벌을 받는다. 그런 말도 안 되는 그런 거. 나라고 맘이 편했겠냐? 채민이 아빠도 그러지 말라고 그러더라. 근데 이제 나는 안돼. 그러지 말라는 게 뭔지도 모르겠고."

"그래서 이름이 은총이야? 벌 받는데 거기에 은총을 받을까 두려워서?"

미친년이라고 작게 말을 한다. 그 미친년은 아마도 나인 거 같다.

"왜, 은총이라고 이름을 붙였냐고?"

"언제였더라. 은총이 임신한 거 알고 심란하게 집에 있는데, 누가 우리 집 문을 막 두드리는 거야. 누구냐고 물으니까, 교회에서 왔대. 그래서 안 다닌다고 했더니 그냥 가더라. 잊어버리고 있었는데, 나가려고 문을 여니까 봉투에 무슨 종이랑 사탕이 들어 있어. 근데 그 종이에 '하나님의 은총이 당신에게 임하기를', 그렇게 쓰여 있는데, 그 은총이라는 말이 뭔지도 모르고 그냥 좋더라. 그런 거 있으면, 나한테도 있음 좋겠다 싶어서."

언니가 울기 시작했다. 한참을 엄마 앞에서 엉엉 울던 나처럼.

운전하며 보조석 뒷자리에 손을 뻗어 휴지를 찾아 언니에게 주었다. 그렇게 말없이 달렸다. 언니의 마음을 다 헤아릴 수는 없었다. 다만, 어쩌면 언니의 마음도 아프겠구나, 아팠겠구나 싶었다.

이제라도 은총이의 삶에 은총이 내리기를. 어쩌면, 그 은총이 지금 내리고 있는 건 아닐까? 어떤 모습의 은총이든, 은총이를 사랑한다.

가만히 시간을 계산해 보았다.

이제, 할머니가 될 날이 얼마 남지 않았다.

폭설 전야

은희

은희

　언젠가는 대박 나는 글을 쓰게 되길 바라며, 노력하는,
늦깎이 작가 지망생^^

설 이튿날 저녁 제주 국제 공항.

조금 쌀쌀하지만, 날씨는 비교적 화창했다. 그러나 내일 새벽부터 제주도 전역에 폭설이 예보되어 있었다. 대형 항공사들은 오늘 오후부터 승객들에게 내일 항공편 결항 안내 문자를 보냈다. 항공기 대부분이 결항될 예정이었다.

제주 공항은 아직 귀경하지 못한 사람들로 북적거렸다. 오늘 저녁 비행편을 알아보는 사람들, 이틀 후 항공 일정을 문의하는 사람들. 공항은 길게 늘어선 줄로 발 디딜 틈이 없었다.

탑승수속을 하는 각 항공사의 줄도 길었다. 저마다 커다란 여행 가방에 제주도 특산물인 오메기떡 상자들, 귤 상자들, 스티로폼 상자들을 들고 줄지어 서 있었다.

현서와 진호도 작은 캐리어를 하나씩 들고 제이 항공사 탑승수속 줄에 서 있었다. 서로가 대화 없이 입을 꾹 다물고 각자의 휴대 전화만 쳐다봤다. 그러다 줄을 따라 조금씩 자신들의 캐리어를 밀었다.

"다음 손님!"

저 끝에서 직원이 손을 들었다. 드디어! 현서는 캐리어를 끌며 그녀 앞으로 쪼르르 다가갔다. 진호는 느릿느릿 뒤따랐다.

캐리어 두 개를 올려놓고, 셀프 체크인 기계에서 뽑은 탑승권과 신분증을 직원에게 내밀었다.

"9시 10분 김포요."

"네, 잠시만요…. 두 분 마스크 잠시 내려주시겠어요? 네, 됐습니다…. 수화물 무게가 초과하지 않아, 한 분 이름으로 맡기셔도 되는데, 그렇게 해 드릴까요?"

직원이 묻자 현서가 고개를 끄덕였다.

"네. 이 사람 이름으로 해주세요."

"네."

직원이 캐리어 두 개에 딱지를 붙이고, 수화물 표를 건네주며, 탑승권에 빨간 동그라미를 쳤다.

"9시 10분 김포행, 4번 탑승구이구요, 탑승 시각은 8시 45분입니다. 좋은 여행 되세요."

"감사합니다."

현서가 활짝 웃었다.

3층 출발로 가는 에스컬레이터를 타며, 그녀는 홀가분하게 진호에게 말을 걸었다.

"배고프지? 우리 뭐 좀 먹자."

"그러든가."

진호는 무뚝뚝하게 대꾸하고, 입을 다물었다. 현서는 이맛살을 찌푸렸다가, 다시 부드럽게 말을 붙였다.

"오늘 비행기표 구해서 다행이야. 운 나빴으면, 모레 출근도 못 할 뻔했잖아. 제부에게 고맙다고 해야겠다. 면세점에서 담배라도 살까 봐."

"그러든가."

"…."

곧 그들은 3층 출발장 앞에 이르렀다. 출발 수속 앞에도 줄이 길었다. 둘은 바이오 등록 고객 전용 체크인 앞으로 가서 섰다. 거기도 줄이 좀 있었으나, 그나마 저쪽 일반 수속보다 덜 기다릴 수 있었다. 이어서 보안 검색대, 한참을 기다려 보안 검색대를 통과했다. 벗었던 패딩 잠바를 다시 입으며, 현서가 말을 붙였다.

"뭐 먹을까? 저쪽에 한식 파는데, 그거 먹을까?"

"별로 입맛 없는데, 저기서 햄버거나 하나 먹자."

"햄버거로 되겠어?"

"어."

"…. 그래, 뭐."

진호는 불고기 버거에 콜라와 감자튀김, 현서는 새우 버거에 오렌지 주스를 주문했다. 패스트푸드점도 손님들로 바글거렸다. 마침 구석 자리에 있던 손님이 나가 둘은 그 자리로 가서 앉았다.

진호는 말없이 햄버거 포장을 벗기고 우걱우걱 먹었다. 새우 버거를 한입 물고 오물거리던 현서가 제 햄버거를 내려놓았다.

"자기야, 나한테 섭섭한 거 알겠는데, 인제 그만 화 풀면 안 돼? 자기, 집에 가도 계속 이럴 거야?"

"…. 내가 뭘?"

"아니, 자기도 내 입장 되어 봐. 나 연휴 내내 시댁에서 지내면서 스트레스 많이 받았거든? 솔직히 어머님 집 불편도 하고, 형님이랑 아가씨도 불편하고, 자기 조카들에게도 어떻게 대해야 할지 아직은 어색하다구. 그래도 명절 전도 부치고, 세배 오시는 친척들 아이 타령도 웃으며 다 들어주고, 설거지도 했잖아. 하루 일찍 올라가는 게 그렇게 불만이야?"

현서는 지난 3일을 생각하며 치를 떨었다.

그저께 명절 전 부치기. 물론 대부분은 시어머니가 다 하고 현서는 옆에서 보조하는 실력밖에 안 되긴 했다. 손이 큰 시어머니는 전도 여러 종류를 준비했다. 동태포전, 버섯전, 호박전, 삼색채전, 깻잎 고기전, 동그랑땡 등, 전을 부치는 데 한나절이 걸렸다. 나중에는 기름 냄새만 맡아도 질려버렸다.

전을 부치고 난 후의 많은 설거지는 현서의 몫이었다. 씻고, 또 씻고. 그동안 진호가 도와주겠다며 부엌을 들락거렸지만, 시어머니가 단호하게 내쫓았다. 진호는 방에서 티브이를 보다, 심심했는지 사촌 형네 집에 다녀온다고 나갔다가 저녁에 들어왔다.

어제 설 아침부터 오늘까지 친척들이 끊임없이 방문했다.

5촌 당숙, 당숙모(제주도에선 다 삼춘이다.), 작은할아버지, 작은할머니 등, 명절을 같이 지내는 친척들은 현서를 보면 항상 하는 말들이 있다.

"올해 좋은 소식 이시냐?"

"둘만 시민 적적하지 않으냐? 애가 이서사 부부간도 더 돈독해지주게."

"너무 늦엉 나민 키우기 힘들어. 남들 키울 때 같이 키워사주."

서울 출신인 현서는 처음에 제주도 사투리로 말하는 친척 어르신들의 걱정을 반도 알아듣지 못했다. 그저 웃으며 네, 하고 대답하고 한 귀로 흘렸다. 제주 사투리가 생소해서 당장은 와닿지도 않았다.

결혼 3년 차, 동갑내기 부부인 진호와 현서는 아직 2세 계획이 없다. 결혼 5년 차가 되면 아이를 가지기로 둘 사이에 이미 합의가 되어 있었다. 그러니 앞으로 2년 더 남았다. 원래부터 아이들을 좋아하지도 않거니와, 회사에서 이제야 능력도 인정받고 승진까지 했으니, 현서로선 임신은 엄두도 내선 안 됐다. 엄마보단 직장에서 일하는 게 더 좋았으니까.

그러나 추석, 설, 거기다 월차 내고 오는 벌초에 시아버지 제사까지, 일 년에 네 번을 올 때마다 친척들은 빼먹지 않고 아이 타령을 했다. 너무 자주 그런 소리를 들으니 노이로제에 걸릴 지경이었다. 작년부터 현서는 제주도에 가기가 무서워졌다.

"아직도 아이 소식 어서?"

"아고게, 결혼헌지 몇 년이나 지나신디, 이젠 낳아사 되지 않으크냐?"

"나 아는 한의원 이신디 같이 가 보젠? 거기 한약 먹으민 아기 금방 들어선덴 해라. 진호 어멍, 한 번 야이 데려가라."

올해 설엔 한의원 말까지도 나왔다. 현서는 억지로도 웃어지지 않았다. 빨리 이 연휴가 끝나 서울 가면 좋겠다.

"내붑써. 야네가 알아서 헐 테주게. 아직 젊은디, 뭐가 걱정이우꽈?"

시어머니가 두둔하며 현서의 안색을 살폈다. 현서는 애써 굳은 표정을 풀고 웃어 보였다.

친척들의 간섭은 또 있었다. 바로 술. 작은할아버지, 당숙, 사촌들은 오랜만에 만난 진호에게 무조건 술을 먹이려고 했다. 도수가 센 한라산 소주를 잔이 비기만 하면 술잔에 따라주었다. 진호는 술이 세지도 않으면서, 거부하지 않고 넙죽넙죽 받아마셨다. 그리고 다음 날 아침에는 숙취로 아주 괴로워했다.

"자기도 참, 이기지도 못할 술을 왜 그렇게 받아 마셔? 더 이상 못 마신다고 해. 속 버리고, 밥도 못 먹고 뭐 하는 짓이야?"

현서가 속상한 마음에 짜증을 냈지만, 진호는 그저 고지식하게 고개를 흔들었다.

"어떻게 그러냐? 어른들이 주는데, 거절하는 건 예의가 아니지. 작은할아버지랑 삼춘(당숙)도 반가워서 그러시는 건데."

"아니, 도수가 좀 세야 말이지. 힘들면 적당히 빠질 줄도 알아야지, 그걸 다 마시고 있냐고. 자기 바보야?"

현서도 언젠가 작은할아버지가 따라준 소주를 한 잔 받아 마신 적이 있다. 생각보다 독했다. 소주를 그다지 좋아하지 않아 한 모금을 마시고, 인상을 썼다. 당숙이 웃으며 다시 권했으나, 현서는 딱 잘라 말했다.

"이 술은 제 스타일 아닌 것 같아요. 그만 마실래요."

당숙은 헛기침하고 다시 권하지 않았다.

나중에 사촌들과 술자리를 가질 때도 현서는 옆에서 과일 안주만 집어 먹고 술은 마시지 않았다. 그러나, 진호와 사촌들은 주거니 받거니 하며 밤새도록 술을 마셔댔다. 당연히 뒷날 진호는 속이 아파 하루 종일 드러누웠다.

한 번 그런 일이 있으면, 다음엔 자중해야 하는데, 진호는 그런 것이 없었다. 내려올 때마다 그렇게 술이 떡이 되게 마시고, 뒷날 괴로워했다. 현서는 그런 진호를 도대체 이해할 수 없었다.

어제, 설날 오후가 되어 진호의 누나와 여동생 가족이 왔다. 아침부터 친척들에게 받아마신 술로 얼굴이 벌게진 진호는 저녁에는 맥주를 마셨다. 맥주는 현서도 나쁘지 않아 같이 마셨다. 그러나 그 후에 뒷정리는 결국 여자들의 몫이었다. 남자들이 술에 취해 여기저기 방에 쓰러져 갔다. 현서와 시누들은 맥주병을 치우고, 설거지해야 했다.

오늘 오전까지 사촌 형들 가족, 사촌 동생들 가족, 고모님, 외삼촌 가족들의 세배 행렬이 이어졌다. 진호는 쓰린 속을 부여잡고 그들을 맞이했고, 현서는 끊임없이 커피와 차를 준비하고 과일을 깎았다. 그 후에 끝없이 이어지는 설거지. 사촌들의 아이들에게 주는 세뱃돈. 진호는 현서의 눈총을 무시하고 오랜만에 만나는 조카들에게 아낌없이 세뱃돈을 줬다.

오후가 되어 큰 시누 진숙과 막내 시누 진영네 가족만이 남았다.

늦은 점심을 먹고 현서는 또 싱크대 앞에 서서 고무장갑을

졌다.

"올케, 추우니까 방에 가서 귤 먹어. 내가 할게."

"그래요. 새언니, 우리가 할 테니까, 쉬세요."

현서는 고무장갑을 벗어 진영에게 넘겨줬다. 잠시 식탁 주변에서 앉지도 서지도 못하고 주뼛거리다 안방으로 향했다.

"빨개졌져요 뿅~ 빨개졌져요, 뿅, 길가에 코스모스 하~나….."

안방에서 진영의 네 살 난 딸 예나가 부르는 노래에 진숙의 2학년 된 쌍둥이 아들과 애들 아빠들, 진호, 시어머니가 손뼉치며 와하하 웃었다. 예나가 율동도 하는지, 귀엽다는 말도 들려 온다.

"아유, 너희들도 애 하나 이시민 얼마나 좋아, 예나 봐라, 얼마나 귀여우냐?"

시어머니의 말에, 방문에 손을 뻗던 현서가 멈칫했다. 남편 진호의 실없는 웃음소리가 들린다.

"게메 예. 기다려 봅써. 예나만큼 이쁜 손지 안겨 주크메."

현서는 건넌방으로 가서 살그머니 문을 닫고, 한쪽 구석에 곱게 개켜져 있는 이불에 기대어 누웠다.

시어머니가 보일러를 빵빵 틀어주긴 했다. 그러나 시골집이라 외풍이 있는 데다, 침대도 아닌 바닥이라, 현서는 며칠 동안 잠을 제대로 자지 못했다. 눈이 뻑뻑하고 어깨가 무겁다.

뻑뻑한 눈을 문지르며, 현서는 제 휴대폰을 꺼내 들여다보았다.

확인 안 한 문자가 하나 있었다. 케이 항공사에서 온 알림이었다.

'1월 24일 제주 출발 KE316편이 출발지 공항 기상 악화로 결항되었습니다. 대체편 제공이 가능할 경우 재안내 예정입니다. 빠른 처리를 원하시는 경우 예약하신 곳으로 환불 또는 예약 변경 부탁드립니다. 문의 02-5678-1234….'

"아, 안 돼! 나 모레 아침에 중요한 미팅이 있단 말이야!"

현서는 벌떡 일어나 앉아, 문자에 나온 번호로 전화를 걸었다.

'뚜뚜뚜.'

끊고 다시 걸었다. 그러나 계속 연결이 되지 않았다. 하긴, 다른 승객들도 저처럼 전화기 붙잡고 있겠지. 한 5분쯤 시도하다 안방에서 웃고 있는 남편에게 톡을 보냈다.

'자기야, 내일 우리 비행기 결항이래. 어떡하지?'

1이 사라지지 않는다. 조카들과 놀아주느라 휴대폰을 쳐다보지도 않는가 보다.

현서는 초조해져서 동생인 현아에게 전화 걸었다.

"응, 언니."

"현아야, 내 비행기 내일 결항이래. 혹시 제부네 항공사 어떤지 알아봐 줄래? 나 내일까지 꼭 가야 해. 모레 아침에 중요한 미팅 있거든."

"아이구, 잠깐 끊어봐. 오빠한테 물어볼게."

결혼 1년 차인 현아 남편 경훈은 저가 항공사인 제이 항공에서 근무한다. 현서는 대형 항공사를 선호하지만, 지금은 이것저것 따질 때가 아니다. 급한 마음에 인터넷으로 각 항공사 사이트에 들어가 확인해봤다. 접속도 한참 걸리고, 매진과 결항이라는 글자만 보인다.

잘근잘근 입술만 씹고 있는데, 전화벨이 울린다.

"응, 현아야."

"언니, 오빠네 제이 에어도 내일은 결항될 확률이 높대. 오빠가 지금 일단 제주 공항 가 보는 게 어떨까 하네? 어쩌면 오늘 밤 대기 항공편이 나올 수도 있대."

"설 연휴인데 취소하는 사람 있을까?"

"그래도 혹시 모르니까. 내일 폭설이란 예보 듣고 어젯밤에 앞당겨서 올라간 사람들 많대. 한두 자리는 나올 수도 있을 거래. 오빠가 계속 직원들과 알아보고는 있어. 표 나오면 알려줄게."

"응, 고마워."

현서는 입술을 짓이기며 전화를 끊었다. 앉아 있을 수 없어서, 방문을 열고 안방으로 건너갔다. 시어머니는 예나를 안고 어르고 있었고, 쌍둥이 조카 한 아이는 제 이모부 어깨에, 한 아이는 진호 어깨에 매달려 씨름하고 있었다.

진호 옆에 앉아 조용히 옆구리를 꼬집었다. 진호가 왜 그러냐고 눈으로 물었다.

"잠깐 얘기 좀 해."

진호는 매달린 조카를 내려놓고 일어섰다.

둘은 건넌방으로 갔다.

"왜?"

"자기야, 왜 톡 확인 안 해? 내일 우리 비행기 취소됐어. 어떡하지?"

"아, 그래?"

진호는 주머니에서 제 휴대폰을 꺼내 메시지를 확인했다.

"오늘 날씨 이렇게 좋은 거 보니까 눈 안 오게 생겼는데, 왜들 벌써부터 난린지 원. 어떻게 되겠지. 내일 못 가면 모레 가고."

"뭐? 안 돼! 나 모레 아침에 중요한 미팅 있어. 내일 꼭 올라가야 한다고!"

"회사에 전화해서 사정 얘기해. 날씨 때문에 못 가는데 회사도 이해해 주겠지. 회사에 반차 내야겠다. 자기도 반차 내."

"무슨 말을 그따위로 해? 자기 일 아니라고 너무 무심한 거 아냐?"

"내가 뭘? 그럼, 방법 있어? 어차피 다른 항공사들도 마찬가지일 거 아냐?"

"제부 말로는 지금 공항 가서 대기해 보래. 혹시 취소하는 표 나올 수가 있으니까."

"누가 취소하겠어? 우리나 남들이나 다 상황 똑같을 텐데. 괜히 기다리다 공항에서 밤새울래? 몇 년 전 폭설 때 제주 공항 난리 난 거 봤잖아? 기다려 보자. 케이 항공사니까 내일 저녁쯤이면 대체 항공편 문자가 올 거야."

"그러면 너무 늦다니까!"

"어쩌라고, 방법이 없잖아?"

둘 다 목소리가 높아졌다. 현서는 개켜진 이불 위에 있는 베개를 들어 남편에게 휙 던졌다. 진호가 베개를 받으며 눈썹을 꿈틀했다.

"야!"

안방에서 웃음소리가 사그라들었다.

똑똑.

"저기, 무슨 일 있어?"

큰 시누 진숙의 목소리에 긴장이 어렸다. 현서가 움찔했다. 둘의 목소리가 꽤 컸던 모양이었다. 떠들던 조카들의 목소리도 들리지 않는다.

현서가 방문을 열고 마루로 나왔다. 시어머니와 진숙이 안절부절못하며 서 있었다. 안방 문을 열고 빼꼼히 내다보는 쌍둥이를 애들 아빠가 잡아당기며, 방문을 조용히 닫았다.

"아빠, 외삼촌이랑 외숙모 싸워?"

"아니야, 티비 보자."

만화 영화의 발랄한 성우 목소리가 커진다.

"얘, 무슨 일이고?"

시어머니가 걱정스럽게 묻는다. 현서는 한숨을 쉬며 대꾸했다.

"어머니, 내일 폭설 때문에 비행기 결항이래요. 그런데, 제가 모레 아침에 회사에 중요한 일이 있어서 꼭 출근해야 하거든요. 저희 지금 공항 가서 표 알아봐야 할 것 같아요."

"가봤자 소용없을 거라니까? 그냥 참석 못 한다고 회사에 전화해."

베개를 내려놓고 나온 진호가 짜증을 냈다. 순간 현서는 시댁 식구 앞이라는 것도 잊고 소리 질렀다.

"그렇게 쉽게 말할 일이 아니라니까? 어떻게 자기 입장만 생각해?"

순간 무거운 정적이 내려앉았다. 평소에 시댁에서 네, 네 하는 현서다. 시어머니도 진숙도 그녀의 태도에 눈이 커졌다. 부엌에서 그릇을 정리하던 막내 시누 진영의 달그락거리는 소리도 멎었다. 안방에서 티브이 소리만 왕왕 울린다.

"저기, 올케, 다른 항공사도 알아봤어?"

현서는 신경질적으로 대꾸했다.

"그럼 안 알아봤겠어요? 어차피 표를 구하기 어려우니까 공항 가서 기다려라도 보겠다는 거잖아요?"

"아, 글쎄, 소용없을 거라니까? 오늘 같은 대목에 표가 남아돌겠냐? 그냥 편히 있다 가자고!"

"뭐? 자기 정말 이러기야? 하루 일찍 가는 게 그렇게 싫어?"

"너야말로, 빨리 이 집 떠나고 싶어서 그러는 건 아니고?"

"뭐라고?"

"그래, 우리 엄마랑, 누나네랑, 진영이네 불편도 하겠지. 그렇다고 이렇게 가는 건 경우가 아니지 않냐?"

"내가 지금 여기가 불편해서 이러는 거야? 회사 때문에 이러잖아? 오늘까지 실컷 자기네 식구들 봤으니까 됐잖아?"

"뭐, 자기네 식구?"

시어머니가 급히 끼어들었다.

"야야, 그만들 허라. 멩질날에 뭐 헴시니?"

현서는 갑자기 억울한 기분이 들어 시어머니에게 쏘아붙였다.

"어머니, 저 할 만큼 했어요. 제주도 오느라 명절 연휴 하루 전에 휴가까지 받고 온 거에요. 4일이나 시댁에 있었어요. 그러면서 애가 어쩌고 못 들을 말도 다 들고요. 친척들 세배 오고 뒤치다꺼리도 다 했어요. 그러니까 지금 가도 되죠?"

"어, 어…."

"야! 그만하지 못해? 뭐 하는 짓이야, 버릇없게?"

시어머니가 어버버하는 동안에 진호가 시어머니 앞을 막고 현서에게 눈을 부라렸다. 현서도 마주 노려보았다.

"내가 뭐 틀린 말 했어?"

"너, 정말 보자 보자 하니까!"

진호가 한 대 칠 듯이 오른손을 들어 올리며 씨근덕거렸다. 현서는 고개를 쳐들고 쏘아붙였다.

"뭐? 그러다 한 대 치겠다? 어디 때려 보던가!"

시어머니가 황망히 진호의 팔을 붙잡았다. 진호는 슬그머니 손을 내렸다.

"야야, 그만들 허라. 현서야, 너 고생한 거 다 안다게. 회사 일 급헌디 어떵헐 거라? 어서 공항에 가 보라. 운 좋으민 표 나올 테주. 얼른 짐 챙기고, 갈 준비허라. 음식 싸 주마, 가정 가라."

시어머니가 종종 부엌으로 갔다. 진숙이 불퉁한 표정으로 뒤따라갔다.

"어… 비닐 팩 어디 시니? 송편 냉장고 들어가신가? 과일 바구니도 가져오라. 진숙아, 상자 찾아오라."

진숙이 집 밖으로 나가는 부엌문을 열고 나가 쾅 닫았다. 진영은 서둘러 비닐 팩을 꺼내고, 냉장고 문을 열었다.

"어머니, 저 뭐 안 챙겨주셔도 돼요."

현서가 다시 방으로 들어가 제 캐리어에 옷가지들을 집어넣었다.

진호가 들어와 방문을 닫으며 짜증스럽게 말했다.

"꼭 이렇게 가야겠어? 가봤자 소용없을 거라니까? 어차피 표 못 구해. 공항 바닥에서 잘 셈이야?"

"일단은 가봐야지. 뭐해? 얼른 챙겨."

"하아, 그럼, 너만 가던지. 난 모레 갈게."

"뭐?"

현서는 벌떡 일어나 남편을 노려봤다. 진호도 마주 제 아내를 쏘아봤다.

"어쩜, 자긴 이렇게 이기적이야? 명절 때, 제사 때, 벌초 때, 내가 이제껏 시댁에 안 온 적 있어? 자긴 추석, 설 연휴에 우리 엄마 아빠 뵙지도 않잖아? 하루 일찍 가는 게 그렇게 불만이야?"

"장인어른, 장모님은 평소에 자주 찾아뵙잖아? 일주일 전에도 미리 뵙고 왔고, 일주일에 두어 번씩 밥도 같이 먹잖아? 일 년에 서너 번 제주도 와서 식구들 보는데, 그게 그렇게 불만이야? 그 정도도 못 봐줘? 너야말로 너무 이기적인 거 아냐?"

"내가 뭐가 그렇게 이기적인데? 이미 방문할 친척도 다 방문했고, 하루 일찍 가는 거분이잖아?"

"그렇다고, 이런 식으로 가는 건 아니지 않냐? 급한 건 너니까, 공항에 혼자 가. 표 못 구하면 택시 타고 다시 돌아오던지."

"진짜, 그딴 식으로밖에 말 못 해?"

똑똑.

"얘들아, 그만하고, 진호야, 얼른 챙겨서 공항 가라. 뭐 헴시니?"

시어머니의 목소리가 떨렸다. 진호는 한숨을 푹 내쉬고는 벽에 걸린 양복을 낚아채 제 캐리어 속에 팍 던져넣었다.

둘은 말없이 서로의 캐리어를 챙겼다.

띠리리. 현서의 전화가 울렸다. 현아의 남편 경훈이다.

"여보세요, 제부?"

"처형, 제가 오늘 밤 9시 10분 제이 에어 두 자리 구했어요. 오늘 저녁에 탑승하시겠어요?"

현서의 찌푸린 얼굴이 확 펴진다.

"어머, 정말이에요? 당연히 가야죠. 어떻게 표가 나왔대요?"

"제가 누굽니까? 하하, 열심히 담당 직원 닦달했죠. 마침 취소 표가 나왔거든요. 지금 가신다고 하면, 잠시 후에 담당 직원 전화 갈 겁니다. 그때 생년월일 말씀하시고 결제하시면 돼요."

"어머, 정말 고마워요, 제부. 정말 다행이다. 제부 아니면 큰일 날 뻔했어요."

"하하, 제가 이렇게 능력이 있는 사람입니다. 하하. 공항 혼잡할 테니까, 두 시간 전에는 가세요."

"네, 그럼요. 서울 가서 봐요. 제가 밥 살게요."

"넵. 조심히 올라오십시오!"

전화를 끊은 현서의 손이 빨라졌다.

"제부가 오늘 저녁 9시 10분 표 구해줬어. 다행이다. 지금 가면 시간 충분할 거야."

"…."

띠리리.

"여보세요."

"강현서 씨 되시죠? 여기 제이 에어입니다."

"네, 안녕하세요."

현서는 지갑에서 카드를 꺼내며, 사근사근하게 자신과 진호의 이름과 생년월일, 카드 번호를 불러줬다.

전화를 끊고, 현서는 휴대폰 앱으로 택시를 호출했다. '10분 거리 기사에게 연결 중입니다.'라는 메시지가 뜨더니, 곧 있어

'연결되었습니다.'란 문구와 함께 택시 번호가 떴다. 환한 표정으로, 현서는 짐을 마저 챙기고, 캐리어의 지퍼를 잠갔다. 옆에서 진호는 느릿느릿 제 캐리어를 챙겼다.

이윽고 현서는 방문을 열고 부엌으로 건너갔다. 식탁 위에 크고 작은 비닐봉지들이 놓여있었다. 진숙과 진영은 옆에서 15킬로 감귤 상자를 박스 테이프로 붙이고 있었다.

"저희 비행기표 구했어요. 오늘 저녁 9시 10분이요. 저희 지금 갈게요."

"어, 기여. 누구, 진숙이네 차로 가젠?"

"아니에요. 택시 불렀어요."

"아이고, 비싼디, 그냥 야네들 차로 가주게?"

"아니에요. 번거롭잖아요. 명절 연휴라 도로도 막힐 거구요. 알아서 갈게요."

"알았져, 잠깐만 기다리라. 이것들 싸 주마. 아이고, 한라봉 잊어부렀구나. 진영아, 이것들 담으라, 나 창고에 강 한라봉 가져오마."

분주하게 부엌문을 열고 나가는 시어머니 팔을, 현서가 다급하게 붙잡았다.

"아니에요, 어머니. 택시 금방 올 거라서요. 한라봉은 나중에 택배로 보내주세요. 전에 보내주신 것도 남았구요. 형님, 아가씨, 그거 싸지 마세요. 못 가져가요. 형님이랑 아가씨가 가져가세요."

부지런히 상자에 비닐봉지들을 담던 두 자매의 손이 느려진다. 진숙이 꿍얼거렸다.

"그러니까, 내가 싸지 말라고 했잖아."

진영이 언니의 옆구리를 쿡 찌른다. 진숙이 입을 삐죽이며 고개를 돌렸다.

"경혜도 빈손으로 가민 섭섭허주게. 이거 소고기인데, 한우라.

이거라도 가져강 반찬으로 먹으라."

띠리리, 택시 기사의 전화가 왔다.

"여보세요. 어머, 일찍 도착했네요. 네, 사거리 오른쪽 빨간 지붕 집이요. 네, 잠시만 기다리세요, 금방 나갈게요."

시어머니가 봉지에 싸서 건네주는 것을 무시하고, 현서는 전화를 받으며 건넌방으로 급히 들어갔다.

"자기야, 택시 왔어. 얼른 가자."

황급히 방 밖으로 제 캐리어를 끌어내며 현서가 인사했다.

"어머니, 택시 와서 저희 가야 해요. 형님, 아가씨, 아주버님, 저희 갈게요."

식구들이 어수선하게 마루로 나왔다. 한 손에 봉지를 들고 엉거주춤 서 있던 시어머니의 목소리가 떨렸다.

"어, 기여, 얼른 가라. 멩심헹 가라 이."

작별 인사를 듣는 둥 마는 둥, 현서는 벌써 신발을 신고 마당으로 나왔다.

"도착해서 전화할게요. 안녕히 계세요."

진호는 느릿느릿하게 신발을 신으며, 무뚝뚝하게 인사했다.

"가쿠다."

시어머니가 아들의 팔을 잡았다.

"싸우지 말라 이? 자이 잘 다독이라."

진호는 예, 하고 대답하고 캐리어를 질질 끌며 올레에 세워져 있는 택시로 다가갔다.

햄버거를 입안에 욱여넣고 우적우적 씹는 진호를 바라보며, 현서가 깔끔하게 사과했다.

"아까 시댁 식구들 앞에서 소리 지른 건 잘못했어. 진짜 모레 미팅에 못 갈까 봐 제정신이 아니었어. 그거 펑크나면 회사에 큰 손해가 생기거든. 내가 서울 가서 꼭 어머니께 전화 드리고 사과할게."

"…."

우적우적.

"그리고 어제, 오늘 계속 아기 얘기 들어서 나도 스트레스가 장난 아니었다구. 잠자리가 불편해서 며칠째 잠도 못 자고. 나 좀 이해해 주면 안 돼?"

진호는 콜라 컵 뚜껑을 열고 벌컥 들이킨 후, 탁, 하고 컵을 내려놓았다.

"우리 엄마가 싸주는 건 받고 왔어야지. 그것까지 거절할 필요는 없잖아?"

"응? 아, 명절 음식? 하지만 서울집에 가져가서도 안 먹고, 냉동실만 차지하잖아. 먹지도 않을 건데 굳이 가져갈 필요 있어? 짐만 되지."

현서는 무심히 말하며 햄버거를 한 입 오물거렸다. 진호는 남은 햄버거를 입 속에 욱여넣고 다시 콜라를 들이켰다.

"우리 엄마 음식이야. 자기가 먹기 싫으면 내가 먹으면 되지. 그걸 굳이 거절해야 했어?"

"갑자기 왜 이래? 자기, 어머니 음식 맵고 짜다고 했잖아? 우리 엄마 반찬이 맛있다며?"

현서의 친정엄마는 회사 일로 바쁜 현서네 집에 틈틈이 반찬을 만들어 가져다줬다. 진호는 제법 맛있게 장모의 반찬을 먹었다.

친정엄마는 천연 조미료를 직접 만들어 쓰고 간도 슴슴하게 하는 편이었다. 시어머니는 인공 조미료도 많이 쓰고, 양념도 세서 김치든 찌개든 너무 맵거나 짰다. 시어머니의 요리가 현서의 입맛에 맞을 리가 없었다. 이번에도 전이 하나같이 짰다. 그래서 일부러 싸주는 음식을 거절한 것인데.

진호는 콜라 컵을 탁 내려놓았다. 끄윽하고 트림하고, 냅킨으로 입가를 닦았다.

"됐다. 그만하자."

"뭘 그만해? 어디, 하고 싶은 말 있음 다 해봐. 우리 엄마 반찬이 맛있다며? 근데 인제 와서 어머니 명절 음식 안 싸 왔다고 삐친 거야?"

다시 진호는 입을 다물었다. 현서가 다그쳤다.

"그렇게 입만 다물지 말고, 말을 해! 말을 해야 알지. 뭐야. 그동안 울 엄마 음식 입맛에 안 맞는데, 억지로 먹어줬다는 거야?"

"그럼, 장모님이 애써 해주신 음식 맛있다고 해야지. 내가 뭐라 하겠어?"

"뭐라고? 허, 참! 기가 막혀. 야, 이진호!"

"뭐, 야?"

"왜? 너도 아까 어머니 집에서 나보고 야라고 했잖아? 생각 안 나니?"

현서의 목소리가 커졌다. 사람들의 시선이 둘에게 쏠렸다. 그것을 느꼈는지, 진호가 조용히 빈 종이와 콜라 컵이 놓여있는 쟁반을 들고 일어섰다.

"그만하자. 나 먼저 나간다."

현서는 다 먹지도 못한 제 쟁반을 들고 허둥지둥 진호를 따라나섰다. 쟁반을 내려놓은 진호는 성큼성큼 게이트를 찾아 걸어갔다. 종종걸음으로 진호를 따라간 현서가 그의 팔을 홱 낚아챘다.

"뭘 그만해? 싫으면 싫다고 하지. 울 엄마는 뭐 시간이 남아돌아 반찬 만들어 갖다주신 줄 알아? 다 네가 맛있다고 하니까 일부러 만들어주셨다고. 그런데 뭐? 맛없는데, 일부러 맛있는 척했어?"

"맛없다고는 안 했어. 장모님한테도 고맙다고 생각해. 그냥,

가끔 나도 울 엄마 음식을 먹고 싶었을 뿐이라고. 그냥, 울 엄마 싸 주신 거 고맙습니다, 하고 받아왔으면 좋았다는 거지."

진호가 제 머리를 쓸어올리며 한숨을 쉬었다.

"시간이 없었는데, 어떡해? 그렇게 원했으면 자기가 직접 말하지 그랬어? 자기가 아무 말 안 하길래, 나도 그냥 거절한 거라고."

"그래, 뭐. 다 지난 마당에, 이제 그만하자. 말해봤자 소용도 없는데."

진호의 그런 태도에 현서는 오히려 더 화가 났다.

"뭐, 말해봤자 소용도 없어? 자기, 나한테 불만 많은 거 같은데, 어디 다 말해봐. 얘길 해야 알잖아? 어디 다 말해보라고!"

"됐다고! 말해봤자, 나만 이상한 사람 되지."

"뭘 그따위로 말해? 이상한지 어떤지 듣고 판단할 테니까, 어서 말해보라고!"

사람들이 둘 사이를 지나가며 힐끔댔다. 현서는 주변의 시선을 의식하고 진호를 커다란 기둥 뒤로 잡아끌었다. 진호는 묵묵히 끌려갔다.

진호의 팔에서 손을 떼고, 현서는 팔짱을 끼고 노려보았다. 진호는 그냥 입을 꽉 다물고 현서의 시선을 피했다.

"나 이런 기분으로 서울 못 가. 자기 꽁하면 며칠 가잖아? 서울 가서도 계속 이럴 거잖아? 여기서 다 풀고 가. 말해봐, 대체 내가 뭘 잘못했는지. 자긴 나에게 무슨 불만 있는지."

"나중에. 별거 아니니까, 집에 가서 얘기해. 여기 공항이야. 쪽팔리지도 않아?"

"하, 쪽팔린 게 문제야? 말하라고!"

현서는 씨근덕거리며 진호를 노려보았다. 지나가던 사람들이 계속 흘끔거렸다. 진호는 그저 묵묵부답으로 바닥을 보고만 있었다. 현서는 진호의 팔을 흔들었다.

"나 이상한 사람 만들지 말고, 얼른 말하라고!"

"지난번 태국 여행!"

진호가 버럭 외쳤다. 태국 여행? 작년 가을에 친정 식구들과 다녀온 여행? 부모님의 결혼기념일을 맞아 현서와 진호가 준비한 선물이었다.

"그게 뭐 어때서? 거기서 뭐 기분 상한 거 있었어?"

아무리 생각해도 기분 나쁜 것이 없었다. 고급 호텔에 숙박하여 호텔 수영장에서 수영도 하고, 유명 관광지 둘러보고, 저녁에 가볍게 맥주 마시고, 모두 즐겁게 지내다 왔는데?

"그 경비, 우리가 냈어. 아파트 대출금 갚기도 빠듯한데, 장인 장모님 꼭 해외여행 보내드려야 한다고 해서!"

"그럼, 딸이 되어 부모님 여행도 못 보내 드려? 자기, 너무 치사한 거 아냐? 어쩜, 그런 마음으로 여행 갔던 거야?"

현서는 기가 막혔다. 코로나로 몇 년 만에 처음 간 해외여행이었다. 원래는 유럽 여행을 계획했으나, 경비가 만만치 않다고 진호가 결사반대해서 태국으로 갔다.

"그래, 가족 여행 갈 수는 있어. 그런데, 그렇다고, 처제랑 동서 경비까지 우리가 내는 건 말이 안 되지 않냐?"

"뭐? 치사하게 내 동생네 경비 내줬다고 삐친 거야? 아니, 내가 큰딸인데, 가족 여행경비도 한 번 못 내주니? 자기, 여행 내내 아깝다는 생각 했겠네?"

"그래, 아까워!"

"뭐? 정말 그렇게 생각했단 말이야?"

"너 말이야. 우리 엄마는 60년 넘게 사시며 여태 여권 한 번도 못 만들어봤어. 고생하며 키운 잘난 아들이 해외여행 한 번 못 보내 드렸다고!"

진호가 빽 소리 지르자, 현서는 멈칫했다. 생각해 보니, 시댁과는 같이 여행 간 적이 없긴 하다. 진호는 흥분해서 쏘아붙였다.

"너, 우리 엄마랑 누나네랑 진영이네랑, 하다못해 국내 여행이라도 가자고 한 적 있어? 그런 생각 한 번이라도 한 적은 있어?"

한 적 없다. 서울에 산다는 이유로 현서는 시댁 일을 거의 생각하지 않고 살았다. 어쩌다 시어머니에게 안부 전화나 하고, 생신 때 용돈이나 부치는 걸로 제 할 일 다했다고 생각했다. 진호는 후, 하고 숨을 내쉬고는 제 뒷머리를 벅벅 긁었다.

"고작, 여행 한 번 갔다 온 걸로 삐친 거야?"

"고작 한 번? 우리 결혼 전에도 너네 식구랑 일본 갔다 왔어. 코로나 터지니까 해외 못 간 거지. 그래도 강원도로 부산으로 경주로, 철마다 놀러 갔어. 기억 안 나냐?"

"그치만 어머님은 항상 바쁘시잖아? 내가 지나가는 말로 서울 한번 오시라고 했는데, 농사 때문에 바빠서 못 오신댔어. 바쁜 분 모시고 어떻게 여행가겠어?"

"하! 그거야, 엄마가 너한테 민폐 끼치고 싶지 않아서 해 보는 소리고. 네가 여러 번 얘기했으면 한 번 올라오셨겠다. 그래, 그것도 그래. 장모님은 사나흘마다 우리 집에 오시는데, 우리 엄만 우리 결혼 초에 한 번 오시고, 우리 집 온 적도 없어. 너희들끼리 알아서 살라고, 간섭하지 않으려고 말이야!"

현서는 기가 막혀 그냥 진호를 노려보기만 했다. 화가 나면 며칠 꽁해 있긴 하지만, 여태 현서가 하는 일에 크게 불만을 내비치지 않았던 진호였다. 친정 식구를 만날 때도 늘 웃는 낯으로 대했다. 진호는 항상 그들 앞에서 좋은 사위, 좋은 형부였다.

"뭐야, 여태 그런 생각 하고 있었으면, 말을 해야 할 거 아니야? 자기, 그동안 우리 엄마 아빠가 우리 집에 오시는 거 엄청 싫었겠네? 그러면서도 그분들 앞에서 웃으며 사위 노릇 한 거야?"

"그래! 나도 장인 장모님 불편해! 교장 선생님으로 은퇴하신 장인어른이 그것도 모르냐고 항상 내게 뭔가를 가르치려 드시는 것도 불편하고! 장모님이 내가 제주도 촌구석 출신이라고 은근히 무시하시는 건 알아? 우리 결혼할 때 집도 꼭 잠실에 사야 한다고 해서, 무리하고 대출받았어. 그때도 울 엄마가 아파트 마련할 돈 줄 여력 안 된다니까, 장모님이 내게 얼마나 싫은 소리 하신 줄 알아? 우리 엄마 철마다 마늘이나 귤 같은 거 보내주셔도, 장모님 단 한 번도 고맙다고 하지 않으셨어! 우리 엄마가 그 때문이라도 더더욱! 우리 집에 못 오시는 건 아냐고?"

아, 이건 몰랐다. 물론 엄마가 그녀가 진호에게 아깝다는 말은 지나가며 몇 번 했지만, 설마 그런 식으로 제 엄마가 사위와 시어머니를 무시한 줄은 몰랐다. 현서는 말문이 막혀 그냥 멍하니 진호를 쳐다보았다. 진호는 후, 하고 숨을 내뱉고 제 머리를 헝클어뜨렸다.

"그래도 장인어른, 장모님께 맞춰 보려고 노력했어. 마음에 드는 사위가 되어 보려고 애썼다고! 내가 노력했으면, 너도 조금은 우리 엄마에게 맞춰줘야 하는 거 아냐? 일 년에 꼴랑 네 번 제주도 온다. 우리 엄마, 누나, 진영이네 겨우 네 번 본다고! 조카들도 겨우 네 번 봐. 고작 제주도 와서 3, 4일 노력하는 거, 그게 어려워? 난 1년 내내 노력하는데?"

"…. 하지만, 나도 나름 노력했어. 어머니랑 형님, 아가씨에게 잘하려고 애썼다고."

"노력하는 애가, 아까 울 엄마한테 뭐라 했냐? 안 그래도 육지 며느리 눈치 보는 엄마에게, 뭐, 할 만큼 했어? 4일이나 있었으니까 되지 않았냐고? 엄마가 기껏 챙겨주는 음식도 무시하고!"

진호는 울컥해서 빽 소리 질렀다. 지나가던 사람들이 움찔해서 둘을 쳐다보았다. 이제는 현서의 얼굴이 홧홧해졌다.

"나도 아깐 제정신이 아니었어. 하지만, 내 입장도 생각해봐. 자기랑 조카들이랑, 어머니랑 함께 안방에 있으면서, 나 소외감 느끼게 했잖아."

"무슨 소외감?"

"아니, 어머니가 은근히 손주 기대하시는 거 알겠는데, 애 낳으려면 우리 2년 남았다고 왜 말 못 해? 자기도 빨리 애를 낳았으면 하는 거지?"

"그야, 생기면 낳는 거고, 지금 그게 문제야?"

"뭐, 생기면 낳아? 자기 정말 그렇게 무책임하게 말할래?"

이건 절대 양보할 수 없는 문제다. 현서는 발끈해서 못을 박았다.

"절대 안 돼! 2년 남았어. 이건 양보 못 해!"

"하아, 그래, 누가 네 고집을 꺾겠냐?"

"뭐, 고집? 이건 우리 결혼 약속이야, 잊었어?"

현서의 단호한 다그침에 진호는 멈칫했다. 후, 하고 다시 한숨을 쉰 진호가 제 안경을 추어올렸다.

"그렇다고 가족들에게 제대로 작별 인사도 못 하고, 그딴 식으로 나와야 했냐? 앞으로 몇 달 또 볼일 없는 울 엄마에게?"

"그런 자긴, 뭐 그렇게 잘했는데? 솔직히, 나야 일주일에 한 번 어머니한테 안부 전화라도 해. 자기는 어머니한테 안부 전화도 안 하잖아? 맨날 무뚝뚝, 필요한 말만 하면서. 그렇게 여행 한번 가고 싶었다면 자기가 직접 기획이라도 하지 그랬어?"

"내가 너랑 장인 장모님 눈치 보느라 그랬다, 왜? 며느리가 되어서 시댁에 그 정도 생각도 못 해주냐?"

"그걸 말이라고 해? 난 며느리고, 자긴 아들이야. 효도는 셀프인 거 몰라? 자기네 식구가 애틋하면, 알아서 효도할 생각 해야지. 시댁 식구랑 여행하자고 했으면 난 그렇게 했을 거라고.

왜 내가 모든 걸 계획하고 알려 주길 바래?"

진호가 입을 다물었다. 꼭 제가 불리하면 입을 다물지. 그 꼴이 얄미워 현서가 비아냥댔다.

"공항 오면서 내가 한 말이랑 행동이나 곱씹고 있었어? 쪼잔하게."

"뭐, 쪼잔? 그래, 나 쪼잔하다. 이제 알았냐?"

"왜 자꾸 소리 질러? 이제 그만해. 쪽팔리니까."

"이제 와서 쪽팔리냐? 미안하게 됐네, 쪽팔리게 해서!"

진호는 버럭 소리 지르고 성큼성큼 걸어갔다. 현서가 재빨리 쫓아가 팔을 잡았다.

"아, 진짜! 이대로 가버리면 어떡해? 그래서 뭐 어쩌라고? 내가 어쩌길 원하는데?"

진호는 현서의 팔을 홱 뿌리쳤다.

"뭘 어째? 다시 무영리로 가자고 하면 갈 거야? 아니잖아? 쪼잔하고 쪽팔린 남편 사라져 줄 테니까, 우아하게 너 혼자 하고 싶은 대로 하라고!"

진호는 성큼성큼 화장실 쪽으로 걸어갔다. 그 뒤통수에 대고 현서가 소리 질렀다.

"알았다고, 이 밴댕이 소갈딱지야! 맘대로 해!"

씨근거리던 현서는 흘끔대는 사람들의 시선을 의식하고, 고개를 숙이고 얼른 여자 화장실로 들어갔다.

"편안한 비행, 정성을 다하는 제이 에어에서 마지막 탑승 안내 방송입니다. 9시 10분 김포로 가는 제이 에어 331편에 탑승하실 손님들은 탑승수속이 곧 마감되오니, 지금 즉시 4번 게이트로 와 주시기 바랍니다."

진호와의 말싸움 이후, 현서는 화를 삭이려고 면세점을 돌아보고 있었다. 화장품 코너에서 립스틱을 고르다 퍼뜩 휴대폰을 봤다. 9시. 이런! 그녀는 립스틱 하나를 결제하고 4번 게이트로 부랴부랴 뛰어갔다.

진호의 모습은 보이지 않았다. 현서에게 말도 없이 혼자 비행기 탄 모양이다. 아직도 삐친 모양이지, 치사하게. 현서는 입을 삐죽이며 게이트에서 탑승권의 큐알 코드를 찍고 있는 서너 명의 승객들 뒤에 섰다.

아마도 현서가 마지막인 모양이었다. 그들을 따라 계단을 내려갔다. 셔틀버스를 타고 가야 하나 보다.

아래층에 대기하고 있는 셔틀버스에 현서까지 열 명 남짓한 승객이 탔다. 그러나 버스는 어쩐 일인지 바로 출발하지 않았다.

한 5분쯤 기다린 후에, 무전기를 든 젊은 여자 안내 직원이 버스에 탔다.

"손님 중에 강현서 씨 계신가요?"

현서가 놀라 손을 들었다. 안내 직원이 그녀 앞으로 다가와 섰다.

"강현서 씨 맞으시죠? 동행인 성함이 이진호 씨 맞나요?"

현서가 의아해하며 고개를 끄덕였다.

"이진호 씨 어디 계신지 연락이 되시나요?"

"네? 아마 탑승했을 거예요."

직원이 무전기로 "탑승했을 거라고 하시는데요."라고 하자, 치익, 무전기에서 여자의 목소리가 흘러나왔다.

"아니요, 이진호 씨 탑승하지 않으셨어요."

뭐라고? 현서의 눈이 커졌다.

"이진호 씨 탑승하지 않으셨대요. 어디 계신지 연락해 보시겠어요?"

버스 안 손님들의 눈이 현서에게 쏠렸다. 이내 그들은 관심 없다는 듯 시선을 돌렸지만, 모두 귀를 열고 듣고 있을 것이다.

현서는 얼굴이 화끈거리는 걸 느끼며 남편에게 전화를 걸었다.

'뚜르르, 뚜르르.'

한참 후, 현서는 끊었다가 다시 걸었다.

"치익, 이진호 씨 지금 오시지 않으면 탑승하실 수 없어요."

직원이 다시 말해줬다.

"이진호 씨, 지금 오시지 않으면 탑승하실 수 없대요. 연락이 안 되시나요?"

현서는 초조하게 고개를 끄덕이며, 끊었다가 다시 걸었다. 무전기에서 다시 여자의 목소리가 흘러나왔다.

"치익, 승객분께 그래도 탑승하실 건지 여쭤보세요."

"승객분, 동행인 안 타셔도 탑승하시겠어요?"

현서는 계속 전화기를 귀에 댄 채로, 고개를 끄덕였다.

"네, 탈 거예요."

"정말 혼자 탑승하시겠어요?"

"네."

안내 직원이 현서의 말을 전하자, 무전기에서 여자가 말했다.

"치익, 이진호 씨 앞으로 수화물이 두 개 있는데, 지금 비행기에서 빼야 해요. 그래도 탑승하실 건지 물어보세요."

안내 직원이 같은 말을 반복하며 물었다.

"그래도 탑승하실 건가요?"

현서는 짜증스럽게 고개를 끄덕였다. 당연히 가야지, 어떻게 구한 비행기표인데! 이 인간은 왜 이렇게 전화를 안 받는 거야? 캐리어 찾는 것은 나중 일이다.

"그럼, 지금 수화물 두 개 비행기에서 내리겠습니다."

"네."

직원이 내리며 운전기사에게 출발하라고 하자, 버스가 서서히 움직이기 시작했다.

진호는 여전히 전화를 받지 않는다. 현서는 입술을 깨물며 전화를 끊었다. 톡을 열고 문자를 치기 시작했다. 손이 떨려 자꾸 오타가 났다.

'진호씨, 어디야? 비행기 안 탔어? 전화 왜 안 받아? 제발 전화 좀 해 줘.'

1이 사라지지 않는다. 현서는 다시 전화를 걸었으나, 여전히 신호음만 갈 뿐이다. 사람들의 시선이 송곳처럼 그녀를 따끔따끔 찌르는 것 같다. 물론 그녀를 바라보는 사람들은 한 명도 없었지만.

버스가 공항 한가운데에 서 있는 제이 에어 비행기 앞에서 멈췄다. 사람들 뒤를 따라 내리며 다시 한번 전화를 걸었다. '뚜르르, 뚜르르.' 차가운 밤바람에 현서의 머리카락이 날렸다. 그러나 얼굴은 여전히 뜨겁다.

비행기는 만석이었다. 35A와 35B가 현서와 진호의 자리였다. 혹시나 하고 기대했지만, 두 자리 다 비어 있었다. 현서는 이맛살을 찌푸리며 창가에 앉아 다시 휴대폰을 봤다. 여전히 그녀가 보낸 톡에 1이 그대로 있다.

'자기, 도대체 어디야? 나한테 화난 거 이해해. 그래도 이건 아니잖아? 우리 서울 가서 풀자. 일단 연락 줘. 응?'

노란 숫자 1을 노려보다, 다시 휴대폰 자판을 두드린다.

'자기, 무슨 일 있는 거 아니지? 걱정되잖아? 제발 연락 좀 해.'

여전히 1이 사라지지 않는다.

"승객 여러분, 저희 비행기는 출입문 닫고 잠시 후에 출발하겠습니다. 가지고 계신 휴대 전화와 전자기기를 비행기 모드로 바꿔 주시기 바랍니다."

승무원의 안내 방송에도 현서는 그저 제 문자만 들여다보고 있었다.

9시 20분, 원래 예정보다 10분이 지났지만, 이륙하는데 앞으로 10여 분은 더 걸릴 것이다.

'자기야, 난 비행기 탔어. 자기가 안 타서 우리 짐은 비행기에서 내릴 거래. 아직 공항에 있으면 짐 찾도록 해. 도대체 무슨 일이야? 제발 연락 좀 해.'

여전히 사라지지 않는 1. 마지막으로 전화를 걸었다. 미소를 띤 승무원이 다가왔다.

"손님, 저희 비행기 곧 이륙하니까 비행기 모드로 바꿔주시겠어요?"

네, 하고 대답하며 현서는 떨리는 손으로 휴대폰의 바를 내렸다. 입술을 짓씹으며 망설이다 비행기 모드를 꾹 눌렀다. 얼굴엔 열이 오르고 가슴이 쿵쾅쿵쾅 뛴다.

비행기는 계속 대기 중이다. 현서는 슬며시 휴대폰의 비행기 모드를 풀고 톡을 보았다. 여전히 노란 1. 하아, 현서는 휴대폰을 뒤집어 무릎에 올려놓았다.

한참 후, 현서는 다시 휴대폰을 확인했다. 9시 50분. 비행기는 마침내 활주로 끝을 향해 속도를 내었다. 가슴이 울렁거려서, 현서는 좌석에 등을 기대고 눈을 감았다. 휴대폰을 두 손으로 꼭 쥔 채로.

위이잉! 비행기는 부드럽게 새까만 하늘로 날아올랐다.

무색무취

유승주

유승주

　엉뚱하고 특이하고 조금은 특별한 삶을 꿈꾸는 여자.
　아이를 낳은 33살부터 내가 아닌 엄마라는 이름으로
살다 10년이 조금 지난 지금 33살의 나를 다시 소환
해 꿈을 향해 한 발짝 내딛는 중.

"무슨 소리야. 시골에 왜 가?"

남편이 잔뜩 화가 난 얼굴을 하고 문을 세게 열며 소리친다. 남편의 큰 목소리에 순간 당황했지만 최대한 침착하려고 애쓰며 눈에 힘을 주었다.

"여보, 벌써 일주일 만에 두 번째예요. 그냥 사고가 아니라 애가 이렇게 피를 흘리고 오잖아요!"

나도 모르게 목소리가 점점 높아졌다. 남편이 저런 반응이 나올 줄 알고 있었지만, 남편의 표정을 보니 화가 나서 참을 수가 없다.

"그렇다고 시골에 가자고? 뭐 먹고살려고!"

당연히 먹고 살 걱정도 중요하지만, 지금 상황이 먹고 살 걱정보다 아이를 어떻게 해야 할지가 더 큰 문제라는 걸 모르는 걸까?

"이렇게 여기서 지내면 그게 사는 거겠어요?"

"그렇다고 시골에 가면 뭐가 달라?"

"사람 많지 않은 곳에 살면 남한테 피해 주는 일은 덜 할 거 아니에요!"

남편이 한숨을 푹 쉬고는 더는 못 참겠다는 듯 소리친다.

"우리가 언제 남한테 피해 주고 산 적 있어? 그리고, 피한다고 문제가 해결되냐고!"

한심하다는 듯 쳐다보는 표정이 기분 나빠 더 크게 목소리를 높였다.

"그건 나도 잘 알아요. 그렇지만 우리 아들 생각보다 심각할지도 몰라요. 만약 찻길로 뛰어들어서 죽기라도 하면 어떻게 해요! 나는 상태 없이는 못 살아요."

흥분해서 내뱉긴 했지만 상태가 진짜 그렇게 된다는 상상을 하자 가슴이 무너졌다. 눈에 눈물이 고였다. 고인 눈물이 순식간에 볼을 타고 턱 밑으로 내려왔다. 남편도 나만큼이나 흥분하며 아까보다 더 크게 강하게 외친다.

"그러니깐, 무작정 시골에 가서 뭘 어쩌자고!"

나는 아이를 위해 뭐든 할 수 있다는 생각뿐인데, 아무 계획도 없이, 대책도 없이 내뱉는 사람처럼 말하는 남편의 태도가 화가 나서 눈에 힘을 주고 날카롭게 쏘아붙였다.

"어떻게든 되겠지요, 우리 여태껏 안 해본 고생이 없는데 뭘들 못하겠어요. 시골에서 농사짓고 살아도 되고요. 우선 안전한 곳부터 찾고, 그다음에 먹고 살 걱정을 하는 게 맞지 않아요?"

내가 작정하고 쏘아붙여서일까? 남편이 잠시 생각하는 듯 시선을 바닥으로 떨어뜨리다가 다시 눈을 크게 뜨고 내 눈을 똑바로 쳐다본다.

"그럼 학교는?"

참나, 이 남자 원래 이렇게 걱정이 많은 사람이었나?

"우리 아들 받아줄 학교 하나 없겠어요? 도시는 이제 우리가 살 곳이 못 돼요."

마지막 말을 내뱉고 갑자기 슬퍼졌다. 더 나은 삶을 살아보겠다고 꾸역꾸역 버티며 살았던 우리인데, 이렇게 하루아침에 모든 걸 버리고 갈 생각까지 하게 될 줄 누가 알았겠는가? 나는 매일 똑같은 하루가 답답하기만 하고 불만투성이였는데, 그런 생활도 이제 더는 할 수 없게 되는 걸까?

한 달 전 그 사건이 생기지만 않았더라면…
그날을 떠올리자 눈물이 한없이 쏟아졌다.

"여보, 아침 드세요. 상태야, 세수하고 와. 아침 먹자!"
밥그릇에 밥을 퍼 밥상 위에 올린다. 김이 모락모락 나는 된장국을 국그릇에 담으려는데 방문이 열리며 잠이 덜 깬 아이가 방에서 나와 슬리퍼를 신고 터벅터벅 밖으로 걸어나간다. 국을 그릇에 가득 담아 상위에 올린 후 밥상을 들어 방안에 내려놓는다. '찰그락' 숟가락과 젓가락이 밥상 위에서 요란스럽게 부딪힌다. '턱. 턱.' 슬리퍼를 벗어던지고 방으로 들어가자 남편이 부엌으로 들어온다.
"이그."
세수를 하고 온 남편이 몸을 구부려 내가 던지듯 벗어버린 슬리퍼를 가지런히 정리한다. 다시 몸을 펴 곧은 자세로 슬리퍼에서 가지런히 두 발을 빼고 방으로 들어온다. 차가운 물에 세수를 해서 하얀 얼굴이 더 하얘진 상태가 뒤따라 들어온다. 얼굴이 차가워 못 참겠다는 듯 인상을 잔뜩 찌푸리고는. 추운 겨울마다 밖에 있는 화장실에서 세수하는 게 제일 불만인 아들이다.
"늦겠다. 어서 먹어."
"후~후~ 쓰읍."
"준비물은 잘 챙겼어?"
"오늘 준비물 없어요."
"학교 끝나고 오락실 가지 말고 바로 집에 와."
"네."

상태는 요즘 들어 말수가 부쩍 줄어들었다. 남편은 말이라고는 자기 필요한 말만 하는 사람이라, 그나마 물으면 대답은 잘하는 아들에게 이것저것 자주 물어보며 그것도 대화라고 살고 있는데, 요즘 조금 컸다고 묻는 말에 대답이 짧다. 대여섯 숟가락에 끝나는 두 남자의 아침 식사가 끝났다.

"학교 다녀오겠습니다."

책가방을 메고 도시락과 실내화 가방을 들고 맨손으로 나가는 아이를 발견한다.

"목도리랑 장갑 끼고 나가."

"답답해요."

식사를 끝낸 남편이 방을 나간다. 혼자 남아 먹던 밥을 마저 먹고, 밥상을 치우고 설거지를 한다. '쏴아' 차가운 물이 손에 닿자 손끝에서부터 차가운 기운이 팔을 타고 온몸으로 전해진다. 기껏 따순 밥 먹으며 속을 데워놨는데, 다시 몸속까지 추위가 가득 찬다.

설거지를 마치고 마당을 지나 세탁소로 들어가 보니 남편이 인상을 쓰며 어젯밤에 받아온 세탁물을 확인하고 있다. 꼭 저리 인상을 써야 하나….

남편은 세탁 일이 정말 천직인듯싶다. 지독히도 깔끔한 성격인 사람이 말끔히 세탁된 옷들을 보면 얼마나 기분이 좋을까? 옆에서 지켜보면 받아온 세탁물을 확인하고, 그것들을 분류하고 깨끗이 세탁해서 정성껏 다리는 그 모든 움직임이 숨 막힐 정도로 정확하다. 한 치의 흐트러짐도 없는, 불필요한 행동들은 하지 않는 기계적인 움직임이다. 그 옆에 하루 종일 있자니 숨이 막혀 라디오라도 틀고 있으면, 얼마 지나지 않아 시끄럽다고 하는 남자다.

그래도 오늘도 라디오를 켠다. 조용필의 '창밖의 여자'가 흘러 나온다.

'창가에 서면 눈물처럼 차오르는 그대의 흰 손 돌아서 눈 감으면 강물이어라 한줄기 바람 되어 거리에 서면 그대는 가로등 되어 내 곁에 머무네.

누가 사랑을 아름답다 했는가~ 누가 사랑을 아름답다 했는가~'

오늘따라 노래 가사가 가슴에 꽂힌다. 정말이지 누가 사랑을 아름답다 했는가?

나도 모르게 노래를 따라 부르다가 뒤통수가 따가워 노래를 멈추고 시계를 본다. 괜히 무안해 헛기침을 한번 하고는 방으로 들어가 옷을 챙겨 입는다. 거울을 보며 부스스한 머리를 대충 메만진다. 봄엔 파마를 좀 해볼까? 목도리도 두르고 장갑을 끼고 밖으로 나간다.

'딸랑 딸랑'

차가운 공기들이 얼굴에 달려들어 붙는다. 얼굴 전체에 금세 얇은 얼음 막이 깔린 것처럼 차가워진다. 몸을 움츠리려다가, 걸음을 멈추고 가슴을 쫙 펴고 숨을 깊게 들이마셔본다. 차가운 공기가 콧속을 지나 일부는 머리로 나머지들은 목을 타고 들어와 가슴속으로 시원하게 전해진다. 주머니에 손을 넣고 다시 길을 걷는다.

시장 가는 길은 나에게 아주 큰 즐거움이다. 하루 종일 다리미 냄새와 기름 냄새 가득한 답답한 세탁소에 있다가 시장 가러 밖을 나오면 가슴이 뻥 뚫리는 기분이다.

반찬 고민을 하며 걷다 보니 금세 시장에 도착했다. 안으로 들어서니 따뜻한 온기로 바짝 들어가 있던 몸의 힘이 풀어진다. 떡볶이 냄새, 튀김 냄새, 반찬 냄새, 빵 냄새, 생선 냄새가 시장 안을 가득 채우고 있다. 올 때마다 쳐다보게 되는 고운 꽃이 수놓아져 있는 보드랍고 포근해 보이는 이불을 오늘도 어김없이 쳐다보며 이불 가게를 지나간다. 생선가게를 지나 채소가게로 가니 반가운 냉이가 나와 있다.

"어머, 냉이가 나왔네요."
"네, 이제 추위도 곧 끝나려나 봐요."
늘 웃는 모습으로 반겨주는 아주머니의 따뜻한 말에 기분 좋은 미소를 지어본다.
"두부랑 콩나물 주세요."
"찌개 끓여 먹을 건가 봐요."
"네, 김치찌개 끓이려고요. 며칠 된장찌개만 먹었더니 칼칼한 게 먹고 싶어서요."
"아이고, 맛나겠어요."
주머니에서 삼백 원을 꺼내어 건넨다.
"여기요."
아주머니의 미소에 기분이 좋아진다.
"추운데 조심히 들어가요"
"네, 안녕히 계세요."

시장 안쪽 슈퍼로 들어가 아들이 좋아하는 어묵과 소시지를 사들고 나와 다시 집 쪽으로 몸을 돌리려는데, 달콤한 군고구마 냄새가 발걸음을 붙잡는다. 잠시 서서 군고구마 냄새를 맡으며 살지 말지 한참을 고민하다가 옆에 있는 뻥튀기 과자를 하나 집어 든다.
"이거 하나 주세요."

'바스락 바스락'

걸을 때마다 과자 봉지 소리가 요란하다. 달콤한 군고구마 냄새가 멀어진다.

'딸랑 딸랑'

"으, 추워."

몸을 떨며 들어가자 남편이 힐끔 한번 쳐다보고는, 다시 하던 일을 한다. 익숙한 냄새를 맡으며 마당을 지나 부엌으로 들어간다. 냉장고에서 김치를 꺼내 냄비에 담고, 물을 부어 가스레인지에 올린다. 가스불을 켜고는, 봉지에서 두부를 꺼내 도마 위에 올려놓고 썰어 냄비에 넣는다. 콩나물을 꺼내어 물에 담가놓고, 다른 냄비를 꺼내어 물을 부어 가스불에 올려놓고 불을 켠다. 콩나물을 삶아 재빨리 찬물에 헹군 뒤 소금과 참기름을 넣어 조물조물 무친다. 보글보글 김치찌개가 끓는다. 금세 시큼한 냄새가 가득 찬다.

"점심 드세요."

한참 후, 남편이 들어온다. 하던 일을 다 마무리해야 들어오는 사람이다.

밥을 먹다 말고 정적을 참지 못하고, 또 입을 뗀다.

"요즘 상태가 부쩍 말수가 줄었어요."

"사내자식이 다 그러지 머."

"시장에 갔더니 냉이가 나왔더라고요. 겨울도 이제 끝나가나 봐요."

대답을 바라고 말하는 건 아니다. 남편은 이런 일상적인 얘기에는 거의 답이 없는 편이다. 늘 남편 마음에 들지 못할까 눈치를 보는 게 싫어 뭐라도 배워야지, 하고 수선 일을 배웠다. 그나마 수선 일을 하며 조금이라도 가게에 도움이 되니 나도 좀 덜 눈치를 보고 남편도 덜 까칠하게 구는 것도 같다.

　그렇게 살아온 게 벌써 13년이다. 이제 좀 살만하니 이렇게 투정만 느는 게 사람인가 싶다.

　다 먹은 점심상을 치우고 설거지를 하고 나가서 수선 일을 시작한다. 요즘은 수선 일이 많지는 않다. 오늘은 바지 수선 하나와 담뱃불에 그을려 구멍이 난 점퍼 수선이 있어 일을 시작한다. 라디오를 튼다. 나도 남편만큼은 아니지만 그래도 꼼꼼한 성격이라 수선 일이 제법 잘 맞고 꽤 잘하는 편이다. 한 번 수선을 맡긴 손님은 거의 다시 나에게 오곤 한다. 그럴 때 참 기분이 좋다. 수선을 마치고 시계를 본다. 학교 수업 끝난 지 한참 지났는데 상태가 집에 안 온다.

　'이 녀석, 오락실 가지 말라니까'

　'딸랑 딸랑'

　"바지 수선 다 됐죠?"
　"아, 네. 다 됐어요."
　손님이 수선된 바지를 꼼꼼히 살펴보고는 나쁘지 않다는 듯 살짝 웃어 보인다.
　"얼마예요?"
　"사백 원이에요."
　"여기요."
　"고맙습니다."
　"안녕히 계세요."
　"안녕히 가세요."

　'딸랑 딸랑'

칙칙. 탁탁. 쓱쓱. 탁탁. 쓱쓱

남편이 세탁물을 다릴 동안 부엌으로 가서 저녁에 먹을 쌀을 씻어 밥을 안친다. 세탁소로 나와서 남편과 같이 저녁 배달 나갈 세탁물들을 챙긴다.

동네에 몇 년 전부터 아파트들이 하나 둘 생겼다. 새로 생긴 아파트에 부부가 같이 일을 나가는 집들이 우리에겐 아주 중요한 손님이다.

퇴근 후 그들이 집에 돌아왔을 시간에 맞추어 저녁 배달을 나간다.

'딸랑 딸랑'

상태가 집에 들어왔다.

"너 엄마가 오락실 가지 말라고 했지."

"오락실이 집보다 따뜻하잖아요."

"이그, 기다려. 연탄 피울 테니깐."

연탄을 피우고 저녁밥을 차린다. 남편과 나는 서둘러 밥을 먹고 아직 밥을 다 먹지 않은 아이를 두고 몸을 일으킨다.

"밥 다 먹고 숙제부터 하고 놀아."

"네."

"갔다 올게."

"네."

'딸랑 딸랑'

문을 열자 어두워진 길가에 하얀 눈송이들이 떨어지며 가로등 불빛에 비춰 반짝거린다. 그 모습이 예뻐 그대로 멈춰서 한참을 떨어지는 하얀 눈을 쳐다봤다.

"안 나가?"

"눈이 와요."

입에서 하얀 입김이 나온다.

"올 겨울에는 눈이 자주도 내리네요."

남편은 대답 대신 서둘러 걷기 시작한다. 나도 따라 걷는다. 남편의 뒷모습을 바라본다.

조용하고 성실한 모습에 결혼을 결심했지만, 깐깐하고 말 수 없는 남편은 살아보니 참 재미가 없다. 저리 깔끔하고 꼼꼼하니 내가 하는 모든 것이 성에 안 차겠지.

내가 하는 것들을 마음에 안 들어 한다는 건 대놓고 말하지 않아도 알 수가 있다. 그렇다고, 나도 나대로 너무 깔끔을 떠는 당신이 못마땅하다고 한소리하고 싶지만, 세탁소 일을 하다 보니 대놓고 싸울 수도 없다. 그래도 누구처럼 술 마시고 여자 만나 속 썩이지 않아 다행이라고 참고 살지만, 가끔은 차라리 술 마시고 여자 만나는 남자가 더 낫겠다 싶을 때도 있다.

동네 철물점 남편은 매일 술을 퍼마시고 와서 와이프가 못 살겠다고 하소연을 해대지만, 시장 가는 길에 철물점을 지나다 보면 늘 이런저런 말소리가 끊이지 않고 들린다.

가끔은 아저씨가 사람 좋게 크게 웃으며, 떠들어대는 소리가 부럽기도 하다. 남편과 눈 오는 길을 걸으며, 다른 집 남편이나 부러워하는 내가 우스워 하늘에서 떨어지는 눈을 잠시 바라보고는 한숨을 크게 쉬고 다시 눈 오는 길을 조용히 걷는다. 그러다 세탁물이 젖을 까 걱정되어 세탁물을 한번 쳐다보고는 발걸음을 빨리한다.

남편과 아파트에 도착해 각자 맡은 동으로 말없이 흩어진다. 가져온 세탁물들을 모두 배달하고 마지막 집이다.

이 집도 세탁물을 가져다주면 늘 새로운 세탁물을 주는 집인데, 아직 집에 오지 않았다.

'눈이 와서 길이 막히나….'

시계를 보니 7시다. 조금만 더 기다려 보자. 창밖으로 내리는 눈을 보며 잠시 가다리다 보니 손님이 복도에 들어선다.

"어머, 저희 기다리신 거예요?"

"아, 아니요. 좀 전에 왔어요."

"어머, 감사해요"

"자, 여기요."

"네, 맡길 옷 금방 가지고 나올게요."

"네, 천천히 하세요."

남편은 공무원에 아내가 국민학교 선생님인 집이다. 상태가 국민학생인 걸 아시고는, 늘 우리에게 세탁물을 맡겨주시는 고마운 분들이다.

"여기요."

"네. 감사합니다."

"아닙니다."

"그럼 들어가세요."

"네. 눈 오는데 조심히 들어가세요."

서둘러 계단을 내려오니 입구에서 남편이 기다리고 있다.

"303호 집이 늦게 와서 기다렸다 오느라 늦었네요."

남편이 내 손에 있던 세탁물을 받아든다. 눈이 제법 내린다. 가로등 불이 더 힘껏 우리를 비춰주고 있다.

'딸랑 딸랑 '

"으, 춥다."

몸에 남아있던 추위를 털어내며 방으로 들어갔다.

그런데 밥상이 엎어져 있고, 그릇들과 남은 음식들이 바닥 여기저기에 있고, 아이는 팔을 뻗은 채 바닥에 쓰러져 있다. 허겁지겁 방으로 들어가며 소리쳤다.

"상태야!"

아이를 세게 흔들어 보았지만 반응이 없다. 아이의 몸을 돌려보니 입 주변에 하얀 게 묻어있다.

"상태야! 상태야!"

상태의 몸을 세게 흔들었다. 계속해서 아이를 흔들고 볼을 때려 보아도 반응이 없다.

"여보! 여보!"

세탁소까지 들리도록 크게 소리를 쳤다.

남편이 급히 뛰어들어온다.

"무슨 일이야?"

"상태가 기절해있어요. 어떻게 해, 여보!"

"상태야! 상태야!"

남편이 아이의 볼을 때려보지만 눈을 뜨질 않는다.

"혹시, 연탄가스를 마신 걸까요?"

"연탄가스?"

아무래도 상태가 심각한 것 같다.

"여보, 119에 신고해요."

"119? 어, 그래."

남편이 서둘러 전화기 앞으로 갔다.

"119죠, 아이가 입에 하얀 거품이 묻히고 쓰러져있어요. 아니요, 눈도 못 뜨고 있습니다. 네. 여기 봉천동, 성실 세탁소입니다. 네, 네, 아네,,,. 그럴게요."

남편이 전화를 끊고 급히 몸을 일으켜 창문을 연다.

"금방 올 거래."

"여보, 수건에 물 좀 묻혀 와봐요."

남편이 서둘러 부엌으로 나가 수건에 물을 묻혀와 건넨다. 수건을 받아 아이의 얼굴과 목을 계속 닦아주었다.

"상태야, 제발 눈 좀 떠봐라. 상태야"

계속해서 흐르는 눈물 때문에 아이를 보기가 힘들었다. 눈물을 닦아가며 아이를 흔들고 또 흔들었다.

제발, 제발, 눈만 떠라.

그때 아이가 희미하게 눈을 뜨는 게 보였다.

"상태야!"

계속해서 아이의 볼을 쳤지만 아이가 다시 눈을 감으려고 한다.

"잠들면 안 된다! 눈 떠라, 눈 떠!"

볼을 세게 몇 번 치고, 다시 물수건을 대어주고, 또다시 볼을 쳐가며 눈을 뜨게 했다.

남편도 계속 상태를 불러댔다.

"상태야! 정신 차려봐!"

떨리는 목소리로 이름을 계속해서 부르며 흐르는 눈물을 닦아가며 아이에게서 눈을 떼지 않고, 구급차가 오기만을 기다렸다.

"애 손이랑 발이랑 좀 주물러봐요."

남편이 서둘러 아이의 손과 발을 주무른다.

'삐뽀 삐뽀'

구급차 소리가 들린다.

"왔나 봐요!"

남편이 급히 뛰쳐나간다.

"여깁니다, 여기!"

요란한 발소리를 내며 구급 대원들이 들어와 아이의 상태를 살피며 물었다.

"언제부터 이런 건가요?"

"저희가 6시 정도에 연탄을 피우고 저녁밥을 먹고 세탁 배달을 다녀왔는데, 와서 보니 아이가 쓰러져있었어요."

"아이가 원래 앓던 병이 있을까요?"

"감기도 잘 안 걸리는 건강한 아이에요."

소방대원이 부엌으로 나가 연탄을 피우는 곳을 보고 왔다.

"연탄가스를 마신 것 같습니다. 큰 병원으로 이송하겠습니다."

"제발 우리 아들 살려주세요."

구급 대원은 아이를 서둘러 업고 밖으로 나갔다. 업혀 가는 몸이 축 늘어져 있다. 아이를 침대에 눕혔다. 나와 남편도 서둘러 구급차에 올라탔다.

"상태야, 눈 떠봐. 이제 병원에 갈 거야. 좀만 버텨. 좀만 참아, 알았지?"

놀란 가슴이 진정되지 않고 계속해서 터질 듯이 뛰었다. 아이의 손을 잡으려고 뻗은 손이 떨렸다. 아이의 손을 잡고 울며 마음속으로 엄마에게 기도했다.

'엄마, 상태 살려줘, 무조건 상태 살려줘. 엄마, 듣고 있지? 상태 잘 못 되면, 나 안돼. 그러니깐 엄마가 상태 살려줘.'

아이가 잘 못 되면 어떻게 하지? 남편만 보내도 되는데 조금이라도 빨리 끝내겠다고 굳이 왜 나갔을까? 그 시간에 숙제나 좀 봐줄걸. 이 인간 뭐가 이쁘다고 같이 나갔을까.

나 자신을 용서할 수 없을 것 같다. 흔들거리는 구급차 안에서 크게 울려대는 사이렌 소리와 아이가 잘 못 될까 하는 두려움과 빠르게 뛰는 심장으로 정신이 하나도 없었다.

정신 바짝 차리자. 나까지 정신 못 차리며 안된다. 무조건 정신 똑바로 차리자. 누워있는 아이를 바라보며 굳게 다짐했다.

정신없이 달리던 구급차가 멈췄다.

문이 열리고 구급 대원들이 빠르게 아이를 안으로 옮겼다. 나와 남편도 서둘러 따라 들어갔다. 아이를 태운 침대를 이동하면서 의사가 말했다.

"아이가 의식이 없어 바로 고압 산소치료를 받아야 합니다."

"네? 그게 뭐죠?"

"가스중독으로 뇌에 산소 공급이 안 되었을 거예요. 고압 산소를 공급해 최대한 뇌가 빨리 정상적으로 활동할 수 있게 하는 치료입니다."

"네, 선생님. 제발 우리 아들 살려만 주세요."

치료실 안으로 들어간 아이를 애타는 마음으로 바라봤다. 의사는 아이를 하얀 통 안으로 넣어 버튼을 눌러 기계를 작동시키고 치료실에서 나왔다. 기계 돌아가는 소리가 시끄럽게 들렸다. 유리창 속 아이의 모습을 놓치지 않고 보고 있었다.

숨이 잘 쉬어지지 않고 눈물이 하염없이 쏟아져 나왔다. 울음소리를 참아내느라 몸이 떨리고 있었다.

한참 후 시끄러운 소리가 멈추었다. 모두들 숨소리조차 내지 못하고 유리창만 들여다보고 있었다. 시간이 얼마나 흐른 걸까? 점점 초조해지고 있을 때쯤 간호사가 소리쳤다.

"아이가 눈을 떴습니다."

큰 소리로 아이의 이름을 부르며 오열했다.

"상태야!"

유리창 속 아이가 한참을 멀뚱히 있더니 눈을 여러 번 감았다 떴다 하더니, 고개를 좌우로 움직인다. 그제야 길게 숨을 들이마셨다.

'감사합니다.'

간호사가 아이를 조심스럽게 침대에 옮겼다. 의사가 아이의 상태를 자세히 살피고는 한결 편안한 표정을 지어 보였다.

"다행히 의식이 돌아왔습니다. 조금만 늦었어도 큰일 날 뻔했습니다."

안도의 한숨을 쉬며 고개를 여러 번 숙여 인사를 했다.

"감사합니다. 정말 감사합니다."

"아드님에게 가 보셔도 됩니다."

"네, 선생님."

흐르던 눈물을 닦고 심호흡을 하고 상태에게 갔다.

"상태야, 엄마 왔어."

"여기 어디예요?"

"여기 병원이야."

"병원에 왜 왔어?"

"상태가 연탄가스를 마셔서 기절했었어. 기억 안 나?"

"응?"

"미안해. 엄마가 상태 혼자 두고 가는 게 아닌데⋯."

눈물을 흘리며 누워있는 아이의 얼굴을 계속 쓰다듬었다.

살아줘서 고마워. 살아줘서 고마워.

남편이 아이의 손을 잡는다.

"상태야, 괜찮아?"

아이가 고개를 끄덕였다.

"다행이다, 다행이야."

남편이 안도의 한숨을 내쉬었다. 아이의 손을 계속 만지고 또 만졌다.

'고맙습니다. 고맙습니다.'라는 소리만 계속해서 나왔다.

다행히 병실이 남아 있어 바로 입원할 수 있었다. 벌써 시간은 12시가 넘어 있었다. 엘리베이터에서 내리자 이미 복도부터 조용했다.

병실에는 불이 꺼져있고 모두 잠이 들어 있었다. 아이를 침대에 눕히자 그제야 긴장했던 몸에 힘이 풀리기 시작했다.

침대 옆에 앉아 한 손은 상태의 손을 잡고 한 손은 상태의 이마를 쓰다듬었다. 병실이 낯선지 아이는 계속 멍하게 누워있었다. 그러다 피곤했는지 금세 잠이 들었다. 남편에게 밖으로 나가자고 손짓을 하고 복도로 나갔다.

"여기서 둘 다 잘 수는 없을 것 같아요. 오늘 밤 제가 여기서 잘 테니 당신은 집에 가서 주무세요."

"아니야, 내가 여기서 잘게."

"상태 옆에 있고 싶어서 그래요."

"내일 낮에 세탁 일은 어쩌고, 내가 여기서 자고 당신이 내일 낮에 병원에 있어."

"아, 그러네요. 알겠어요. 그럼 오늘 밤엔 당신이 병원에서 자는 걸로 해요."

"그래, 걱정 마."

무거운 발걸음을 떼어 병원을 나왔다. 다행히 병원 앞에 택시가 한대 서 있었다.

"봉천동으로 가주세요."

"이 늦은 밤에 누가 아파서 병원에서 나오세요?"

"아이가 연탄가스를 마셔서 구급차에 실려왔네요. 이제 괜찮아져서 남편이 병원에서 자고, 저는 집으로 가려고요."

"아이고, 큰일 날 뻔했네요."

"네, 얼마나 다행인지 몰라요."

"많이 놀랐겠네요."

"네. 많이요."

저녁에 내리던 눈은 그치고 까만 새벽 거리에 가로등불이 반짝반짝 예쁘게 빛났다.

엄마 생각이 났다.

'엄마, 고마워. 상태 살려줘서 고마워 엄마.'
그리고 신에게도 감사를 드렸다.
'고맙습니다. 고맙습니다.'

지난밤 무슨 일이 있었냐는 듯 아침이 찾아왔다. 밤새 놀라고 긴장한 탓인지, 몸 여기저기가 쑤신다. 상태가 태어나고 집에서 혼자 자본 적은 처음인 것 같다. 답답하게만 느껴졌던 집이 남편과 아이가 없으니 고요하고 허전한 느낌이다.

아주 가끔, 혼자만의 공간, 시간을 꿈꿨던 적이 있었는데 이런 느낌의 혼자는 아니었나 보다. 아침밥을 먹고 남편이 와서 먹을 밥도 차려 놓고 상태를 보고 싶은 마음에 서둘러 버스를 타러 갔다. 버스에서 내려 병원에 들어가기 전 슈퍼에 들러 요구르트를 사서 병원에 들어갔다. 차분하고 조용한 공기가 어제와는 다른 느낌이다.

내 마음도 어제는 지옥 같았는데, 오늘은 다시 태어난 기분까지 든다.

병실로 들어서니 아이는 아직 자고 있고 남편은 벌써 준비를 다 하고 나를 기다리고 있다.

"밤새 별일 없었어요?"

"응."

"어서 가요, 밥 차려 놨으니 식사하시고요."

"그래, 수고해."

남편이 나가자 간이침대에 앉아 곤히 잠든 아이의 모습을 한참을 바라보았다. 다 컸다 생각했는데 아직 아기 모습이 남아 있네. 그래도 많이 컸다. 귀여운 아기였을 때가 엊그제 같은데, 이제 이 모습도 곧 사라지겠지….

드르 드르륵…틱 복도에서 시끄러운 소리가 나자 병실 안 사람들이 하나 둘 깨어나기 시작했다.

탁. 누군가 병실 불을 켜고 크게 소리치며 들어왔다.

"아침식사 나왔습니다."

침대에서 하나 둘 환자들이 몸을 일으키고 보호자들이 식판을 올려놓을 식탁을 펴는 소리가 여기저기에서 난다.

"상태야, 일어나. 아침 먹자."

조심히 흔들어 깨우자 상태가 겨우 눈을 뜬다. 건너편 침대에서 하는 모습을 보고 나도 따라서 식탁을 펴고 식판을 받이 올려놓았다.

"잘 잤어?"

몸을 일으킨 상태는 주변을 멍하니 쳐다보더니 묻는다.

"여기 어디야?"

"병원이지, 어제 병원 왔잖아. 기억 안 나?"

"…."

"정신이 하나도 없었지? 배고프겠다, 얼른 아침 먹자."

식판을 잠시 쳐다보더니 배가 고팠는지 별말 없이 식사를 맛있게 먹는다.

다 먹은 식판을 복도에 내놓고 와서는, 아침에 사 온 요구르트를 꺼냈다.

"상태야, 엄마가 요구르트 사 왔어."

'톡'

빨대를 꼽아 요구르트를 건넨다. 평소 좋아하던 요구르트를 시큰둥하게 받아서는 쪽쪽 빨아먹는다.

"상태야, 엄마 학교에 전화하고 올게."

선생님께 지난밤 벌어진 일을 설명하고, 퇴원하는 대로 등교시키겠다는 말을 하고 병실로 돌아왔다.

조금 있자 의사선생님이 병실로 오셨다. 병실에 있는 다른 환자들을 보고 맨 마지막으로 상태를 보러 오셨다.

"환자분, 좀 어때요?"

"잘 자고 일어나서 아침도 잘 먹고, 괜찮아 보여요."

"그래요, 특별히 불편하거나 한 것도 없고요?"

"네, 아직 기운이 좀 없어 보이긴 해요."

"수액을 조금 더 맞고 오후까지 좀 지켜보도록 할게요."

"네, 선생님."

의사선생님이 가시고 화장실에 다녀와서는 아이와 복도를 걸어 다녔다.

환자와 보호자, 간호사들이 뒤섞여 복잡하면서도 조용한 여기저기를 찬찬히 둘러보았다.

걷다 보니 비어 있는 의자가 보여 아이를 앉히고 나도 옆에 앉았다. 아이의 손을 꼭 잡고 쳐다봤다.

"상태야, 엄마가 미안해."

"응?"

"엄마가 상태 두고 혼자 나가는 게 아니었어. 이제는 엄마가 상태 혼자 두고 어디 안 나갈게. 미안해."

"응."

한참을 의자에 앉아 지나다니는 사람들을 봤다. 벌써 점심시간인가보다. 점심 식사를 실은 카트가 복도로 들어왔다.

"점심 나오나 보다. 들어가자."

"응."

상태는 점심밥을 다 먹고는 졸린 듯 멍해 보인다.

"나 졸려."

"어, 그래. 어서 자."

아이가 잠든 사이 매점에서 빵과 우유를 사서 먹고, 자판기에서 커피 한 잔을 뽑아 의자에 앉았다.

달콤한 커피향을 맡으니 마음이 편안해지고 피곤함도 조금 사라지는 것 같다. 종이컵을 코에 가져와 한참을 커피 냄새를 맡았다. 평소라면 세탁소 안에서 기름 냄새와 다리미 냄새를 맡고 있을 시간인데, 여기 앉아 커피 냄새를 맡고 있다니, 좀 이상했다.

매일 집과 세탁소에만 있다가 비록 병원이지만, 사람 많은 곳에 오니 그들을 보는 것만으로도 기분이 새로운 게 시간 가는 줄 모르고 앉아 있었다.

아이가 일어났을 것 같아 다시 병실로 들어갔다. 잠에서 깬 아이는 침대에 앉아 링거가 꽂힌 손을 가지런히 허벅지 위에 올려놓고 멍하니 앉아 있다.

"일어났어?"

"응."

"화장실 가고 싶어?"

"응."

"잠깐만."

링거를 한 손에 들고 아이가 침대에서 내려올 수 있게 부축해 주었다. 화장실에 다녀와서는 아이를 눕히고 몸을 주물러 주었다.

"상태야. 가만히 있으니 답답하지?"

"응"

"집에 가고 싶어?"

"응, 집에 가고 싶어."

"그래. 이따가 선생님 오시면 집에 가도 되는지 물어보자."

아이가 고개를 끄덕인다.

선생님이 오셨다.

"환자분. 좀 어떤가요?"

"괜찮은 것 같아요. 잠도 푹 잤고 밥도 잘 먹었어요. 그런데 아이가 병실에 있는 게 힘든지 집에 가고 싶다고 하는데, 퇴원 해도 될까요? 집에 가서 일도 해야 해서요."

"며칠 더 지켜보면 좋겠지만, 아직까지 특별한 증상이 나타나지 않았으니 집에 가셔도 될 거 같네요."

"네, 선생님. 고맙습니다."

선생님이 나가시고 조금 있다 남편이 왔다.

"퇴원해도 된대요."

"그래. 다행이네."

아이의 손을 꼭 잡고 병원을 나왔다. 병원 밖으로 나온 아이는 잠시 서서 거리를 쳐다보았다.

"밖에 나오니까 좋지?"

아이가 고개를 끄덕인다.

"그래, 어서 집에 가자."

버스에 올라탔다. 버스 밖으로 보이는 풍경들이 어딘지 모르게 새롭다. 아이도 오랜만에 버스를 타서인지 내 손을 꼭 잡고 집에 가는 내내 창밖을 쳐다봤다. 버스에서 내려 집으로 걸어가는 길은 너무나 익숙한 길인데 오늘따라 새롭고 더 활기차게 느껴졌다.

우리 동네가 이렇게 예쁜 동네였나? 기분 좋은 걸음으로 집으로 향했다. 세탁소로 들어가 익숙한 냄새를 맡으니 마음이 편안해졌다. 집에 오자마자 아이가 좋아하는 달걀옷을 입힌 소시지를 구워 저녁상을 차렸다. 다 같이 먹는 저녁 식사 시간이 참 평화롭고 행복했다.

오랜만에 기분 좋은 잠을 청했다.

다시 평범했던 일상으로 돌아왔다. 아침밥을 차리고, 도시락을 싸서 학교를 보내고, 장을 보고 세탁소 일을 하고, 또다시 밥을 차리는 반복적인 일상이다. 이제 배달은 남편 혼자 다닌다. 그렇게 며칠이 흘렀다. 상태는 말 수가 더 줄었고, 계속 멍한 모습을 보였다.

며칠이나 지났을까? 어느 날 수선 일을 하고 있는데 전화벨이 울렸다.

"따르릉 따르릉"

"여보세요."

"저는 관악 경찰서 김성철 경관입니다. 이상태 군 집 맞나요?"

"네. 그런데요."

"지금 여기 은천 병원입니다. 상태 군이 택시를 들이받아서 병원에 와 있습니다."

"네에? 그게 무슨 말씀이시죠? 택시를 들이받다니요."

이해할 수 없는 말에 너무 놀라 소리를 지르듯이 물었다.

"그게, 아이가 갑자기 택시로 달려오더니 머리를 들이받았다고 해요."

"네에?"

"병원으로 오셔서 이야기 나누시죠. 지금 바로 은천 병원으로 오실 수 있지요?"

"네? 그런데 우리 아들은 괜찮나요?"

"병원에서 지금 막 치료를 끝냈습니다."

"알겠어요. 은천병원이라고요? 지금 바로 갈게요."

"무슨 전화야?"

"여보, 상태가 택시를 들이받았다는데, 도무지 무슨 소린지 모르겠어요."

"택시를 들이받다니 그게 무슨 소리야!"

"나도 모르겠어요. 병원으로 가봐야 알 것 같아요."

남편과 서둘러 병원으로 출발했다. 대체 이게 무슨 상황이지? 교통사고가 났다는 건가? 걱정이 되어 심장이 빠르게 뛰기 시작했다.

병원에 도착해 보니 상태가 얼굴에 붕대를 두르고 멍하니 의자에 앉아 있다.

"상태야!"

"상태 군 보호자 되십니까?"

"네."

"관악 경찰서 김성철 경관입니다."

"아, 네, 안녕하세요."

"상태 군이 갑자기 택시 앞으로 달려오더니 피가 날 때까지 머리를 박았다고 합니다."

"우리 상태가 달려가서 택시를 박았다고요?"

그때 택시 기사 아저씨가 끼어들었다.

"아니, 갑자기 아이가 제 차로 달려오더니 본내트에 머리를 박기 시작했다고요. 증인도 있어요. 대낮에 아이가 택시로 달려와 피가 나도록 머리를 수차례 들이받는데 본 사람이 어디 한둘이겠습니까?"

"상태야, 진짜야? 진짜 상태가 그랬어?"

상태가 아무 말이 없다.

"상태야, 말을 해야지, 상태가 진짜로 택시로 달려가서 머리를 박은 거야? 피가 나도록?"

"응, 근데 나 하나도 안 아파."

"그게 무슨 소리야, 피가 이렇게 났는데."

"하나도 안 아파, 그래서 계속 박아봤어."

눈을 크게 뜨고 남편을 쳐다봤다. 남편도 당황한 눈으로 나를 쳐다보고 있다.

"아이가 이런 적이 처음인 거죠?"

지금 내가 이렇게 난리 피우는 걸 보면 모르나? 그리고 아이가 겁을 먹고 이렇게 이야기하는 걸 수도 있지 않을까? 여러 가지로 믿을 수가 없어, 다시 상태의 눈을 똑바로 쳐다보았다.

"상태야, 엄마한테 솔직하게 말해도 돼. 진짜로 상태가 머리를 박았어?"

아이가 고민하는 모습 없이 바로 대답한다.

"응, 그냥 갑자기 나도 모르게 그랬어,"

그때 남편이 상태에게 다가갔다.

"상태가 정말 택시로 달려가서 머리를 친 게 맞아?"

"응, 근데 나 하나도 안 아팠다니깐."

남편도, 경찰도, 택시 기사도 상태가 하는 말을 듣고 아무말도 하지 못했다.

"아이에게 최근에 혹시 이상한 일은 없었나요?"

경찰의 물음에 남편의 차분한 대답이 이어졌다.

"아, 아이가 며칠 전에 연탄가스를 마셔서 의식을 잃고 구급차에 실려 병원에 다녀왔습니다."

"연탄가스를 마셨다고요?"

"네."

"큰일 날 뻔 했네요."

모두가 무슨 말을 해야할지 모르고 서 있었는데 경찰이 조심스럽게 입을 떼었다.

"저희도 이런 경우는 처음이라…. 괜찮으시다면 수리비만 청구하고 끝내시는 건 어떨까요?"

"아, 네. 머 그래야겠네요."

택시 기사가 걱정하는 표정을 지으며 상태를 한 번 쳐다본다.

"정말 죄송합니다. 수리비는 당연히 드리겠습니다."

남편이 택시 기사에게 고개를 숙이며 대답했다.

"그럼 수리비 나오는 대로 청구하시는 걸로 하고 마무리 짓겠습니다."

"네, 감사합니다."

병원에서 상태가 검사를 받아볼 수 있도록 접수를 해주었다.

몇 가지 검사를 한 후 진료실에 대기를 하고 있었다. 얼굴에 붕대를 두르고 있는 상태는 여전히 멍하다.

"상태야, 진짜 하나도 안 아파? 정말로?"

"응."

도대체 뭐가 잘못된 걸까? 우리 상태 많이 잘못된 거면 어쩌지? 오만가지 생각이 다 들어 불안한 마음을 아무리 다잡으려고 해도 진정이 되지 않았다.

"이상태 환자분"

"네."

상태를 부르는 소리에 갑자기 긴장이 되었다.

"들어가세요."

숨을 한번 크게 들이 마시고는 진료실로 들어갔다.

문을 열고 진료실로 들어가자 50대로 보이는 점잖은 분위기의 안경을 낀 의사 선생님이 우리를 기다리고 계셨다.

"앉으세요."

상태와 내가 나란히 놓여있는 두 개의 의자에 앉았고 남편은 뒤에 섰다.

"몇 가지 검사를 해 본 결과 상태 군이 연탄가스중독으로 인해 감각장애와 인지장애가 생긴 것 같습니다."

"네? 그게 뭐지요, 선생님?"

"뇌신경의 손상으로 장애가 생긴 것이지요. 우리들이 일상생활에서 느끼는 가벼운 접촉, 통증, 온도, 심하면 자신의 신체

일부가 어딨는지도 알지 못하는 경우를 무감각증이라고 합니다. 상태 군은 그중에서도 얼굴 감각의 장애로 보입니다. 얼굴에서 느끼는 감각이 상실된 것이지요."

의사가 잠시 숨을 고르고 말을 이어갔다.

"그리고 인지장애도 있어 보입니다. 집중력 감소, 기억 손상, 충동성과 의사소통 장애 등이지요. 상태 군이 택시에 뛰어든 것도 충동성에 의해 보인 행동이라고 보시면 됩니다. 상태 군 집중력이 감소하고 기억력이 떨어져 학업에도 문제가 발생할 겁니다."

"아니, 어떻게 그런⋯."

너무 놀라 말을 잊지 못하고 있는데 남편이 낮은 목소리로 묻는다.

"그럼 치료는 가능합니까?"

"현재로서는 통증 장애는 치료가 거의 불가능해 보입니다. 행동장애는 우선적으로 약물치료를 하면서 상황을 지켜봐야 할 것 같습니다."

"아⋯."

"우선 약물치료를 하시면서 일상에서 발생되는 문제들을 조금 더 지켜보며 어떻게 치료할지를 결정해 나가야 할 것 같습니다. 약을 드릴 테니 잘 챙겨 먹이십시오. 그리고 상태 군을 잘 지켜봐 주십시오. 어떤 문제들이 있는지 다음에 오셔서 말씀해 주십시오."

"아, 네."

아, 어떻게 이런 일이. 우리 상태에게 어떻게 이런 일이! 이제 어떡하면 좋을까?

우리 가족은 망연자실한 상태로 병원을 나왔다. 머릿속이 하얘진 나와 멍해진 아들, 그리고 충격을 받은 것 같은 남편. 그

누구도 아무 말도 하지 못하고 버스정류장으로 걸어가 한참을 멍하니 서 있었다.

얼마나 서 있었을까? '빵빵' 갑자기 들린 소리에 정신을 차리고 집으로 가는 버스에 올라탔다. 자리에 앉아 상태의 손을 꼭 잡았다. 눈물이 흘렀다. 창쪽으로 고개를 돌렸다. 고여있던 눈물이 볼을 타고 내려오는 게 느껴졌다. 잠시 내 얼굴에 감각이 없다고 생각을 해 보았다

어떤 느낌인 걸까? 눈을 깜박이는 느낌, 내가 지금 느끼는 눈물이 흐르는 느낌도 상태는 느낄 수가 없게 되는 걸까? 눈물을 닦고 아이를 쳐다보았다.

아이의 볼을 쓰다듬었다. 내 손에 담긴 따스함도 이젠 느끼지 못하는 걸까? 아까보다 더 뜨거워진 눈에서 계속해서 눈물이 흐른다. 다시 고개를 돌린다.

집으로 돌아와 저녁밥을 차리고 넘어가지 않는 밥을 꾸역꾸역 먹었다. 붕대를 감은 아이는 정말 하나도 아프지 않은 것 같았다. 그 어느 때보다도 조용한 식사 시간이었다. 밥을 먹고 설거지를 하고는 아이를 재웠다. 집에 온 후로 아무 말도 없는 남편에게 화가 났다. 한숨을 크게 쉬고는 물었다.

"여보, 우리 아들 이제 어떻게 해요."

"어쩔 수 없지. 지켜보는 수밖에."

"그날 나는 왜 배달을 나가가지고…흑흑."

내가 또 눈물을 보이자 남편이 목소리를 높였다.

"그런다고 없던 일이 되는 것도 아니잖아."

누가 몰라서 그러는 건가? 감당할 수 없는 이 상황을 어떻게 해야 할지 모르겠어서 하는 소리라는 걸 모르고 저러는 걸까? 더 이상 참을 수가 없어 소리를 내질렀다.

"당신은 말을 해도 늘 그런 식이지요. 어떻게 사람이 필요한

말만 하고 산데요? 속상해서 하는 말에 위로는 못 해줄망정 꼭 그렇게 말해야겠어요?"

"당신만 속상해? 나도 속상해."

남편이 소리를 지르자 더 크게 소리 질렀다.

"그럼 그냥 그런가 보다 하면 되지 왜 말을 그렇게 하냐고요."

"내가 뭘 어쨌다고!"

"나 혼자만 난리고 자기는 침착하고 당신은 늘 내가 맘에 안 들죠?"

남편이 어이없다는 표정을 지으며 얼굴을 일그러트린다. 내 얼굴도 이미 일그러질 대로 일그러져있다.

"그건 또 무슨 소리야!"

"늘 당신 눈치 보고 사느라 숨이 막혀요."

남편은 눈이 커져서는 내 얼굴 가까이에 대고 소리친다.

"내가 무슨 눈치를 줬다고!"

나도 눈을 더 크게 뜨고 남편 눈을 쏘아봤다.

"당신이 맨날 집안 구석구석, 내가 해 놓은 모든 것들을 맘에 안 든다는 듯 훑고 인상 쓰는 거 내가 모를 줄 알아요?"

"내가 또 언제 그랬다고!"

"아니라고 하지 말아요. 내가 다 느꼈지만, 나도 참고 넘어간 거라고요."

"됐고, 그만해! 시끄럽게."

맨날 듣는 저 시끄럽다는 소리가 남편 입에서 또 나오자 화가 머리끝까지 올라왔다.

"뭐가 시끄러워요! 사람이 소리를 내고 살아야지. 여기가 무슨 절간도 아니고 왜 맨날 조용해야 하는데요?"

미친 사람처럼 바락바락 소리를 질러대는 나를 보던 남편 얼굴이 일그러지며 두 눈이 터질 듯 크게 뜨며 소리친다.

"난 시끄러운 게 싫어! 시끄러운 게 너무 싫다고!"

남편이 무서운 맹수처럼 으르렁거렸다. 그런 남편의 모습이 낯설고 무서웠다.

"그럼 조용히 산속에서 혼자 살지 뭐 하러 나랑 결혼은 했어요?"

나도 모르게 눈물이 나왔다. 서러움이 몰려왔다. 내 눈물을 보자 남편이 인상을 쓴다.

"시끄러워, 그만해!"

"하여튼 자기 할 말만 하고 내 말은 시끄러운 거지요?"

고래고래 소리를 지르고는 철썩. 바닥에 등을 돌리고 누웠다. 잠이나 자야지. 남편과 이렇게 큰 소리로 싸운 건 처음이다. 떨리는 가슴과 손을 이불로 감싸고 눈을 질끈 감았다.

눈물이 오른쪽 눈을 타고 내려가 베개로 떨어졌다.

'탁'

남편이 문이 부서질 듯 세게 닫고 나가버린다.

어김없이 아침이 밝았다. 어젯밤 울어서 눈이 부었는지 눈이 잘 떠지지 않는다. 몸이 여기저기 쑤시고 무겁다. 일어나지지 않는 몸을 억지로 들어 올린다. 상태를 쳐다봤다. 볼을 만지려다 멈췄다.

"상태야 일어나, 학교 가야지."

아이가 떠지지 않는 눈을 열심히 뜬다. 아이가 씻으러 간 사이 아침밥과 도시락을 준비한다.

"아침 드세요."

남편은 지난밤 싸운 것 때문인지 나를 차갑게 쳐다보고는 밥상 앞에 앉는다.

"오늘 학교에 가 보려고요, 어제 병원에서 들은 이야기도 좀 하고요. 같이 갈 거죠?"

"당신 혼자 다녀와."

길게 한숨을 내쉬었다.

"알았어요. 상태야, 오늘은 엄마랑 학교 같이 가자."

"왜요?"

"선생님한테 드릴 말씀이 있어서."

오랜만에 상태와 같이 학교에 간다. 등굣길 여기저기 아이들의 웃음소리가 가득하다. 이런저런 장난을 치며 등교하는 아이들의 모습이 참 예쁘다. 나도 한때는 저렇게 해맑았던 적이 있었는데, 우리 상태도 저 아이들처럼 평범했는데, 이젠 아닌 건가?

밝게 웃고 있는 아이들을 바라보다 상태의 얼굴을 한번 보고는 미안한 마음이 들어 눈시울이 붉어졌다. 이러면 안 되지. 아이를 교실로 보내고 교무실로 가서 선생님을 찾아뵈었다. 아이에게 그간 있었던 일들을 말씀드렸다.

선생님께서도 상태를 잘 살펴봐 주시겠다고 했다. 죄지은 것처럼 상태를 잘 부탁드린다는 말을 여러 번 하고 나왔다.

겨울이 참 길다. 이젠 봄이 와도 추울 것 같다.

그리고 며칠 뒤, 상태를 학교 보내고 부엌일을 하고 있었다.

"따르릉 따르릉"

전화벨 소리에 화들짝 놀랐다. 빨라지는 가슴을 손으로 누르며 방문을 열었다. 전화를 받기 전 심호흡을 크게 한 번 하고 침착하게 전화를 받았다.

"여보세요?"

"상태 군 집이지요?"

"네, 그런데요."

"상태 담임입니다. 상태가 아침 등교 시간에 3층 계단에서 엎어져서 얼굴에 피를 흘리고는 내려갔다고 하는데, 교실에도 들어오질 않고 어디로 갔는지 모르겠습니다. 상태 혹시 집으로 갔 나요?"

"네? 아니요, 집에 안 왔어요."

"아이고, 어딜 갔을까요? 우선 신고부터 하시지요. 저희도 좀 더 찾아보겠습니다."

"아, 네. 알겠습니다. 선생님."

전화를 끊고는 바닥에 주저앉았다.

"무슨 전화야?"

"상태가 학교 계단에서 엎어져 얼굴에 피를 흘리고는 나가서 교실로 안 들어왔데요. 저는 상태 찾으러 오락실로 가 볼게요, 당신이 신고 좀 해줘요."

"뭐라고? 알았어."

제발 오락실에 있어라. 제발 오락실에 있어라. 온 힘을 다해 달리느라 숨이 턱까지 차올랐지만 속도를 멈추지 않고 뛰어갔 다.

오락실에 도착하자마자 숨을 헐떡이며 힘껏 문을 열었다. 어 둡고 텅 빈 오락실 구석에 아이의 모습이 보인다. 크게 숨을 내 쉬었다. 다행이다.

"상태야!"

상태는 내가 부르는 소리가 들리지 않는 건지 얼굴에 피를 흘린 채 오락실 기계만 쳐다보고 있다.

"상태야, 수업 들을 시간에 왜 여기에 와있어!"

상태 옆에 서자 그제야 나를 한번 쳐다보더니 다시 기계로 눈을 돌린다.

두 손으로 상태의 얼굴을 잡고 상처를 확인한다. 이마에 깊게 파인 벌어진 틈 사이로 빨간 피가 가득 고여있다.

"어서 병원에 가자."

상태의 손을 잡고 일어서 밖으로 나가려고 하는데 남편이 들어온다. 피를 흘리고 있는 상태를 보고 인상을 잔뜩 찌푸린다.

"상태야."

"학교랑 경찰서에 연락해요. 상태 찾았다고. 저는 상태 데리고 병원에 갈게요."

"그래."

병원으로 가는 길은 그동안 내가 다니던 길이 아닌 것 같았다. 이곳에서 이제 어떻게 살아가야 할까? 이곳에서 계속 살 수 있을까? 잘 모르겠다.

치료를 받고 집으로 돌아와 여기저기 망가진 상태의 얼굴을 가만히 쳐다봤다. 코와 눈이 시큰해지더니 눈물이 하염없이 흘렀다.

"상태야, 엄마랑 조용한 시골에 가서 살까?"

상태가 멍한 얼굴로 나를 쳐다본다.

예전에 나의 애정을 필요로 하는 눈동자가 아닌, 아무것도 원하는 게 없는 것처럼 보이는 눈동자가 된 아이의 눈을 한참을 바라본다.

가슴이 아린다.

엄마는 널 위해 어떤 것도 할 수 있어. 엄마도 겁이 나지만 그래도 도망치지 않을 거야. 우리 아들 엄마가 지켜줄게. 그러니까 엄마 옆에만 있어줘. 알았지?

다음날 아침, 일어나 보니 남편이 앉아서 자고 있는 아이 얼굴을 빤히 쳐다보고 있다.

"여보, 우리에게 상태보다 중요한 건 없어요. 당신도 상태 없이는 못 살잖아요. 우리 상태만 생각해요. 네? 약 먹으면서 열심히 치료받으면 좋아질 거예요. 나 혼자는 못해요. 절대로."

남편이 결심한 듯 크게 숨을 내쉬었다.

"그래, 시골로 내려가자."
"그래요, 우리 같이 내려가요."

감각장애

유승주

유승주

　엉뚱하고 특이하고 조금은 특별한 삶을 꿈꾸는 여자.
　아이를 낳은 33살부터 내가 아닌 엄마라는 이름으로
살다 10년이 조금 지난 지금 33살의 나를 다시 소환
해 꿈을 향해 한 발짝 내딛는 중.

'치-익'

버스 문이 요란스럽게 열리자 사람들이 하나 둘 내리기 시작한다. 마지막 사람이 내리면 그제야 몸을 일으켜 버스에서 내린다.

'치-익'

다시 문이 요란스럽게 닫힌다.

오늘은 혼자 버스를 타고 서울에 온 지 다섯 번째 날이다. 조금은 익숙해진 터미널 안으로 조심스럽게 걸어 들어간다.

늘 그렇듯 터미널 안의 사람들은 모두 바빠 보인다. 다들 뭐가 이리 바쁜 걸까? 잠시 서서 바쁘게 움직이는 사람들을 지켜보는데, 한 여자의 진한 노란색 카디건이 눈에 꽂힌다.

저런 노란 옷은 또 처음 본다. 근데 저 노란색 어디서 많이 봤는데, 어디서 봤더라? 기억이 날 듯 말 듯 나지 않는다. 아. 궁금해 미치겠다. 기억해내려 고개를 까닥이며 눈을 꼭 감고 얼굴을 잔뜩 찡그려 기억을 쥐어 짜내본다. 아. 맞다! 엄마가 끓여주신 단호박죽! 그걸 기억해 내다니. 갑자기 너무 기분이 좋아 '하~' 하고 소리를 내어 웃었다.

아, 참. 이러면 안 되지. 정신을 차리고는 바닥을 내려다봤다.

한 곳을 너무 오래 보면 안 된다. 특히 사람을 빤히 쳐다보면 안 된다. 그리고 여자는 더더욱 쳐다보면 안 된다. 엄마가 늘 강조하는 말이다.

그리고 한 곳에 너무 오래 서 있어도 안 된다. 멍하니 서 있지 말라고 엄마가 늘 말했다. 그런데 자꾸만 그 단호박죽 색의 옷을 보고 싶다. 단호박죽 먹고 싶게 저 여자는 왜 저런 옷을 입어서는…. 딱 한 번만 더 보고 싶어 하는 내 눈알을 억지로 바닥을 보게 눈에 힘을 주었다. 겨우 참아내고 바닥을 보며 터미널을 빠져나온다.

'띠리리리링'

"아, 깜짝이야!"

나도 모르게 뒷걸음질을 쳤다. 주머니 속 내 핸드폰 벨 소리다.

"여보세요."

'잘 도착했지?'

"네."

'그래, 상태도 이제 많이 가봤으니깐 잘할 수 있겠지? 길 건너서 버스 타는 거 알지? 잠들지 말고 방송 잘 듣다가 내려야 해. 알았지? 무슨 일 있으면 바로 전화하고.'

"네."

제발 엄마가 한 가지씩만 얘기해 주면 좋겠다.

길을 건너려고 횡단보도 앞에 선다. 신호등이 빨간불에서 초록불로 바뀌었다. 사람들을 따라 나도 길을 건넌다. 정류장에 있는 의자에 앉아 버스가 오길 기다린다. 여기저기 지나다니는 사람들에게 자꾸 시선이 간다. 지난번에도 사람들을 쳐다보다가 버스를 놓친 적이 있다. 이번에는 그러지 말아야 할 텐데! 버스가 오는지 보고 있는데, 내 앞으로 한 아저씨가 멈춰 섰다. 아저씨 때문에 버스가 오는지 볼 수가 없다.

어떻게 하지? 아저씨한테 비켜달라고 말해야 하는 걸까? 아니면 내가 일어나야 하는 걸까? 아저씨를 피해 버스를 보려고 앉아서 몸을 왼쪽으로, 오른쪽으로, 왔다 갔다 했다.

이런, 너무 흔들었나? 옆에 있는 사람이 나를 쳐다본다. 아, 누가 날 쳐다보면 안 되는데. 움직임을 멈추고 이러지도 저러지도 못하고 있다가 벌떡 일어났다. 저 멀리 버스가 오는 게 보인다. 휴, 다행이다.

'치-익'

늘 그렇듯이 맨 마지막으로 버스에 올라탔다. 주머니에서 돈을 꺼내어 요금을 낸다.

'철컥 철컥'

버스기사가 거스름돈을 내어 주신다. 동전을 주머니에 챙기고 비어있는 운전석 바로 뒷자리에 앉는다. 창밖으로 보이는 차들을 구경하는 것이 좋다. 요즘 새로 나온 아주 멋진 자동차를 본 적이 있다. 경주용 차처럼 생겼는데 이름이 투스카니라고 했다. 투스카니를 타보고 싶다. 엄마 말로는 운전면허가 필요하다고 했다. 내가 운전면허를 딸 수 있을까? 잘 모르겠다. 오늘은 투스카니를 보지 못했다. 집에 돌아가는 길에 볼 수 있으면 좋을 텐데.

'이번 역은 을지로 6가, 을지로 6가입니다.'

이번에 내려야 한다.

'삑'

뒷문으로 가서 벨을 누른다.

버스에서 내려 병원 쪽으로 걸어간다. 두 달에 한 번씩 약을 받으러 병원에 간다. 10년 전, 연탄가스를 마시고 뇌에 문제가 생겨 여러 가지 능력이 부족해졌다고 엄마가 말해줬다. 그래서 서울에 살았는데, 나 때문에 시골로 내려와서 살게 되었다고 했다. 어렸을 때부터 그냥 매일 그런 하루하루였다.

자세히 기억은 안 나지만 학교를 다녔고, 학교가 끝나면 아버지의 농사일을 도왔다. 아빠가 시키는 일을 했고, 매일 약을 먹었다. 학교를 졸업하고는 낮에도 아버지의 농사일을 도왔다. 가끔씩 엄마와 서울에 약을 타러 왔는데, 그때마다 서울이 참 신기하고 좋았다. 그래서 서울에 올 때마다 이곳에서 살고 싶다고 말했다.

그래서일까? 엄마는 언제부터인가 서울에 오면 병원에 가는 길을 열심히 설명해 주셨고, 작년부터는 혼자 병원에 오기 시작했다. 내가 병원을 혼자 다닐 수 있게 되면 서울에서 살 수도 있다고 말했다. 그래서 나는 서울에 올 때마다 실수하지 않으려고 애쓰고 있다.

그리고 의사 선생님을 만나는 것도 나에게는 아주 큰 즐거움이다. 선생님은 늘 웃으며 내 이야기를 들어주시고, 항상 잘 하고 있다고 말씀해주신다.

빨리 서울에 살았으면 좋겠다.

병원에 도착해서 시계를 봤다. 2:30분. 다행히 늦지 않았다.
"이상태 환자분"
"네."
"들어가세요."
"네."
문을 열고 들어가자 선생님이 환하게 웃으신다. 꾸벅 인사를 한다.

"앉아요."

"네."

조심스럽게 선생님 앞에 앉는다.

"오늘 오는 길을 어땠어요?"

"좋았어요, 투스카니를 못 봐서 아쉬웠지만."

"하하. 그랬군요. 어서 면허도 따고 여자친구도 만들어서 투스카니 타고 드라이브해야겠네요."

깜짝놀라 눈이 커지고 목소리가 올라갔다.

"네? 여자친구요?"

선생님이 입을 벌리며 소리 내 웃으신다.

"하하. 벌써 여자친구가 생긴 거예요?"

"아니요!"

"병원도 이렇게 혼자 올 수 있으니 일자리도 알아보고 여자친구도 만들고 해야지요."

"제가 어떻게요."

"무슨 소리예요? 얼마든지 가능해요."

"…."

"두 달 동안 특별히 불편하거나 평소와 달랐거나 하는 점은 없었나요?"

잠시 생각해보니, 오늘 서울에서 불편했던 것들이 생각났다. 그걸 다 어떻게 말하지? 말하지 않는 게 낫겠다.

"없어요."

"그렇군요. 그래요, 그럼 다음엔 좋은 소식 기다릴게요."

"네? 무슨 좋은 소식이요?"

"하하, 아니에요. 그럼 두 달 후에 봅시다."

"네, 안녕히 계세요."

문을 닫고 나오자 이상한 기분이 들었다. 무슨 소리지? 여자친구? 내가 일을 한다고? 갑자기 머릿속이 뒤죽박죽된다.

간호사가 이상한 웃음을 지으며 내 어깨를 가볍게 두드린다.

"이제 가셔도 됩니다."

이런, 문 앞을 막고 있었나 보다.

"아, 네."

엄마가 보는 tv 드라마에서 남자, 여자가 사랑한다고 말하고 손을 잡는 걸 본 적은 많은데, 내가 그럴 수 있다고는 생각해 본 적 없다. 그런데 내가 그럴 수 있다고 선생님이 말해 주셨다.

한참을 서서 지나가는 사람들을 쳐다봤다. 손을 잡고 걸어가는 남녀가 보인다. 와, 손잡고 가는 사람들이 많구나!

꼬르륵! 갑자기 배가 고프다. 먹을 만한 걸 찾아봐야겠다. 식당을 찾으며 걸어가다가 가게 유리에 비친 내 모습을 봤다. '이런 날 누가 좋아해 줄까?'

유리문에 비친 내 모습을 한참을 쳐다보는데, 그 뒤로 마네킹에 걸려있는 옷이 보인다. 마네킹은 청바지에 하늘색 남방을 입고 있었다. 멋지다. 마네킹 옆으로 유리에 비친 내 모습을 봤다. 내 모습과 마네킹의 옷을 다시 번갈아 봤다. 나도 저렇게 입으면 여자 친구가 생길까? 저 옷을 입어보고 싶다. 조심스럽게 문을 열고 천천히 가게 안으로 들어갔다.

"어서 오세요."

여자의 목소리에 어쩔 줄 몰라 그대로 멈춰 섰다.

"찾으시는 물건 있으세요?"

손을 뻗어 마네킹을 가리켰다.

"아, 그…이 앞에 마네킹이 입고 있는 거요."

"아, 그거요? 입어 보시겠어요?"

"그래도 돼요?"

여자가 내 몸을 위아래로 훑으며 쳐다본다.

"그럼요, 잠시만요. 사이즈가 손님에게 딱 맞을 것 같아요. 바로 꺼내드릴게요."

여자가 마네킹이 입고 있던 남방을 벗기고, 가게 안의 구석으로 가서 청바지도 꺼내와 나에게 건넨다.

"안에 들어가서 입고 나오시면 돼요."

"네? 어디요?"

"아, 그 거울 문 열고 들어가시면 돼요."

"아, 네."

이런 곳에 들어와 옷을 입어 보는 게 처음이라 조금 어색하지만 그냥 시키는 대로 해본다. 가게 안에 이렇게 옷을 입어볼 수 있는 작은방이 있는 줄 몰랐다.

옷을 벗을 때마다 자꾸 팔이 벽에 부딪쳤다. 좁은 방 안에서 겨우겨우 옷을 입고 나와 문을 닫자, 문을 가득 채운 거울에 내 모습이 보였다. 이게 나라고? 어색한 내 모습에 놀라 눈이 커지고 입까지 벌어졌다. 그런 내 모습이 재미있다는 듯 여자가 웃는다.

"이런 스타일 처음 입어 보시나 봐요."

"네."

"너무 잘 어울리시는데요? 거짓말이 아니라 이 옷은 딱 손님 옷이네요, 그냥 이대로 입고 가세요. 진짜 잘 어울리세요."

"이대로 입고 가라고요?"

"네!"

"아."

계속 거울 속 내 모습이 신기해 눈을 떼지 못하고 있자, 여자가 또 웃으며 말한다.

"너무 마음에 들어 하시니까 천원 깎아 드릴게요. 진짜 많이 깎아 드린 거예요. 더는 안 돼요."

"그럼 얼마인데요?"

"삼만 구천 원요. 에잇, 잘 어울리시니깐 천원 더 깎아서 삼만 팔천 원만 주세요."

주머니에서 돈을 꺼내 보았다. 서울 올 때마다 엄마가 만 원씩 주셨는데 그때마다 돈이 남았다. 얼마나 남았는지도 모르고 있었는데 세어 보니 육만 원이다. 사만 원을 꺼내서 직원에게 주었다. 직원이 거스름돈과 내가 입고 있던 옷을 봉투에 담아주었다.

가게를 나오는데, 걸을 때마다 어색하고 불편한 느낌이 들었다. 남방이라는 걸 처음 입어 보는 것 같다. 바스락거리는 느낌이 나쁘지 않다. 길을 걸으며 계속해서 가게 유리에 비치는 내 모습을 보았다. 유리에 비친 내가 웃고 있다.

달라진 모습으로 이리저리 사람들 틈을 걷다 보니 자꾸 웃음이 나왔다. 나를 쳐다보는 몇몇 여자들과 눈이 마주쳤다. 착각인가? 어쨌든 이대로 집에 가기가 아쉬웠다.

'띠리리리링'

"아 깜짝이야!"

또 엄마 전화다.

"여보세요."

'상태야, 병원에서 잘 하고 왔어? 약도 받았고?'

이런, 약을 안 받아왔다.

"네."

거짓말을 해버렸다.

'바로 버스 타고 조심히 내려와야 해. 알았지?'

"저기, 엄마. 저 배가 너무 고파요."

'그래? 그럼 식당에서 김밥이라도 사 먹어. 할 수 있지? 엄마가 준 돈 가지고 있지?'

"네."

'그래그래, 한 번 해봐. 무슨 일 있으면 엄마한테 전화해서 물어보고. 알았지?'

"네."

전화를 끊고 바로 병원으로 갔다. 유리문에 비친 내 모습을 보고 또 웃고 말았다. 자꾸 왜 이러는지 모르겠다. 서둘러 약을 받아 병원을 나왔다.

'꼬르륵'

배가 너무 고프다. 조금 걷다 보니 포장마차가 보인다. 전에 엄마랑 서울 왔을 때 포장마차에서 우동을 먹은 적이 있다. 그걸 먹으면 되겠다.

포장마차는 이제 막 문을 연 것 같았다. 안에 사람이 아무도 없어 구석에 있는 자리에 앉았다.

"뭐 드릴까요?"

아주머니가 오셔서 테이블을 닦으며 물으셨다.

"우동 하나 주세요."

"네."

갑자기 술 한 잔을 마시는 것도 괜찮겠다는 생각이 들었다.

"아, 그리고 소주도 한 병 주세요."

"네."

아버지 농사일을 도울 때 막걸리를 주셔서 받아먹었는데, 나름 괜찮았다. 그 이후로 아버지께서 가끔 술을 주셨다. 일이 바쁜 때에는 하루 종일 밭에 있기도 하는데 아버지는 중간에 새참을 먹으며 마시는 막걸리가 있어, 그나마 하루 종일 밭에 붙어있을 수 있다고 하셨다. 나도 그 말이 맞는 것 같다.

아주머니가 소주와 소주잔을 가져다주셨다. 소주병을 따서 잔에 따르고 한 모금 마셨다. 크, 쓰다. 의사 선생님이 하신 말이 떠올랐다. 여자친구를 만날 수 있다는 말. 일을 할 수 있다는 말. 정말 그럴 수 있을까? 잘은 모르겠지만, 생각만으로도 기분이 좋아지는 것 같다.

"어서 오세요."
주인아주머니의 소리에 앞을 보니, 남색 정장을 입은 덩치가 좋은 남자와 베이지색 원피스를 입은 머리가 긴 여자가 포장마차 안으로 들어온다. 여기저기 자리를 훑어보더니, 내 옆 옆 테이블에 자리를 잡고 앉았다.
둘은 의자에 앉자마자 손을 꼭 잡았다. 남자가 여자의 머리카락을 귀 뒤로 넘겨준다. 여자가 웃는다. 남자가 여자에게 뭘 먹고 싶은지 묻자, 여자가 고민하더니 우동을 먹겠다고 한다. 남자가 우동과 오돌뼈, 그리고 소주를 시킨다. 둘은 뭐가 좋은지 계속 웃는다. 그 모습을 힐끔 힐끔 계속 쳐다봤다.
갑자기 옆 옆 테이블의 여자가 아까 본 단호박죽 옷을 입은 여자로 바뀌고 그 옆의 남자는 나로 변한다. 나는 아까 한 번 더 보고 싶던 그 따뜻한 단호박죽 색의 옷을 입은 여자의 머리카락을 귀 뒤로 넘겨준다. 그리고 그녀의 손을 잡는다. 그녀가 나를 보고 웃는다. 나도 그녀를 보고 웃는다. 기분이 이상해진다.
"우동 나왔어요."
아주머니의 목소리에 깜짝 놀라 정신을 차리고 앞을 봤다. 이런, 또 딴생각에 빠졌네. 우동을 먹으려다 나도 모르게 옆 옆 테이블 쪽을 쳐다봤다. 여자와 눈이 마주쳤다. 그 여자가 눈에 힘을 주어 나를 쳐다보더니 다시 남자를 쳐다본다. 남자가 고개를 돌려 나를 쳐다보며 인상을 찌푸린다.

남자의 표정이 무서워 당황했지만, 아무 일 없다는 듯 고개를 숙이고 우동 그릇을 들어 국물을 들이켰다. 뜨끈한 국물이 목젖을 타고 들어가 몸속으로 퍼졌다. 소주잔에 소주를 따랐다.

소주를 입속으로 털어 넣고는 다시 그들을 봤다. 두 사람이 건배를 했다. 여자가 소주를 마시고 잔을 내려놓는 순간, 또 나와 눈이 마주쳤다.

아, 진짜….

다시 우동을 한 입 먹고 소주를 한 잔 마셨다.

아무리 생각해도 내가 여자를 만나는 건 상상이 되지 않는다. 여자는 됐고, 일을 한다면 무슨 일을 할 수 있을까? 전에 엄마가 아시는 분이 큰 마트 주차장에서 일을 하시는데, 그곳은 나처럼 장애가 있는 사람도 일을 할 수 있다고 하셨다.

나는 차를 좋아하니깐, 주차장에서 일하는 것도 재밌을 것 같다. 면허가 있으면 좋다고 하셨는데, 내려가서 엄마에게 운전면허를 따고 싶다고 말해야겠다.

팔을 뻗어서 왼쪽으로 두 번, 오른쪽으로 두 번 가볍게 흔들며, 주차장에서 일하는 사람들이 했던 것처럼 길을 안내해 주는 걸 따라 해봤다. 내가 차들을 안내해 주다니. 좀 멋있는 것 같다. 그러다가 또 옆 옆 테이블의 여자와 눈이 마주쳤다. 저 여자는 왜 자꾸 나를 쳐다보는 거지?

남자가 뒤를 돌아본다. 이번에는 저 여자가 먼저 쳐다봤는데…. 남자의 눈을 피하지 않고 똑바로 쳐다봤다. 남자가 일어서자 여자가 남자의 팔을 잡고 입모양으로 '하지 마'라고 한다. 남자가 여자를 뿌리치고 내 앞으로 와 선다. 남자의 몸이 커다랗다.

"이봐, 왜 자꾸 내 여자 쳐다보는데?"

"이번에는 저 여자가 먼저 쳐다봤어요."

"뭐라고? 저 여자? 이 새끼가!"

갑자기 남자가 두꺼비만 한 손으로 새로 산 내 남방의 카라를 움켜쥔다.

"다시 말해봐, 뭐라고?"

"저 여자가 먼저 쳐다봤다고요."

"이게 진짜!"

펙.

남자가 나의 얼굴을 때렸다. 나를 왜 때리는 거지?

"왜 때려요?"

"아까부터 내 여자 자꾸 쳐다봤잖아. 남의 여자는 왜 쳐다봐?"

"아까는 옷 색깔을 본 거예요."

남자의 눈이 커지더니 눈썹을 이상하게 찌그러트린다.

"뭐라고? 이 새끼가 진짜 미쳤나!"

펙.

주먹이 또 날라 왔다. 진짜 왜 때리는 거지? 이해할 수가 없어 남자를 똑바로 쳐다봤다.

"저 여자를 쳐다본 게 아니라 단호박죽 색 옷을 입은 여자를 본 거라구요."

남자의 표정이 아까보다 더 일그러진다.

"이런 미친 새끼!"

펙!

웃음이 나왔다. 내 얼굴에 감각이 없는 것이 좋을 때도 있다니!

"웃어?"

"그게 아니라, 하나도 안 아파서요."

"뭐?"

퍽! 퍽! 퍽!
남자가 나를 계속 때린다. 어느새 가게 안으로 사람들이 몰려와 내가 맞는 모습을 구경하고 있다. 내가 맞을 때마다 "어머", "아이고"하는 소리가 들린다. 여자가 남자를 말리고, 포장마차 주인도 그만하라며 발을 동동 굴린다.
"그만해, 자기야."
여자가 울먹이는 목소리로 남자를 말리자, 그제야 주먹질을 멈췄다. 남자의 손에 피가 묻어있다. 내 손으로 얼굴을 쓸어 손바닥을 봤다.
"피다! 하하하."
나도 모르게 웃음이 나왔다.
"이 새끼가!"
순간 남자의 눈빛이 호랑이처럼 빛났다.

'퍼-억!'

남자의 마지막 한 방이 내 머리에 닿자, 휘청거리며 바닥으로 넘어졌다.
순간! 갑자기 머릿속에 어떤 장면이 스쳐 지나갔다. 학교 운동장에 노란색 티셔츠를 입은 여자아이가 웃고 있다. 뭐지? 누구지? 예쁜 여자아이가 환하게 웃고 있는 모습이 선명하게 떠올랐다. 바닥에 엎드린 채 고개를 숙이고는, 방금 본 여자아이를 계속 생각했다. 고개를 들어 남자를 쳐다봤다.

"방금 뭐지? 노란색 티셔츠! 누구냐고!"
남자의 눈이 커졌다.

"뭐라는 거야, 이 새끼! 이 새끼 진짜 미친놈 아냐? 야 이 병신 새끼야, 너 오늘 운 좋은 줄 알아. 이거 완전히 돌았네."

"그만 가자고!"

여자가 남자의 팔을 세게 당기자 남자가 몸을 돌려 포장마차를 빠져나갔다.

구경하던 사람들도 하나 둘 사라졌다.

"아휴. 총각, 괜찮아요?"

"괜찮습니다."

"아휴, 괜찮기는. 이렇게 피를 많이 흘리는데. 빨리 병원에 가봐요."

"괜찮습니다. 죄송합니다."

"아휴. 왜 그렇게 맞게 된 거예요?"

"잘 모르겠습니다. 제가 여자를 쳐다봤나 봅니다."

"이그, 남의 여자는 왜 쳐다봐요."

"…."

다시 의자에 앉았다.

"아주머니, 소주 다시 주세요."

"아니 병원에 가야지. 그 얼굴로 무슨 소주를 마셔요."

"진짜 괜찮습니다."

"이걸로 얼굴부터 닦아요."

아주머니가 물수건과 소주를 가져다주셨다. 물수건으로 대충 얼굴을 닦고 소주를 병째 들고 마셨다. 씁쓸한 소주가 기도를 타고 몸속으로 들어가 온몸에 퍼진다. 아까 보인 그 여자아이는 누굴까? 다시 보고 싶다. 그 여자아이의 웃는 모습을 다시 보고 싶다.

너무 벌컥 벌컥 마셨나? 이런 게 취하는 걸까? 머리가 어지럽다. 그때 한 남자가 내 앞으로 다가왔다. 검은색 정장을 입은 남자는 아까 그 남자처럼 몸이 좋아 보인다.

"괜찮아요? 막지도 않고 계속 맞고만 있던데요."

"네? 아, 네."

"맞는 거에 익숙한 거예요? 아니면 맞아야 해서 맞고 있던 거예요?"

"그게, 별로 안 아파서요."

"하하. 맷집이 좋은가 봐요."

"아픈 걸 잘 못 느끼거든요."

"그래요? 얼마나 못 느끼는데요?"

"얼굴은 거의 감각이 없어요."

"신기하네요. 그럼 언제 나에게 전화해요. 진짜 안 아플지 모르겠지만. 격투기 할 줄 알아요?"

"격투기요? 저 싸움 같은 거 못해요."

"싸우는 건 아니고요. 권투 경기 같은 거예요. 맞아도 안 아프다면 재밌겠네요. 자, 여기 두고 갈게요."

남자가 전화번호가 적힌 종이를 테이블에 올려두고 뒤를 돌아 나갔다.

종이를 바지 주머니에 넣고 마시던 소주를 계속 마셨다.

'띠리리리링'

"여보세요."

'상태야! 왜 아직 안 오니?'

"이제 버스 타려구요."

'아직도 버스를 안 탔어? 무슨 일 있어?'

"아니요, 없어요."

'근데 왜 아직도 버스를 안 탔어. 엄마 걱정했잖아. 어서 버스 타고 와.'

"알겠어요."

전화를 끊고 아주머니에게 가서 돈을 내고, 꾸벅 인사를 하고 나왔다. 걸어가는데 사람들이 자꾸 쳐다봐서 고개를 돌려 유리창으로 내 모습을 봤더니, 하늘색 남방 여기저기에 빨간 피가 묻어있다. 옷을 갈아입어야겠다.

건물 안으로 들어가, 올 때 입고 온 티셔츠로 갈아입었다. 남방은 나한테는 안 어울리는 옷인가 보다.

터벅터벅 바닥만 보고 걸으며, 버스터미널 안으로 들어갔다. 매표소 앞으로 가서 만 원짜리 한 장을 내밀었다.

"충주 한 장 주세요."

"저기…."

고개를 들어 매표소 안을 쳐다봤다.

"괜찮으세요?"

단호박죽 색 카디건을 입은 여자가 살짝 인상을 찌푸린 채 나를 쳐다본다. 아까 그 여자가 여기 있네. 여자의 단호박죽 색 카디건을 한참을 쳐다보고 다시 고개를 숙였다.

"여기요, 잔돈."

"감사합니다."

집에 도착하니 엄마가 난리가 났다. 도대체 어쩌다가 누구한테 이렇게 맞았냐며 화를 내며 물으셨다. 딱히 둘러댈 말이 없어서 사실대로 말했더니, 한 번만 더 이런 일이 생기면 서울에 올라갈 수 없으니 그런 줄 알라고 하셨다. 이런 일이 또 생길까? 그러면 좋겠는데 말이다.

겨우 엄마의 잔소리가 끝났다. 방으로 들어와 철퍼덕 누워 오늘 있었던 일을 생각했다. 서울에서 살면 좋겠다. 매일 이렇게 재밌는 일이 벌어진다면 좋겠다.

아까 받은 명함이 생각나, 바지 주머니에서 명함을 꺼냈다. 네모난 종이에 이름도 없이 전화번호만 적혀있다. 잘은 모르지만 명함이라는 거에는 이름이 적혀있던 것 같은데, 조금 특이하다는 생각이 들었다. 눈이 감긴다. 피곤한 하루였다.

얼굴의 상처가 나아갈 즈음 다시 병원에 가는 날이 되었다. 집에서 나오기 전, 엄마의 잔소리를 평소보다 훨씬 많이 듣고 나와야 했다. 잔소리쯤이야, 엄마랑 같이 안 가서 참 다행이다.

병원에 다녀와서, 다시 터미널로 가는 버스를 타려고 기다리는데 주머니에 있던 명함이 생각났다. 전화를 해 볼까? 아니지. 이번에도 늦거나 사고를 치면 다시는 혼자 서울에 안 보낸다고 했는데. 그럼 안되잖아. 그래, 그냥 집에 가자. 그렇지만 내 몸이, 내 마음이 말을 듣질 않는다. 전화를 해보고 싶은 마음을 참을 수가 없다. 모르겠다. 이번 한 번 만이다. 딱 한 번만 해보자. 번호를 누르고 통화 버튼을 눌렀다.

'여보세요.'

"저…저기. 지난번에 포장마차에서 저에게 명함을 주셨는데요."

'아! 그 맷집 좋은 청년이군요.'

"…."

'오늘 시간 되시면 이쪽으로 오실래요? 마침 오늘 경기가 있는데.'

"경기요?"

'하하. 와보시면 알아요. 주소 알려줄 테니 찾아오세요.'

"아, 네."

지나가는 사람들에게 물어가며 근처에 도착했다. 좁은 골목길을 몇 번을 돌고 돌아 주소가 적혀있는 건물을 찾아냈다. 3층짜리 건물에는 간판이 없었다.

건물 앞에 서서 잠시 숨을 고르고 있었다. 막상 도착하니 들어가기가 겁이 났다. 어쩌지? 이상한 곳이면 큰일인데. 안 되겠다, 그냥 집에 가자! 하고 몸을 돌렸는데, 그 남자가 앞에 서 있다.

"왔어요? 잘 찾아왔네요."

이런, 큰일이다.

"들어가죠."

남자는 지하로 내려가 문을 열고는 나를 쳐다봤다. 에잇, 모르겠다. 나도 계단을 내려가 남자의 시선대로 지하 문 안으로 들어갔다. 넓은 지하실 한 가운데에 커다란 링이 있다.

TV에서 권투 시합을 보며 맞을 때의 느낌이 궁금했었다. 그리고 링 위에 서 있는 나를 상상했었다. 그런데 링이 지금 내 눈앞에 있다. 기분이 이상했다. 한참을 서서 링을 쳐다보고 있자, 남자가 내 옆으로 다가왔다.

"이름이 뭐예요?"

"이상태예요."

"상태. 이름이 재밌네요?"

"재밌나요?"

"하하. 조금요. 권투 경기 본 적 있어요?"

"TV에서 몇 번 보긴 했어요."

"오늘 밤에 시합이 있어요. 오늘 한 번 나가볼래요?"

"제가요?"

"네, 아픈 걸 못 느낀다면서요. 진짜 못 느끼는 건지 한번 해 봐요."

"그렇지만 저는 누굴 때려본 적이 없어요."

"하하. 그럼 오늘 처음 때려보겠네요."

"네?"

"상대편 선수를 잘 보고 있다가, 이때다 싶을 때 주먹을 날리면 돼요."

"그게…."

"못할 것 같아요?"

어쩌지? 엄마가 알면 난리 날 텐데. 지난번에 엄마가 한 번만 더 얼굴에 피를 내고 오면 다시는 서울에 혼자 안 보낸다고 했는데. 그래, 그냥 집에 가자.

"지난번에 포장마차에서 맞고 들어가서 엄마한테…"

하고 말하자, 지난번 포장마차에서 세게 맞았을 때 느꼈던 묘한 느낌과 머릿속에 떠올랐던 여자아이가 생각났다. 그 여자아이 얼굴, 다시 보고 싶은데.

"저…집에는 몇 시에 갈 수 있을까요?"

"하하. 집이 어딘데요?"

"충주요."

"멀리서 왔네요. 막차 전에는 갈 수 있을 거예요."

"네…."

"곧 사람들이 들어올 거예요. 사무실에 가서 기다리고 있어요."

남자는 나를 안쪽에 있는 사무실로 들어가라고 하고 문을 닫았다. 사무실 안은 쾌쾌한 냄새가 진동해 눈썹을 찌푸리게 했다. 한 가운데 놓인 큰 테이블 위에는 담배꽁초가 수북이 쌓여 있고 먹다 남은 커피들은 아무렇게나 놓여있었다. 의자에 앉자 담배 냄새와 커피 냄새가 강하게 코를 찔렀다. 이상한 곳에 들어와 버린 것 같아 걱정이 밀려왔다. 핸드폰을 꺼내보았다. 다행히 아직 엄마에게 전화가 오지 않았다.

조금 지나자 남자의 말대로 사람들 소리가 들려 오기 시작했다. 소리는 점점 커지더니, 금세 사람들 소리로 가득 채워졌다. TV에서 봤던 권투경기가 떠올랐다. 심장이 조금씩 빠르게 뛰기 시작했다.

'철컥'

문이 열리고, 바깥의 시끄러운 소리와 함께 남자가 들어왔다.

"나갈까요?"

벌떡 일어나 남자를 쳐다봤다. 긴장된 표정을 하고 서 있자 남자는 웃으며 나오라는 손짓을 했다. 천천히 문 쪽으로 걸어 나가자 남자가 내 어깨를 툭 툭 쳤다.

"잘 보고 있다가, 기회가 오면 때리는 거예요."

한 남자가 크게 외치는 소리가 들린다.

"오늘의 첫 경기입니다."

마니약방

은희

은희

언젠가는 대박 나는 글을 쓰게 되길 바라며, 노력하는,
늦깎이 작가 지망생^^

1. 프롤로그

태평시 서쪽 끝자락 시골 마을 무신리.

사람들이 많이 찾는 숲길 가는 길 주변에는 다른 가게나 집은 없고, 오로지 허름한 단층 벽돌집 하나만이 덩그러니 있다. 새카만 바탕에 은빛 글씨체로 '마니약방'이라고 써진 간판을 단 옛날 약방이다.

장맛비가 내리는 6월의 어느 늦은 저녁, 손님도 없이 약방은 한적했다.

통통한 검은 고양이 한 마리가 약방 출입문 앞에서 야옹거렸다. 앞발을 들어 노크하듯이 문을 두드리자, 회색 빛바랜 미닫이문이 드르륵 열렸다.

검정색 롱원피스를 입고, 새까만 머리를 젓가락처럼 생긴 쌍비녀로 틀어 올린 깡마른 젊은 여자가 고양이를 내려다보았다.

"웬일이냐? 안티나? 이 비를 다 맞고 오고. 안조아 옆에 붙어 있어야 하지 않니?"

고양이가 펄쩍 문지방을 뛰어넘어 약국 안으로 들어왔다.

고양이의 야옹 소리에 약방 여자는 픽 웃으며, 고양이에게 수건을 던져줬다.

"걱정 마라. 네가 복장 터져 죽을 일은 절대 안 생기니까."

수건을 덮어쓴 고양이가 머리를 흔들며 야옹거렸다.

"기대할 걸 기대해라. 그러게, 누가 그딴 어이없는 실수 저질러서 빛나 언니 열받게 하래?"

약방 여자가 한심하게 고양이를 쳐다보았다.

고양이는 제 몸을 흔들어 수건을 바닥에 내려놓고, 발랑 드러누워 이리저리 뒹굴며 제 몸을 수건에 비볐다. 꽤 귀여운 모습이었지만, 여자는 그저 무심히 진열대 카운터 안의 제 자리에 앉았다.

"야옹!"

"쯧쯧, 너 하는 거 보아하니, 평생 고양이 팔자로군."

고양이는 발딱 일어나 꼬리를 바짝 세우고, 성질냈다.

"캬악! 캬옹!"

여자는 입술을 삐뚜름히 올리고 비웃었다.

"흐음, 안 봐도 네 방식 빤하다. 빨리 인간 저주해서 죽이든지 다치게 하라고 다그치고 있지?"

고양이는 움찔했다. 치켜 올라간 꼬리가 추욱 내려갔다.

"야아옹."

야옹 소리가 작아졌다.

"아서라. 걔는 벌써 22년간 인간들과 살았어. 인간들의 도덕관념에 익숙한 애한테, 네 말이 먹히겠어? 모든 일엔 때가 있는 법. 서서히, 쥐도 새도 모르게 말려 죽이는 법을 가르쳐야지."

약방 여자의 눈이 번뜩였다. 고양이가 꼬리를 말고 추욱 머리를 숙였다.

"야옹, 야아옹, 야옹?"

"흥, 누구 좋으라고? 걔는 네 책임이니, 네가 알아서 해."

"냐앙."

고양이는 여자의 말을 알아들었다는 듯이 완전히 기가 죽어 다시 수건에 발라당 드러누워 구르기 시작했다. 약방 여자는 입구가 넓은 병에 들어있는 노르스름한 가루를 네모난 하얀 종이에 한 스푼씩 넣고 곱게 접었다.

대충 제 털을 닦은 고양이가 일어나 몸을 부르르 털고, 앞발을 쭈욱 뻗었다.

"야아옹?"

"당연하지, 한번 내 약을 먹으면 절대 벗어날 수 없단다."

여자가 히죽 웃었다. 고양이는 이제 가지런히 다리를 모으고 앉아, 혀로 제 털을 핥았다.

"야옹?"

약 종이를 접던 여자의 손이 뚝 멈췄다. 밖에서 번개가 번쩍이더니, 콰쾅, 천둥이 쳤다. 고양이가 펄쩍 뛰며 꼬리털을 곤두세우고 캬약거렸다.

약방 여자가 숨을 가다듬고 음산하게 내뱉었다.

"최근에 꽤 귀찮은 손님이 있었지."

2. 마니 약방

2주일 전, 토요일, 태평시 동쪽 끝자락 신영리.

옹기종기 모여있는 마을의 어느 단층 초록색 지붕 집 앞에 작은 흰색 경차가 멈췄다. 키가 작고 약간 통통한 20대 후반의 안경 쓴 여자가 내렸다. 뒷좌석 문을 열어 바리바리 짐을 꺼내 들고 집 안으로 들어갔다.

"엄마, 나 왔어."

60대 후반으로 보이는 여자가 드르륵 미닫이 현관문을 열었다.

"어이구, 막내딸 얼굴 잊어버리겠다. 이게 얼마 만이냐? 나진실 선생?"

"아이, 참. 겨우 한 달 못 본 걸 가지고 그런다. 나름 바빴다니까? 일부러 안 온 거 아니라고. 그나저나 이거나 받아."

엄마는 인상을 쓰면서도 진실에게서 짐을 받아 살폈다.

"뭘 이렇게 바리바리 들고 왔냐?"

"어, 그건, 엄마 관절염에 좋은 영양제고, 하루에 두 번 드셔. 이건 옛날 과자, 엄마 좋아하시잖아? 오다가 소고기도 좀 샀어. 맨날 김치에 나물만 드시지 말고, 고기반찬도 해 드시라고. 그리고, 이건."

진실은 씩 웃으며 커다란 플라스틱 통을 내밀었다.

"나 김치 떨어졌어. 김치 좀 담아줘."

"하이고, 김치 떨어지니까 엄마 보러 온 거여? 이건 대체 얼마짜리야? 뭐 하러 이렇게 쓸데없는 데에 돈을 썼어? 모아서 시집갈 생각 안 하고."

"스톱! 엄마, 거기까지! 다시 한번 시집 얘기하면 나 다신 엄마 보러 안 온다?"

진실의 협박에 엄마는 뭐라고 하려다 입을 꾹 다물고 영양제를 만지작거렸다.

"엄마, 아직 점심 전이지? 우리 소고기 볶아서 점심 먹자."

엄마는 고기를 들고 마루를 지나 부엌으로 들어갔다.

"와서 양파나 까. 내가 맛있게 볶아줄 테니."

"넵, 알겠습니다. 엄마님. 헤헤."

잠시 후,

모녀는 2인용 식탁에 마주 앉아 점심을 먹었다.

"맛있네. 역시 엄마 요리가 최고! 엄마, 어디 아픈 데는 없지?"

"없기는, 팔다리 무릎 허리, 안 쑤시는 데가 없다."

"아이, 참! 일 좀 적당히 하시라니까? 좀 쉬엄쉬엄하세요."

"밭일이 쉬엄쉬엄해서 된다니? 조금만 안 돌아봐도 온통 잡초 투성이야. 풀도 매야 하고, 약도 쳐야 하고, 할 일이 태산이다. 아, 참! 이것 좀 봐라."

엄마는 일어서서 밥통 거치대 밑에서 까만 명함 하나를 꺼내 보여주었다.

"이게 뭐야? 마니약방?"

까만 바탕에 은색으로 '마니약방'이라고 새겨져 있고, 밑에 주소가 적혀있었다.

"이 약방이 말이지. 그 유명한 만병통치약 파는 데야."

"응? 만병통치약? 무슨 쌍팔년도 약장사나 하는 소리 하고 있 어?"

"진짜야! 부녀회장이 여기 약방 소개해 줘서, 나도 지난달에 같이 가서 한 달 치 사다 먹었거든. 약이 아주 신통방통해. 여 기 약 먹은 후에 아주 날아다닌다. 잠잘 때 지근지근 쑤셔서 못 잤는데, 이 약방 약 먹으면 아프지도 않고, 그렇게 잠도 잘 와."

"여기 뭐, 한약방이야?"

"한약방은 아닌데, 거기 주인장이 만드는 약이 관절 아픈 데 에 잘 들어. 약 떨어져서 부녀회장이랑 엊그제 같이 약방 가기 로 했는데, 갑자기 부녀회장이 차 사고가 나서 입원했지 뭐니? 크게는 안 다쳤는데, 병원에 한 달은 있어야 한다나 봐. 약방이 무신리에 있는데, 내가 차가 없잖니? 바로 가는 버스도 없고, 중앙동에서 갈아타고 가도 한참 걸리잖아."

진실은 명함을 쳐다보며 이맛살을 찌푸렸다. 엄마는 밥숟가락 을 입에 가져갔다.

"네가 중앙동에 사니까, 다음 주에 들러서 약 좀 사 와라. 한 달 치 사."

"근데, 엄마, 약방에 나만 가도 돼? 엄마 약이니까, 엄마도 같이 가서 진료도 봐야 하는 거 아냐?"

"아냐, 아냐. 진료 보는 데 아냐. 그냥 가서 관절염 약 달라고 하면, 약방 주인이 알아서 줘."

"엥? 진료도 안 보고 약을 준다고? 사람마다 체질이 다 다른데? 그거 아주 수상하잖아?"

"네가 사 온 영양제, 저것도 아무나 먹잖아? 그리고, 저거 얼만데? 이십만 원 넘지? 저거보다 싸고 오래 먹을걸? 한 번 가봐라."

"아니, 그래도 저 영양제는 공신력 있는 회사에서 만든 거라고. 여긴 좀 그런데? 진료도 안 보고 약만 준다니, 그런 약방이 어디 있어? 한약방이라면 최소한 환자 맥이라도 짚어봐야 하는 거 아닌가? 이거 명함도 그래, 전화번호도 없고, 약방 주인 이름도 없이 달랑 주소뿐이잖아? 뭔가 많이 수상한데?"

"글쎄, 일단 가서 사 오기나 해. 효과만 좋으면 되지. 아파서 골골하는 엄마를 위해 그 정도로 못해 주냐?"

"엄마도 참, 알았어. 한 번 가 보기는 할게. 하지만, 뭔가 이상하면 약 못 사 오니까 그런 줄 아셔요."

"이상할 게 뭐람? 약값 주랴?"

"아냐, 됐어."

***

그리하여 그다음 주 금요일 오후, 진실은 명함에 있는 주소를 내비게이션으로 찍고, 무신리 마니약방에 도착했다.

외따로 떨어진 허름한 약방에 명함과 같은 새카만 간판. 출입문 밖으로 열 명쯤이 줄을 지어 서 있었다. 대부분 노인이었다.

"와, 저렇게 인기가 좋아? 줄까지 서야 해?"

진실은 길가에 대충 차를 세우고 줄 맨 뒤에 섰다. 진실 뒤로도 서너 명이 더 와서 섰다.

10여 분쯤 지나 진실은 약방 안에 들어갈 수 있었다. 긴 검정 원피스에, 쌍 비녀를 꽂고 카운터 앞에 서 있던 깡마른 젊은 여자와 눈이 마주쳤다.

"저, 저희 엄마 드실 건데요. 엄마가 무릎이 안 좋으시고…."

약방 여자는 무뚝뚝하게 말을 잘랐다.

"열흘 치? 한 달 치?"

"예? 각각 얼만데요?"

여자가 사무적으로 대답했다.

"열흘 7만 원, 한 달 15만 원입니다."

"어, 일단 한 달 치인데, 요."

약방 여자는 호떡 봉지보다 조금 큰 누런 종이봉투를 내밀었다. 진실은 얼떨결에 그것을 받았다.

"한 달 치 15만 원. 현금입니다."

"예? 아니, 그, 잠깐만요."

진실은 종이봉투를 앞뒤로 이리저리 살펴보았다. 아무런 글자하나 안 보였다. 봉투 안을 벌리고 들여다보자, 삼각형 모양으로 접힌 흰 약봉지들이 보였다. 그녀는 하나를 꺼내 살펴보고, 여자 앞에 내밀었다.

"아니, 저기요? 이 약, 성분 뭐예요? 왜 아무런 성분 표시가 없어요? 이거 몸에 안전한 거 맞아요?"

약방 여자의 눈썹이 꿈틀거렸다.

"거, 모르고 오셨어요? 여기는 묻지도 따지지도 않고 한 가지 약만 팝니다. 효과가 좋으니까, 손님들이 많이 오는 거겠지요?"

"예? 어떻게 묻지도 따지지도 않아요? 분명 사람마다 체질에 안 맞는 약제도 있을 건데, 이렇게 아무 표시 없는 약 팔아도 되는 거예요? 이 약 먹고 잘못되면요? 게다가, 어디 보자. 응? 무슨 약방이 전화번호도 없고, 약방 주인 이름도 없고 그래요? 뭐지? 이 약방 되게 수상하네?"

진실이 큰 소리로 따지자 약방 여자의 이마에 힘줄이 불쑥 튀어나왔다. 그녀는 무뚝뚝하게 대꾸했다.

"그렇게 이상하면 그냥 가세요, 뒤에 손님이 기다리고 있으니. 다음 손님, 앞으로 오세요."

뒤에 서 있던 70대의 할머니가 절뚝절뚝 카운터 앞으로 나오며 진실을 쳐다봤다.

"여기 약 정말 효과 있어요, 젊은 아가씨. 의심하지 말고 먹어봐요. 내가 여기 3년 단골인데, 이젠 이 약 없으면 밤에 잠을 못 자. 주인장, 내가 다리가 이래서 자주 오기 힘든데, 한꺼번에 석 달 치는 안 되나?"

"천연 재료라, 석 달이나 두면 약이 상해요."

"냉장고에 두면 되지 않소?"

"안 됩니다. 냉장고에 두면, 온갖 냄새 다 흡수해서 약효가 떨어져요. 실온에서 한 달까지입니다. 한 달 치 드려요?"

할머니가 어쩔 수 없다는 듯 고개를 끄덕이자, 약방 주인이 그녀에게 똑같은 누런 봉투를 내밀었다.

"한 달 치, 15만 원입니다."

할머니는 지갑에서 5만 원짜리 세 장을 꺼내 건네주고, 절뚝거리며 약방을 나갔다.

약방 주인은 진실을 무시하고 손님 서너 명에게 계속 약을 팔았다.

이윽고 손님들이 모두 나갔다. 약방에는 주인 여자와 진실뿐이었다. 진실은 여전히 손에 약봉지를 들고 멀뚱히 서 있었다.

약방 주인이 그녀를 힐끗 보고 차갑게 말했다.

"안 살 거면 그 약 내려놓고 나가시죠."

"아니, 그게, 안 산다는 게 아니라, 요, 아줌마."

"뭐, 아, 아줌마?"

약방 주인의 입이 떡 벌어졌다. 약방 주인의 현재 보이는 외모 나이 30대, 물론 진실보다 몇 살 많아 보이지만,

"아줌마라니? 나, 참! 지금껏 약방을 하며 들어본 적이 없는 호칭이군요!"

약방 주인의 목소리가 분노로 떨렸다. 눈빛은 잡아먹을 듯이 한껏 그녀를 노려보았다. 그 기세에 흠칫한 진실이 더듬거렸다.

"아, 아니, 그러니까, 명함에 이름도 없고, 약국도 아니니, 전문적인 약사도 아니실 거고, 제가 그쪽을 뭐라고 불러요? 이름도 모르는데?"

"하! 그렇다고 아줌마? 차라리 언니라고 부르지? 그쪽과 별로 나이 차이 나게 보이지 않을 텐데?"

"아-아니, 언니라고 하기엔, 아줌, 아니 그쪽이 꽤 나이 들어 보이는데요? 아줌, 아니, 그쪽 못해도 마흔은 넘을 것 같은데요?"

허, 약방 주인은 기막혀하며 입술을 꽉 깨물었다.

"그러는 손님, 그쪽도 그렇게 젊어 보이지는 않습니다만. 한 서른다섯쯤 되셨나?"

서른다섯? 진실은 빡 돌아서 쏘아붙였다.

"뭐라고요? 저 아직 20대거든요? 어딜 봐서 제가 서른다섯으로 보여요? 사람 파악 그렇게 못 해요?"

약방 주인이 숨을 후, 내뱉었다.

"흥, 피차일반인데, 그만하죠. 약 살 거 아니면 나가세요. 그 약 내려놓고."

"아니, 안 산다는 게 아니라, 이 약 성분 뭐냐고요? 뭐로 만들었는지 알아야 복용할 거 아니에요? 만병통치약이라니, 뭐 마약 성분이라도 넣었어요?"

"천연성분 약초를 나만의 방식으로 조제한 겁니다. 말한다고 손님이 알 것 같지 않은데?"

"뭔데요? 나 영어도 해석할 수 있으니까, 어디, 말해봐요. 한번 찾아볼 테니."

진실이 스마트폰을 꺼내 들었다. 약방 주인은 다시 한번 숨을 내뱉은 후에 진실의 손에서 약 봉투를 낚아챘다.

"됐으니, 나가시죠. 손님에게 팔지 않겠습니다."

"아니, 이봐요. 내가 성분을 알아보고 약을 산다니까?"

"필요 없습니다. 이만 나가시죠."

순식간에 진실은 그녀에게 떠밀려 약방 밖으로 쫓겨났다.

드르륵, 쾅!

문이 닫혔다. 진실은 황당해서 다시 약방문을 열려고 했으나, 열리지 않았다. 그녀는 문을 쾅쾅 두드리며 고래고래 소리 질렀다.

"이봐요, 이봐요, 아줌마! 문 열어요! 당신, 뭔가 찔리니까, 나 내쫓은 거지? 성분 말해 주는 게 뭐가 어려운데? 이 약방 합법적인 건 맞아요? 그러고 보니 신고 번호도 안 보이네? 얼른 문 열어요, 식약청에 확 신고해 버리기 전에. 나 진짜 신고한다? 신고해도 되는 거죠, 네? 아줌~마!"

약방 안에서 약방 주인은 주먹을 쥐고 부들부들 떨었다.

"하, 저 한주먹거리도 안 되는 계집애가, 그냥 확 죽여버려? 후, 참자. 그렇게 죽이면 살아남을 인간이 없을 테니. 아 근데, 저년 진짜! 뭐, 아,줌,마? 어딜 봐서 이 몸이 아줌마야? 저걸 그냥! 후우! 어디, 두고 보자!"

쫓겨난 진실은 한참을 씩씩대다 제 차에 올라탔다.

"뭐 저런 데가 다 있어? 완전 사기 아냐? 식약청에 확 신고해야겠다. 가만있자, 식약청 전화번호가 어떻게 되지?"

스마트폰을 터치해 검색하려는데, 전화벨이 울렸다. 진실은 한숨을 쉬며 전화를 받았다.

"응, 엄마."

"진실아, 너 오늘 쉬는 날이니? 혹시 약방 가 봤나 하고. 내일 올 거지? 어떻게, 약은 샀어?”

“그게, 엄마, 거기 완전 수상해. 그런 이상한 약 먹으면 안될 것 같아. 성분도 안 알려주고. 주인도 되게 불친절하고, 완전 사기꾼 같아.”

“뭐라고? 지금 약 안 샀단 소리야?”

“어. 근데, 엄마 내 말 들었어? 거기 완전 이상하다고.”

“야, 나진실!”

전화 너머로 엄마의 분노에 찬 목소리가 울렸다. 진실은 귀에서 전화를 살짝 떼었다.

“차도 있으면서 아픈 엄마한테 그깟 약 하나도 못 사줘? 고작 약만 받아오는 게 뭐가 어렵다고!”

“엄마, 글쎄, 거기 이상하다고, 내 말 듣고 있어?”

“이상하긴 뭐가 이상해? 약효만 좋으면 되는 거지. 며칠 동안 약 못 먹어서 이 엄마가 밤에 잠도 못 자고, 아주 무릎에, 어깨에, 허리에 안 아픈 데가 없다. 다 니들 4남매 키우느라 고생해서 이 꼴 난 거 아니야? 넌 거저 큰 줄 알지? 딸년 키워봤자 소용없다고, 엄마한테 약도 제대로 못 사 오는 이 불효막심한 자식아!”

“아니, 엄마, 말이 좀 심하잖아? 고작 수상한 약 하나 못 샀다고 내가 불효막심 소리까지 들어야 해?”

“됐다! 내가 버스를 타서라도 갈 테니까 신경 꺼! 내일 올 필요 없어! 아주 꼴 보기 싫어, 그냥!”

뚝, 하고 전화가 끊겼다. 진실은 황당해서 그저 약방 간판만 노려보았다.

“아, 진짜! 저게 뭐라고 내가 울 엄마한테 불효막심 소리까지 듣냐? 짜증 나! 확 망해버려라, 이놈의 약방!”

순간 간판의 ‘마니 약방’ 글자가 반짝 빛났다. 어? 하고 진실이 다시 눈을 깜빡이고 안경을 추어올렸다. 간판은 그냥 그대로

였다.

"뭐지? 잘못 봤나? 안과에 가서 시력 검사 다시 받아야겠네. 에휴, 집에나 가자."

***

다음 주 금요일 오전, 진실은 다시 약방 앞에 제 차를 주차하고 한숨을 쉬었다.

진실에게 화가 난 엄마는 4남매의 맏이인 언니에게 전화해서 하소연했다. 언니는 현재 아픈 시어머니 간호 중이라 여유가 없다. 언니는 매일 같이 그녀에게 전화했다.

"진실아, 웬만하면 약방에 가서 약 사다 드려라. 안 그러면 엄마가 진짜 택시라도 타고 가실 요량이야."

"언니, 진짜 내 말 들어봐. 약 성분도 공개 안 하고, 묻지도 따지지도 않고 한 달 치 약봉지만 내밀더라니까? 그게 뭔지 어떻게 알고 엄마 드시라고 해?"

"그렇긴 한데, 말 들어보니까 그 약방 꽤 유명하던걸? 시어머니 친구분 중에서도 예전부터 드신 분 계시더라. 원래는 지금 약방 주인의 어머니가 하던 일을 딸이 맡아서 한다더라. 못해도 50년은 넘은 약방이라던데?"

"진짜? 언니네 동네까지 알려졌단 말이야? 하긴, 오래되어 보이긴 하더라. 그렇지만, 정말 수상하지 않아? 딱 관절염에만 좋은 만병통치약이라니, 그거 혹시 마약 성분 들어있는 거 아닐까?"

"설마! 그런 나쁜 성분이면 부작용이 나와도 벌써 나오지 않았을까? 식약청에 신고 들어가서 예전에 망했지, 50년이나 유지되겠어?"

"…. 정말 그 약 먹은 사람 중에 부작용 없대? 난 못 믿겠는데."

"엄마 말씀 들어보니까, 신영리 어르신들도 거기 약 많이 드
시고, 별일은 없는 것 같던데? 그냥 눈 딱 감고 사다 드려. 안
그래도 부녀회장님이 교통사고로 위독해졌다고 엄마가 많이 심
란해하시더라."

"응? 부녀회장님 많이 안 다치셨다던데, 뭔 소리야?"

"글쎄다. 갑자기 뭐가 나빠져서, 오늘내일하신대. 엄마 마음이
좀 그렇다니까, 네가 효도하는 셈 치고, 약이라도 사다 드려."

"아니, 그게, 좀 문제가 있는데, 약방이 하도 수상해서, 내가
진상 좀 부렸는데…."

"뭐, 진상? 어이구, 잘하는 짓이다. 가서 잘못했다고 정중히
사과드리고 약 사와. 운 좋으면, 네 얼굴 잊어버렸을지도 모르
고."

"하아, 일단 알겠어, 언니."

진실은 한숨을 쉬며 전화를 끊었다. 생각 같아서는 절대 다시
가고 싶지 않지만, 일주일 내내 전화해서 같은 소리 하는 언니
를 무시할 수도 없는 노릇이고.

***

며칠간 밤잠을 설친 진실은 초췌했다. 꿈에 보이는 화난 엄마
의 모습, 뼈마디가 드러날 정도로 바싹 말라 죽어가는 엄마의
모습, 화난 약방 여자의 모습. 약방 여자의 긴 머리카락이 메두
사의 뱀 머리처럼 사방팔방으로 뻗쳤다. 그녀는 송곳처럼 날카
롭고 긴 손톱을 뻗어 진실의 팔을 붙잡았다. 손톱으로 그녀의
온몸의 뼈를 바스러뜨리고, 소름 끼치게 웃어젖혔다. 진실은 비
명을 지르며 악몽에서 깨어나곤 했다. 깨어나면, 온몸의 뼈가
쑤셨다.

꿈이 너무 꺼림칙하여, 다시는 이 약방에 오고 싶지 않았으
나, 언니의 닦달에, 며칠째 진실의 전화를 받지 않는 엄마의 침

묵시위에, 아마 이번에도 약을 사지 못하면, 영영 신영리 엄마 집에 출입 금지가 될 것이다.

"그래, 21세기 과학 시대에 악몽을 믿는 건 말이 안 되지."

진실은 애써 악몽에 나온 여자의 모습을 떨쳐내며, 내키지 않는 무거운 발걸음으로 느릿느릿 약방 앞으로 다가갔다. 다행히도 약방 앞에 줄이 없었다. 진실은 심호흡하고, 약방 출입문에 손을 뻗었다.

문은 열리지 않았다. 진실은 한 번 더 문을 밀어 보았다. 여전히 꼼짝 안 했다.

"오늘 영업 안 하나? 안에서 잠근 것 같은데?"

진실은 문을 쾅쾅 두드렸다.

"계세요? 이봐요. 안에 계시면 문 좀 열어주세요."

쾅쾅쾅!

잠시 후에 약방 여자가 짜증스러운 표정으로 문을 드르륵 열었다.

"손님, 영업시간은 오후 한 시부터라고, 여기 써 있잖…. 아, 그때 그 여자로군."

망했다!

진실은 속으로 절망했다. 약방 여자가 저를 못 알아보길 바랐지만, 그녀는 얼굴에 아주 노골적으로 싫은 티를 내며 저를 노려보고 있었다.

진실은 체념하며, 얼굴에 억지로 웃음을 떠올렸다.

"하, 하하. 안, 안녕하세요, 아줌, 아니, 약종상님?"

"약종상님?"

"아, 그, 제가 검색해봤어요. 약국은 약사, 약방은 약종상, 그나마 요즘은 약종상 제도 없어진 지 오래되었다고…. 어? 그럼, 그쪽은 언제 약종상 자격증 받으신 거예요?"

"하, 무슨 소린지 모르겠고, 손님에게 팔 약 없으니, 이만 돌아가시죠."

약방 여자가 문을 닫고 들어가려는 걸, 진실이 황급히 그녀의 팔을 붙잡았다. 여자가 그녀를 매섭게 노려보았다.

"하, 하하. 아니, 기왕 온 거 그냥 딱 한 번만! 약 팔아주시면 안 될까요? 아, 지난번엔 제가 죄송했어요. 제가 뭘 몰라서 무례하게 행동한 거, 정중하게 사과드립니다."

진실은 약방 여자의 팔을 놓고, 공손하게 90도로 고개를 숙였다. 약방 여자의 입술이 삐뚜름하게 올라갔다.

"사과 받아들이지요. 안녕히 가세요."

그녀가 다시 고개를 홱 돌렸다. 진실은 잽싸게 여자 뒤를 따라 약방에 발을 들여놓았다. 여자의 눈이 세모꼴이 되었다.

"뭐 하는 겁니까, 손님?"

"아니, 매정하게 왜 그러세요, 약종상님? 제가요, 한 시간 넘게 운전해서 왔거든요. 약만 주시면, 얼른 사라지겠습니다."

여자는 콧방귀를 뀌며 고개를 저었다.

"정, 약이 필요하시면, 이따 한 시에 오세요."

"그럼, 한 시까지 안에서 기다릴게요. 아, 저기 마침 소파도 있네요?"

진실은 잽싸게 약방 안의 낡아빠진 청록색 소파에 착 앉았다. 약방 여자가 그녀를 째려보았다. 진실은 그저 입술 근육을 최대한 끌어올렸다.

"하하, 지금 뭐 저런 여자가 다 있어, 하고 생각하고 계시죠?"

"…. 알면 좀 꺼져주시던가."

"지금 약 주시면 얼른 꺼져드릴게요. 하하."

약방 여자는 한숨을 쉬며 팔짱을 꼈다. 진실은 억지로 웃으며 그녀의 눈치를 살폈다.

"아니, 그게요. 저도 딱히 이 약방 약을 신뢰하는 건 아니지만, 아니, 울 엄마가 한 성질 하시는데요, 요즘, 날이 더워져서 그러나? 부쩍 화가 많아지셨어요, 흑. 약을 안 사 오면 집에도 오지 말라고 해서, 약종상님! 저 좀 도와주시면 안 될까요? 네? 약종상님?"

"그냥, 주인장이라고 불러요! 다른 손님들도 다 그렇게 부르니까!"

약방 여자가 빽 소리 지르며, 제 팔을 벅벅 문질렀다. 진실은 찔끔해서 다시 그녀의 눈치를 살폈다.

"예, 주인장 아줌, 아니, 주인장 언니. 헤헤."

아줌마라고 부르려다, 여자의 눈썹이 꿈틀하는 걸 알아차린 진실이 얼른 호칭을 바꿨다. 약방 주인 여자는 한숨을 쉬며 고개를 저었다.

"어쨌든, 지금 약이 준비되지 않았으니, 어디 가서 점심이라도 먹고 오던가."

"주인장 언니도 참, 딱 봐도 여기서 식당까진 한참인데요. 제가 무신리는 처음이거든요. 식당 찾아 헤매느니, 그냥 여기서 기다릴게요. 아니다, 지난주에 잘못한 것도 있으니까, 제가 주인장 언니 일 좀 도와드릴게요. 괜찮죠? 헤헤."

"뭐, 뭐라고? 하, 손님 도움 필요 없으니, 당장 여기서 나가…."

"에이, 뭘 그렇게 빡빡하게 하세요? 아, 저번에 보니까, 약을 종이에 넣고 접었더라고요? 저, 그렇게 약 종이 접는 거 옛날 드라마에서나 봤는데, 주시면, 제가 예쁘게 약 종이 접어볼게요. 어때요? 아니면, 여기 청소라도 할까요? 청소기, 아니, 빗자루 있으면 주세요. 제가 이래 봬도, 시골에서 자라서 일머리가 좀 있거든요."

진실은 계속 미소를 지으며 자리에서 일어섰다. 약방 주인은 제 이마를 손으로 꾹 누르고 내뱉었다.

"손님 도움 필요 없으니, 시간 될 때까지 기다리든지 말든지!"

진실은 주뼛대다 다시 소파에 털썩 앉았다. 하긴, 그녀가 주인장이라도 손님에게 감히 일을 시킬 순 없을 테지. 진실은 다시 한번 약방 주인을 쳐다보며 웃어 보였다. 여자가 계속 사납게 쳐다보자, 진실은 스마트폰을 꺼내 검색하는 척했다.

약방 주인은 한참을 노려보다가 진열대 카운터 뒤로 갔다. 진실은 곁눈질로 그녀의 행동을 쫓았다. 카운터에 있던 청록색 회전 의자 뒤 커튼을 걷자, 작은 방이 보였다. 약방 주인이 그 안으로 사라졌다.

후우!

여자가 사라지자, 진실은 가까스로 숨을 뱉어냈다. 이마가 식은땀으로 가득했다. 이마를 손등으로 쓱 문지르고, 비로소 약방을 휘이 둘러보았다.

소파 앞 진열대 카운터 속 차곡차곡 쌓아 올린 누런 봉지들이 낯익었다. 진열대 왼쪽에는 만든 지 오래된 투박한 나무 선반에, 붕대라든지, 반창고, 소독약 같은 것들이 정리되어 있었다.

진열대 오른쪽에 있는 진열장도 오래되어 보였다. 유리문 안에, 외국에서 들여온 듯한, 한자에, 아랍어인지 동남아계열 언어인지, 무언가 구불구불한 글씨들이 적힌 약병들이 정리되어 있었다. 칸마다 작은 금색 열쇠가 채워져 있었다.

진실은 오른쪽 진열장으로 다가가려고 일어섰다. 갑자기 하품이 나와 입을 크게 벌렸다. 하긴, 어젯밤에도 잠을 설치긴 했지, 하고 생각하며, 소파에 앉아 꾸벅꾸벅 졸기 시작했다. 어느새 그녀는 소파에 드러누워 코를 골았다.

진열대 뒤 커튼이 걷히고, 주둥이가 넓은 커다란 약병을 든 여자가 나왔다. 그녀는 코를 고는 진실을 차갑게 노려보았다.

"그래, 푹 자렴. 그렇게 경고를 보내면 알아들을 줄 알았더니, 기어이 이곳에 다시 왔구나."

여자는 음산하게 중얼거리며, 진열대 안에서 누런 봉투와, 그 옆에 정리된 얇고 하얀 종이를 꺼냈다. 그녀는 무심하게 제 자리에 앉아, 약병에서 노르스름한 가루를 한 티스푼씩 떠서 하얀 종이에 놓고 접기 시작했다.

***

한참 후, 진실은 번쩍 눈을 떴다. 제가 소파에 쪼그리고 누워 침까지 흘리며 자고 있었다는 것을 깨달았다. 벌떡 일어나 앉아 안경을 바로 쓰고, 머리도 정리하고, 입가도 슥 닦았다. 약방 안에 있는 할머니 두 명과 눈이 마주쳤다. 진실은 애써 미소로 민망함을 감추며 꾸벅 고개를 숙였다. 스마트폰을 꺼내 시간을 보았다.

'3시 55분? 헉, 미쳤어! 거의 다섯 시간을 잔 거야, 나? 아이, 씨, 진짜 돌았나 봐. 여기가 어디라고 잠이 들어, 나진실!'

진실은 제 머리를 부여잡고 속으로만 비명을 질렀다.

"많이 피곤했나 봐. 젊은 처자. 아주 코까지 골던데."

"그런데, 누구야? 주인장 동생인가?"

"아닙니다!"

"아니거든요!"

할머니들의 수군거림에 약방 주인과 진실이 동시에 대답했다.

"잉, 아니여?"

"우린 또, 너무 편안히 자길래, 동생인가 했지."

진실은 벌떡 일어나 제 옷차림을 정돈했다. 약방 주인이 그녀를 흘끗 째려보고, 백발의 구부정한 할머니에게 누런 약 봉투를 내밀었다. 진실이 얼른 다가가 그녀에게서 약 봉투를 빼앗고, 할머니에게 공손히 건넸다. 약방 주인이 이맛살을 찌푸리며 노골적으로 그녀를 노려봤다.

"여, 여기요, 할머니. 저는 여기 주인장 언니랑 좀 아는 사이에요. 할머니, 여기 단골이신가 봐요?"

"잉, 그려. 내가 소싯적부터 고생을 하도 많이 해 싸서, 온몸에 안 아픈 데가 없어. 병원에 가서 물리치료 받아도 그때뿐인디, 신기하게도 이 집 약 먹으면 그렇게 몸이 편안할 수가 없다니께."

"그러시구나. 할머니, 여기 약 얼마나 드셨어요?"

"잉, 한 3년 먹었지 아마? 여기, 이 동상이 알려줘서 먹기 시작했지."

"난 5년째 먹고 있어. 나도 돌아가신 우리 숙모가 알려줘서 여기 다니는 거야. 우리 숙모는 주인장 어머니 때부터 다녔다지 아마? 숙모는 3년 전에 위암 초기인데, 수술 잘못되어서 세상을 떠났지."

옆에 있던 허리가 정정한 할머니가 말했다. 진실은 다시 할머니들에게 웃어 보였다.

"그런데 할머니들, 너무 이 약에만 의지하시면 안 돼요. 나중에 정말 입원이라도 하실 때 병원 약 안 들어서 큰일 날 수도 있거든요."

"이봐요, 손님!"

약방 주인이 사납게 진실을 노려봤다. 진실은 움찔해서 눈길을 피했다. 할머니들이 눈을 꿈뻑거렸다.

"이잉, 그려. 주인장, 이거 얼마여?"

"예, 한 달 치 15만 원입니다."

"에이, 주인장 언니, 이 할머니들 단골이라면서요? 좀 깎아주세요."

진실이 약방 주인을 보며 눈을 찡긋했다. 약방 주인이 질색하며 차갑게 대답했다.

"이미 할인된 금액입니다. 열흘에 7만 원이면, 한 달은 21만 원이지만, 15만 원만 받는 거예요."

"아아, 그러시구나. 제가 몰랐어요. 죄송해요, 주인장 언니. 할머니, 15만 원이래요."

구부정한 할머니가 주섬주섬 바지 주머니에서 지폐를 꺼냈다. 진실이 야무지게 5만 원짜리 두 개와 만 원짜리 다섯 개를 할머니 손에서 가져왔다.

"봐요, 할머니. 이러면 15만 원 맞죠? 주인장 언니, 여기요."

약방 주인은 못마땅한 표정으로 그녀에게서 지폐를 낚아챘다. 진실은 어설프게 그녀에게 웃어 보였다.

"그런데, 주인장 언니, 포인트 적립은요? 이런 단골들껜, 열 번 사면 한 번 공짜, 아니면, 열흘분 추가, 뭐 이런 혜택 있어야 하지 않아요?"

주인장의 얼굴에 황당하다는 표정이 어렸다. 허리가 굽은 할머니가 눈을 끔뻑거렸다.

"잉, 허긴, 마트에서 만 원 넘게 사면 포인트인가 뭐시기 적립한다는구먼. 여도 그런 거 있어?"

"아, 아닙니다. 손님, 아시다시피 그 약이 이미 할인된 가격이라서요. 원래 포인트는 뭐가 남아야."

"에이, 주인장 언니 현금가로 판매하니까, 사실 많이 남지 않아요? 그런데 포인트도 적립 안 해줘요?"

약방 주인이 입술을 꽉 깨물고 웃었다.

"손님께서 제 사정을 뭘 안다고, 그런 말씀을 하시는지?"

"아유, 싸우지들 말어. 우덜은 그저 이런 좋은 약 사게 된 것만 해도 좋으니께. 포인트는 없어도 괜찮어."

허리가 굽은 할머니가 손사래를 쳤다. 약방 주인이 할머니에게 고개를 살짝 숙였다.

"죄송합니다, 손님. 포인트 문제는, 제가 차후에 생각해 보겠습니다."

진실은 목소리를 가다듬고, 허리가 정정한 할머니에게 웃어
보였다.

"할머니는 며칠 치 사셨어요?"

"응, 나도 한 달."

"그러시구나, 주인장 언니, 한 달 치, 아, 이거 맞죠? 할머니,
여기요."

진실은 진열대 위에 있던 약 봉투를 정정한 할머니에게 건넸
다. 할머니가 지갑에서 만 원짜리 지폐들을 꺼냈다.

"하나, 둘, 셋… 열넷. 아이고, 만 원이 모자라네. 잘 챙긴다
고 했는데."

"할머니, 카드 있으시네요. 저거, 카드로 결제하세요."

진실이 할머니 지갑 속 카드를 가리켰다. 약방 주인이 잽싸게
끼어들었다.

"카드 안 됩니다. 현금가로 15만 원입니다."

"어어, 그래? 성님, 나 만원만 꿔 줘요."

정정한 할머니가 구부정한 할머니에게 손을 내밀었다. 진실이
그 손을 공손히 붙잡고 싱긋 웃었다.

"아녜요, 할머니, 괜찮아요. 14만 원만 주세요. 그래도 되죠,
주인장 언니? 이 할머니 무려 5년 단골이신데, "

약방 주인이 뭐라 말할 새도 없이 진실이 할머니 손에서 14
만 원을 받아 그녀에게 건넸다. 약방 주인이 다시 입술을 꽉 깨
물고, 진실의 손에서 지폐를 낚아챘다.

"아유, 젊은 아가씨가 참 싹싹하네. 주인장, 그래도 되겠소?"

"예, 그럼요, 오랜 단골이신데. 제가 생각이 짧았습니다."

약방 주인이 미소를 지으며 고개를 숙였다. 그러나 진실을 바
라보는 그녀의 눈은 웃고 있지 않았다.

"아유, 고마워요, 주인장. 젊은 아가씨, 고마워."

정정한 할머니가 걸음을 옮기다 비틀거렸다. 진실은 얼른 할머니의 팔을 붙잡고 문가로 안내했다. 구부정한 할머니가 그녀의 뒤를 따랐다.

"조심해서 가세요. 할머니들, 그런데, 여기까지 뭐 타고 오셨어요? 집에 어떻게 가세요? 택시 불러 드려요?"

"잉, 걱정 말어, 이 할망구 아들이 태워 왔어. 저 짝에서 차 대고 기다리고 있구먼."

"아, 그러시구나. 조심해서 가세요. 건강하시고요."

"젊은 아가씨가 붙임성이 좋네. 복 받을 거야, 아가씨."

정정한 할머니가 웃으며 진실의 팔을 톡톡 쳤다. 진실은 씩 웃고 약방 주인을 한 번 쳐다보았다.

"아, 그리고."

진실은 두 할머니의 귀에 대고 뭐라 소곤거렸다. 할머니들의 눈이 커졌다.

"한 번 제 말대로 해 보세요. 아마 별문제 없으실 거예요."

할머니들이 고개를 끄덕이며, 밖으로 나갔다.

드르륵, 탁.

손까지 흔들어주고, 문을 닫은 진실이 돌아섰다.

"으앗! 깜짝이야!"

약방 주인이 어느샌가 진실 앞에 서서, 팔짱을 끼고 노려보고 있었다.

"내 손님들에게 뭐라고 말했죠?"

"어, 뭐 별말 안 했어요. 건강을 빈다고 말씀드렸어요."

약방 주인이 의심의 눈초리로 쳐다봤다. 진실은 슬쩍 눈을 돌렸다.

'너무 약에만 의지하시면 안 돼요. 매일 드시지 말고, 2, 3일에 한 번씩 드세요. 그래야 약도 오래 먹죠.'

이렇게 말한 걸 알면 약방 주인이 얼마나 분노할지 뻔하다.

진실은 제 턱에 손을 얹어 고민하는 척하며 다시 주인장을 쳐
다봤다.

"주인장 언니, 궁금한 게 있는데요. 저 손님들 주인장 언니
단골이라면서요? 그런데, 오 년이나 장기간 복용하면, 몸에 안
좋지 않아요? 제가 약에 대해 잘 모르긴 하지만요, 내성 생겨서
병원에서 수술받거나 할 때, 병원 약 안 들어서 위급해지면 어
째요? 그런 주의사항, 손님들에게 잘 안내하고 있어요?"

진짜, 예리한 인간이군. 오지랖도 많고, 하고 약방 주인이 중
얼거렸다.

"네? 뭐라고 하셨어요?"

"뭐라고 안 했습니다만."

"아닌데? 방금 뭐라 했는데?"

"이비인후과 가서 청력 검사받아보시던가. 어쨌든, 내 소파에
서 잠도 잘 잤으면, 그만 가 줬으면 좋겠는데."

진실이 뭐라 말하려는데, 드르륵, 문이 열리고 중년의 남자가
들어왔다. 약방 주인은 사나운 기세를 풀고 부드럽게 인사했다.

"어서 오세요. 손님. 며칠 치 드릴까요?"

"어, 일단 열흘 치만 주세요. 어머니가 다리 수술을 하셨는데,
병원 약이 안 들어 여기 약을 사러 왔어요."

남자의 얼굴이 수척했다. 진실이 끼어들었다.

"어머나, 손님. 병원 약 복용 중인데, 여기 약 같이 먹으면
안 좋지 않을까요? 일단 힘들어도, 병원 처방 약을 드시는 게
좋을 것 같은데요? 그렇죠, 주인장 언니?"

약방 주인은 다시 뭔가를 참는 표정으로 차분하게 대꾸했다.

"내 약은 천연성분이라, 병원 약과 같이 먹어도 됩니다."

"어머, 주인장 언니, 그런 게 어디 있어요? 어떤 의사도 한약
과 양약 두 가지를 같이 먹으라고는 안 해요. 주인장 언니, 솔
직히 말해봐요. 약 팔아먹으려고 아무 말이나 막 하는 거죠?"

"뭐라? 약을 팔아먹어? 어떻게, 감히!"

약방 주인의 분노에 찬 눈길에, 약방 안 공기가 싸늘해졌다. 진실은 찔끔하면서도 더 큰 소리로 말했다.

"그렇잖아요. 이렇게 성분도 증명되지 않은 약과 병원 처방약을 어떻게 같이 먹어요? 그러다 환자 병세가 더 나빠지면 책임질 거예요? 어디, 이 손님 앞에서 말해봐요."

"저기, 두 분."

남자 손님이 까칠한 제 얼굴을 쓸며, 한숨을 쉬었다.

"그만하시고, 일단 열흘 치 주세요. 나도 두 가지 약 같이 먹으면 안 될 것 같긴 한데, 어떡합니까, 어머니께서 너무 힘들어하시는데? 사실 날 며칠 안 남으신 어머니가 고통이라도 덜 느꼈으면 해서 약 사러 온 겁니다."

진실은 화들짝 놀라 눈이 동그래졌다.

"예? 아니, 방금 손님 어머니께서 무릎 수술을 받으셨다면서요? 그런데, 무릎 수술 받고 왜 사실 날이 얼마 안 남아요? 연세가 많이, 드셨나요?"

"아, 수술이 뭐가 잘못되었는지 날마다 기력이 달리시더니, 지금 거의 반송장이 되었어요. 그 와중에도 너무 고통스러워하셔서, 혹시나 하는 마음에 여기 약방에 온 겁니다. 오래도록 여기 약 드셨으니, 좀 진통에 효과가 있을까 해서요. 얼른 약 주세요."

약방 주인은 진열대 뒤로 가서 열흘 치 약 봉투를 꺼내 내밀었다.

"열흘 치, 7만 원입니다."

남자는 지갑을 꺼내 7만 원을 주고 나갔다. 진실은 멍하니 서 있었다.

"주인장 언니, 무릎 수술하고 죽을 수도 있어요? 말이 돼요? 나중에 울 엄마 무릎 수술시켜 드리려고 했는데."

순간 약방 주인의 입술이 살짝 호선을 그렸다. 약방 주인에게 고개를 돌린 진실이 눈을 깜빡거렸다. 약방 주인은 무표정한 표정으로 쏘아붙였다.

"그걸 내가 어떻게 알겠어요? 죽을 사람은 죽고, 살 사람은 살겠지. 시답잖은 소리 하지 말고, 이젠 그만 가 주시죠."

진실이 못 들은 척 소파로 가서 철푸덕 주저앉았다. 이내 팔짱을 끼고, 곰곰이 생각에 빠졌다. 약방 주인이 숨을 들이마셨다.

"후우, 이봐요. 약방 닫을 시간이에요."

"아이, 참. 주인장 언니, 잠깐만 있어 봐요. 지금 막 뭔가 생각나려고 하니까."

"글쎄, 뭘 생각하든, 나가서 하시라고. 안 일어나요?"

진실이 생각에 잠기자, 약방 주인이 한숨을 쉬며, 약 봉투 하나를 움켜쥐고 진실 앞으로 걸어 나왔다.

"자, 여기 약. 한 달 치 15만 원입니다."

"아, 예."

진실은 무심히 약 봉투로 손을 뻗었다. 주인이 봉투를 꽉 잡았다. 진실이 퍼뜩 놀라 주인을 쳐다봤다.

"돈부터 내시죠."

"아, 잠깐만요."

진실은 후다닥 어깨에 사선으로 걸고 있던 작은 가방을 열어 갈색 지갑을 꺼냈다.

"아, 제가 현금을 안 가져왔네요. 카드,는 안 된다고 했고, 그렇다면 계좌이체 해 드릴게요. 계좌 불러봐요. 당장 입금해 드릴 테니."

진실이 지갑을 가방에 담고, 스마트폰을 들어 은행 앱을 열었다. 주인이 신경질적으로 약 봉투를 진열대에 탁 올려놓았다.

"됐습니다. 손님께 팔기 싫어졌으니, 그냥 나가시죠."

"아니, 왜요? 계좌이체도 안 돼요? 뭐 이런 거지 같은 약방이 다 있어?"

"뭐, 거지?"

주인의 눈에서 불꽃이 튀었다. 진실도 마주 노려보았다.

"아까부터 생각해 봤는데, 주인장 언니, 진짜 수상하거든요? 아니, 이 약방이 너무 수상해. 전화번호도 없어. 신고 번호도 없어. 설마 언니 은행 계좌도 없는 거? 뭐, 신용불량자 그런 거예요? 카드도 안 받아. 탈세 의혹에. 약 성분 설명도 해주지 않고, 뭐지?"

그러다 퍼뜩 진실은 어떤 결론에 도달했다.

"가만, 그리고 보니, 주인장 언니 약 먹은 사람들 별로 결과도 안 좋은 거 아냐? 신영리 부녀회장님은 가벼운 교통사고 당했다던데, 갑자기 사경을 헤맨다고 하고, 아까 아저씨네 어머니도 무릎 수술 받고 오늘내일한다면서요?"

약방 주인이 험악하게 얼굴을 일그러뜨리며 노려보았다. 진실은 그 기세에 움찔하면서도 말을 이었다.

"아, 맞다. 아까 할머니 손님의 숙모 되시는 분도 위암 초기인데도 수술받고 돌아가셨댔어. 뭐지? 주인장 언니, 이 약에 뭔가 문제 있죠? 뭔가 병원 처방과 상극인 거야."

갑자기 문이 닫힌 약방 안에 싸한 바람이 불었다. 진실은 심상찮은 공기를 느끼고 흠칫했다. 번개가 번쩍이더니, 마른하늘에 천둥이 콰쾅 쳤다. 약방 주인의 머리에서 쌍 비녀가 툭 하고 떨어졌다. 허리께까지 오는 검은 머리카락이 공중으로 솟구치며 나풀거렸다. 주인장의 눈이 붉게 타올랐다. 그녀의 흩날리는 검은 머리카락이 서서히 하얗게 물들었다. 약방 주인의 팽팽한 얼굴도 주름이 자글자글한 백발노인이 되었다. 불현듯 며칠 동안 꾼 악몽이 떠올랐다.

'내가 지금 뭘 보고 있는 거지? 도대체…?'

진실이 눈을 동그랗게 뜨고 입을 헤 벌렸다. 머릿속에 소름 끼치는 소리가 울렸다.

"어리석은 인간아, 적당히 해야지. 제 명을 재촉하는구나. 더는 봐줄 수가 없단다."

진실은 양손으로 급히 귀를 막고, 뭔가 말하려고 했으나, 입이 떨어지지 않았다. 숨이 꽉 막히고, 머리가 깨질 듯이 아팠다. 그녀는 이내 제 머리를 부여잡고, 거칠게 숨을 내쉬었다. 알 수 없는 소름이 심장에서부터 스멀스멀 온몸으로 퍼지며, 몸이 와들와들 떨렸다. 약방 주인의 긴 머리카락이 뱀처럼 꿈틀꿈틀 그녀에게 뻗쳐왔다. 마치 악몽에서처럼.

'아, 안 돼! 절대로….'

진실은 비명도 못 지르고, 그대로 정신을 잃었다.

***

번뜩 눈을 뜨자, 사방이 어슴푸레했다. 어쩐 일인지, 그녀는 신영리 엄마 집 앞에 주차된 제 차 안에 앉아 있었다.

'내가 언제 여기 왔더라?'

스마트폰을 꺼내 시간을 확인했다. 7시 30분.

"응? 어제, 밤늦게까지 학원에서 수업하고, 자기 전에 맥주 몇 캔 마시고. 오늘은 쉬는 날이었는데, 나 뭐했지? 왜 여기에 있지? 설마, 아직도 숙취?"

핸들에 머리를 쿵쿵 박았으나, 정말 아무것도 생각나지 않았다. 빵하고 경적이 울렸다.

잠시 후에 대문이 열리고, 진실의 엄마가 나와 조수석 차창을 두드렸다. 핸들에 고개를 박고 있던 진실이 머리를 들고, 차창을 내렸다.

"진실아, 올 거면 전화하던가, 이 저녁에 웬일이니? 어머, 마니 약방 다녀왔어? 약 사왔구나?"

어? 하고 진실이 엄마를 쳐다봤다. 엄마가 손으로 조수석을 가리켰다. 조수석에 누런 약 봉투가 얌전히 놓여있었다. 순간 안개가 낀 것처럼 희뿌옜던 머릿속이 맑아지며, 마니 약방에서 약을 사는 장면이 떠올랐다.

진실은 고개를 끄덕였다. 저도 모르게 입에서 소리가 나왔다.

"아, 그렇지. 나, 낮에 마니약방 갔었구나. 엄마, 약방 주인장 언니, 대개 친절하시더라. 이거, 엄마 약."

무의식적으로 손을 뻗어 약 봉투를 집어 엄마에게 건네줬다. 엄마는 활짝 웃으며, 약 봉투를 받았다.

"약 갖다주려고 이 저녁에 온 거야? 기특하기도, 역시 우리 막내뿐이네. 어떻게, 저녁은 먹었어?"

"어, 그게."

꼬르륵, 갑자기 뱃속이 요동을 쳤다. 고개를 내젓자, 엄마가 혀를 찼다.

"밥도 안 먹고, 다닌 거야? 얼른 내려. 엄마가 김치찌개 끓여 뒀어."

엄마는 약 봉투를 소중하게 끌어안고, 뒤돌아 대문 안으로 들어갔다. 엄마의 뒷모습이 신나 보였다. 진실은 웃으며 차에서 내렸다.

"저렇게도 좋으실까? 진작에 사다 드릴 걸 그랬네."

그러다 잠시 멈칫했다. 갑자기 팔에 소름이 돋았다. 팔을 벅벅 문지르며 고개를 갸웃했다. 뭔가 머릿속에 떠오를 듯하다가, 이내 사라졌다. 고개를 흔들자, 머리가 맑아졌다.

진실은 픽 웃으며 대문 안으로 발걸음을 옮겼다.

3. 다시 프롤로그, 그리고 고양이

번쩍번쩍, 우르릉 쾅! 쏴아아!

번개에 '마니약방'의 간판 '니'에서 사라진 점 두 개가 나타나 '마녀약방'이 되었다. 번개 칠 때마다 간판 '마녀약방'이 존재감을 드러내며 빛났다.

통통한 검은 고양이 한 마리가 약방 출입문 앞에서 야옹거렸다. 앞발을 들어 노크하듯이 문을 두드리자, 회색 빛바랜 미닫이문이 드르륵 열렸다.

"웬일이냐? 안티나? 이 비를 다 맞고 오고. 안조아 옆에 붙어 있어야 하지 않니?"

"에휴, 그 기집애, 틀렸어. 마녀로 각성한 듯하면서도 뭔가, 허접해. 아주 돌아버리겠다니까? 그 기집애 옆에 있으면, 복장이 터져 제 명에 못 살 것 같다고!"

고양이가 펄쩍 문지방을 뛰어 약국 안으로 들어가며 말,했,다.

약방 여자는 픽 웃으며 고양이에게 수건을 던져줬다.

"걱정 마라. 네가 복장 터져 죽을 일은 절대 안 생기니까."

수건을 덮어쓴 고양이가 머리를 흔들며 야옹거렸다.

"말이 그렇다고, 말이! 그보다, 좀 말려주면 안 돼, 노라 언니? 나 보시다시피 고양이라 등에까지 발이 안 닿는다고."

"기대할 걸 기대해라. 그러게, 누가 그딴 어이없는 실수 저질러서 빛나 언니 열받게 하래?"

약방 주인 안노라가 한심하게 고양이를 쳐다보았다.

고양이 이름은 안티나, 마녀이자, 약방 주인 노라의 사촌 동생이다. 마녀 생애 큰 실수를 저질러 큰언니인 대마녀 안빛나의 저주로 고양이가 되어 버렸다. 벌써 22년째 고양이 몸을 못 벗어나고 있는 티나에게, 노라는 조금의 동정심도 없었다. 그야,

그들은 마녀니까, 마녀에게 동정심이 어울릴 리가 있는가?

안티나의 이야기는 지금 여기서 중요하지 않으니 넘어가자.

고양이 안티나는 제 몸을 흔들어 수건을 바닥에 내려놓고, 발랑 드러누워 이리저리 뒹굴며 제 몸을 수건에 비비며 투덜거렸다.

"진짜, 그때는 그 글자가 루시퍼로 보였다니까! 성 안젤라라니, 지금도 믿을 수가 없네."

"쯧쯧, 너 하는 거 보아하니, 평생 고양이 팔자로군."

"캬악! 무슨 말을 그따위로 해? 두고 봐. 올해 내로 안조아 각성시키고 말 테니."

"흐음, 안 봐도 네 훈련 방식 뻔하다. 빨리 인간 저주해서 죽이든지 다치게 하라고 다그치고 있지?"

"그, 그래야 빨리 각성하지."

"아서라. 걔는 벌써 22년간 인간들과 살았어. 인간들의 도덕관념에 익숙한 애한테, 네 말이 먹히겠어? 모든 일엔 때가 있는 법. 서서히, 쥐도 새도 모르게 말려 죽이는 법을 가르쳐야지."

"그렇게 잘 알면, 언니가 나 대신 그 기집애 훈련시켜 주던가. 아니다, 내가 그 기집애 여기 알바생으로 데려올까? 언니가 한번 가르쳐볼래?"

"흥, 누구 좋으라고? 걔는 네 책임이니, 네가 알아서 해."

"에휴, 말을 말자."

티나는 완전히 기가 죽어 다시 수건에 발라당 드러누워 구르기 시작했다. 노라는 입구가 넓은 병에 들어있는 노르스름한 가루를 네모난 하얀 종이에 한 스푼씩 넣고 곱게 접었다.

대충 제 털을 닦은 티나가 일어나 몸을 부르르 털고, 앞발을 쭈욱 뻗었다.

"언니 약방은 잘 돼? 여전히 멀리서도 손님이 오고 그래?"

"당연하지, 한번 내 약을 먹으면 절대 벗어날 수 없단다."

노라가 히죽 웃었다. 티나는 이제 가지런히 다리를 모으고 앉아, 혀로 제 털을 핥았다.

"다행이네, 뭐 이상한 손님은 없고?"

약 종이를 접던 노라의 손이 뚝 멈췄다. 서늘한 바람이 불었다. 때마침 번개가 번쩍이더니, 쾨쾅, 천둥이 쳤다. 티나는 심상찮은 기운을 느끼고 펄쩍 뛰어 그녀에게서 멀어졌다.

약방 주인 안노라가 숨을 가다듬고 음산하게 내뱉었다.

"최근에 웬 귀찮은 손님이 있었지."

****

"겁 없이 마녀에게 까불다니, 신선하더구나. 신기해서 어디까지 까부나 두고 봤는데, 그 인간이 선을 넘더구나. 거의 진실에 근접하게 알아냈지. 감히 내 성질을 건드리다니 참 오랜만에 보는 인간 유형이었다."

"언니 성질을 건드린 인간이라, 그래서, 언니, 그 인간 어떻게 했어? 설마, 죽였어?"

"그럴 리가! 그렇게 쉽게, 함부로 죽이면, 아무리 마녀라도 소멸을 피하기 어렵단다. 내가 아까 말하지 않았니? 서서히, 쥐도 새도 모르게 말려 죽여야 제대로 된 저주라고."

"그럼 어떻게 했는데?"

"기억을 왜곡시키고 돌려보냈지. 그 인간은 여기서 있었던 일을 제대로 기억하지 못할 거란다. 그저, 와서 약을 사 갔다는 기억만 있지. 그리고…."

약방 마녀 안노라가 히죽 웃었다.

"내가, 인간이 마흔 살이 되기 전엔 그들 인생에 관여하지 않았다만, 그 여자는 그냥 둬선 안 되지 않겠니? 그 인간은 서른도 되기 전에 갑자기 팔꿈치라든지, 손목이라든지, 무릎이 아플 거고, 어느 병원에 가도 효과를 못 볼 거다. 그러다 불현듯 내 약방이 생각나 조만간 이곳을 찾게 될 거란다. 내 약을 한 번 맛보면, 절대 끊을 수가 없어. 서서히 중독되어, 어떤 치료도 통하지 않아. 그러다 사고가 난다든지, 암이 생긴다든지, 관절염과는 전혀 다른 병명으로 죽을 테지. 그 인간이 언제 죽을지는 이제, 그 여자의 운에 맡겨야겠지? 운이 좋으면, 골골하며 오래 살 거고, 운 나쁘면, 몇 년, 아니면 1년 내로 죽을 거다. 인간들은 절대로 그 죽음의 원인이 내 약이라는 걸 모를 테고. 그렇게, 난 그들의 불운을 흡수하는 거지."

번쩍, 다시 번개가 치고, 그녀의 얼굴이 주름 가득한 노인이 되었다가 30대의 팽팽한 얼굴로 돌아왔다. 고양이 티나는 부르르 몸을 떨었다.

"그렇게 언니는 점점 젊어지고 말이지. 진짜, 언니 중에 노라 언니가 제일 무서워. 은근히 뒤끝이 길다니까? 언니한테 당하는 인간이 불쌍하단 생각이 다 들다니, 내가 고양이로 너무 오래 살았나?"

"어쩌겠니? 괜히 마녀를 알아차린 그 인간이 재수가 없는 거지. 넌 더 있다 갈 테냐?"

"응, 언니, 내 얘기도 들어주라. 오늘 안조아가 무슨 일을 했냐면…."

번쩍, 우르릉 쾅, 쏴아아!

잠시 후 약방의 불이 꺼졌다. '마녀약방'이라고 빛나던 간판도 빛을 잃었다.

세찬 빗속에서 모든 것이 암흑 속으로 모습을 감추었다.

조선 대머리

전영신

전영신

추계예술대학교 영상시나리오학과 재학 중
생애 최고의 시나리오를 쓰길 꿈꾸었으나
오랜 시간이 지났네요.
인생은 다시 없을 하나니까 다시 꿈꾸어 보려고요.

털이 빠져 머리가 온통 벗겨지니
나무 없는 민둥산을 닮았네
모자를 벗는다고 창피할까
빗질할 생각은 벌써 없어졌네
귀밑머리와 수염만 없다면
참으로 늙은 까까중 같으리

이제 다른 글귀는 생각나지 않는다. 내 머릿속엔 온통 머리카락에 대한 생각으로만 가득하다.

머리카락이 다시 난다는 것? 그것까지는 이제 바라지도 않는다. 아니, 완전히 포기한 건 아니지만 가망이 없다는 건 알고 있다. 한양의 유명하다는 의원이란 의원은 다 찾아가 봤다. 의원들이 말하는 고급 약재를 다 써봤지만, 머리카락은 다시 나지 않는다. 갓을 써서 가려도 민둥머리가 훤히 비춰 드러난다. 내년이면 25살이 되는데 장가 한번 못 가보고 이렇게 끝나는 것일까. 노총각으로 늙은 나를 구원해줄 자 어디 없을까? 이대로는 소희 낭자에게 고백 한 번 못 해본 채 다른 사내에게 뺏길 듯싶다.

머리카락이 없으면 이 좋은 집안이고, 능력이고 다 무슨 소용인가.

아! 문득 좋은 생각이 났다. 다시 벼루에 곱게 먹을 갈았다. 붓을 들고 넓게 눕혀 화선지 가까이 가져가 글 대신 색칠을 시작했다. 아까 쓴 글귀 위로 까맣게 하얀 화선지가 검정색으로 물 들었다.

얼마나 지났을까. 검은색으로 물든 화선지가 바짝 말랐다. 까매진 화선지를 곱게 접어 나의 민둥머리 위에 올렸다. 그리고 주변머리를 잡아당겨 올린 후 갓을 썼다. 그리고 하인 개똥이를 쳐다봤다. 그런데 개똥이가 눈을 피하는 게 아닌가.

"티나냐?"

"예….."

시선을 피하며 기어들어가는 목소리로 겨우 대답하는 개똥이를 보자니 스스로 한심했다. 갓을 집어 던지고, 내 민둥머리에 얹은 검은색 화선지를 박박 찢어 천장을 향해 던지며 절규했다.

'으아아아아아아아악!'

속으로 절규하며, 흩어진 찢긴 화선지를 치우는 개똥이를 보고 있으니 또 다시 좋은 생각이 났다. 바로 검은색 실뭉치이다. 실을 엮어서 머리에 올리면 제법 머리카락처럼 보이겠지?

제법 실을 잘 엮어 머리에 올리고 갓을 썼다. 개똥이의 반응을 보고 싶은데 자꾸 등을 돌린 채 물건을 정리하는 시늉을 한다. '어흠!' 괜한 기침 소리로 개똥이의 시선을 끌어보려고 했으나 넘어오지 않는다. 어쩔 수 없다.

"마지막이다. 어떠냐?"

개똥이가 힘없이 고개를 돌린다. 그리고는 고개를 절레절레 젓는다. 또? 이번에도 아니야? 다시 갓을 벗어 집어 던진 후 검정 실뭉치를 집어던지려고 하는데 개똥이가 급하게 소리를 지르며 막는다.

"그런데요!"

"그런데?"

"어디서 들었는데 제주라는 섬에 가면 머리카락을 다시 나게 하는 명의가 있다던데요."

"어디서?"

"시장 상인들끼리 하는 얘기 들었습니다요."

"그걸 왜 지금 말해?"

"말하면 뭐 합니까? 어차피 너무 멀어서 갈 수도 없는걸요."

"제주? 거기 가려면 얼마나 걸릴까?"

"매일 안 쉬고 걸어도 30일은 걸릴 거 같습니다."

"왕복 두 달이라! 소희 낭자 생일까지 반년은 남았으니 충분하지 않겠느냐?"

"진짜 가시게요?"

"걱정 마라. 혼자 다녀올 테니."

그렇게 희망을 품고 짐을 꾸렸다. 한양에서 전라남도 해남군을 지나 남해 바다를 통과했다. 그렇게 한 달 만에 제주의 땅을 밟았다. 제주목관아로 들어가자 한양에서는 볼 수 없었던 귤나무가 숲을 이루고 있었다.

더 이상 걷기는 무리였다. 그렇지만 마지막 힘을 다해서 발을 질질 끌고 귤나무 앞까지 갔다. 갈증도 해소하고, 오래 걸어 온 보상심리로 귤 하나를 똑 따서 껍질을 벗겨 입에 넣었다. 귤의 과즙이 입안 전체에 확 퍼졌다.

"드디어 제주다! 제주야!"

오랜만에 마음껏 크게 소리 질렀다. 그리고는 기억이 없다. 그대로 기절을 했던 것이다.

다시 눈을 뜬 건 주변의 시끌벅적한 소리 때문이었다. 완전히 정신을 차려 눈을 뜨고 몸을 일으켰을 때 내 눈앞에는 화가 잔뜩 난 영화감독 승일이 보였다.

"단역 주제에 NG를 몇 번을 내는 거야! 나가! 나가! 나가라고!"

나를 향해 화가 나 소리 지르는 이유가 뭔지도 모르겠고, 그 당시만 해도 당연히 무슨 상황인지 이해가 가지 않아서 어리버리 하고 있었다. 그때 조감독 영민이 내 손을 끌고 빠르게 끌고 나왔다. 목관아 밖으로 나오자 난생 처음보는 건물과 자동차들에 눈이 휘둥그레졌다. 천천히 걸으며 두리번거리는데 영민이 나를 빠르게 끌고 갔다. 그리고 하얀 봉투를 내밀었다.

"뭡니까?"

"출연료요."

"출연료?"

"오늘 일당이고, 내일부턴 안 나오셔도 됩니다."

무슨 말을 하는지 통 이해가 되지 않아 물끄러미 상민을 쳐다보았다. 그런데 영민의 머리가 유독 덥수룩한 게 아닌가.

한발, 한발 영민 앞으로 다가섰다. 영민은 한발, 한발 뒷걸음질 치며 뒤로 물러났다.

"왜…왜 이러십니까?"

더 이상 망설일 필요가 없었다. 빨리 이곳 제주에서 탈모 명의를 찾아야 한다. 영민의 머리카락을 손가락으로 가리켰다. 영민이 다시 한발 뒷걸음질 치기에 그의 어깨를 두 손으로 꾹 잡았다.

"어떻게 한 겁니까?"

"뭐가요?"

"그 머리카락!"

"머리카락?"

"어디로 가면 명의를 만날 수 있습니까?"

고개를 끄덕이며 그의 입이 떨어지길 기다렸다. 그런데 영민은 한숨을 쉬며 머리를 긁적이고 있었다. 입을 여는 값으로 얼마를 쥐여줘야 하는 건가? 물어보려는 찰나 영민이 입을 연다.

"어떻게 아셨어요?"

"뭘 말입니까?"

"저 모발 이식수술 한 거요."

"모발 이식수술?"

"그렇게 티나요? 꽤 자연스럽다고 생각했는데?"

"어쨌든 그 명의 좀 일러주시오."

한발, 한발 뒷걸음질 치던 영민이 이번에는 한발, 한발 다시 내게로 다가왔다. 그리고 귀에다 작게 속삭였다.

"알려드릴 테니 저 수술했다고 어디 가서 소문내지 마세요."

"알았으니 빨리 명의를 만날 수 있는 곳을 일러주기나 하시오."

그렇게 영민이 알려준 의원을 찾아갔다. 영민이 알려준 의원은 높은 빌딩의 한 층을 전부 차지하고 있었다. 그때까지만 해도 한양과 사뭇 다른 사람들의 옷차림, 말투, 풍경 모두 제주의 특징인 줄로만 알았다. 하지만 의원의 입구에서 뭔가 잘못되었음을 감지했다.

"머리카락을 나게 하는 명의를 만나러 왔소."

의원의 입구에는 조수들이 여럿 있었는데 서로가 서로를 쳐다보면서 키득거리며 웃기 시작했다. 명의를 만나러 왔다는 말이 웃긴 이야기는 아닌데 왜 저렇게 웃을까? 광대가 된 기분이었다. 그러다 한 명이 겨우 웃음을 멈추며 종이와 펜을 내밀었다.

"처음이세요? 성함이랑 주민등록번호요."

"네? 주민 뭐요?"

"주민등록번호요."

"그게 뭡니까?"

"주민등록번호 없으세요? 외국 국적이신가요?"

약간의 어려움을 겪었지만, 상담실이라는 곳으로 안내를 받게 되었다. 자신을 상담실장이라고 소개하며 한 사람이 들어왔다. 내 머리끝부터 발끝까지 훑어보더니 자꾸만 고개를 돌렸다.

지금 생각해보니 당황한 표정을 애써 숨기려고 노력했던 거 같다.

"고객님, 의상이 멋지시네요. 갓까지 쓰시고요."

"갓을 써도 훤히 비쳐서 민둥머리가 잘 숨겨지지가 않소."

"그러시겠지요. 요즘 가발 기술이 많이 좋아졌다고 해도 여전히 티가 많이 나고요."

"그럼 어떻게 해야 하오?"

"모발이식 수술만큼 확실한 방법은 없답니다."

"그걸 빨리해주시오. 한시가 급하오."

"네. 그럼 금액부터 안내해 드릴게요."

돈 얘기가 나오면서 이곳이 100년이 훌쩍 넘은 뒤의 미래의 제주라는 것도 알았다. 아까 영민이 내민 봉투에 들어있던 지폐가 바로 오만 원이라고 불리는 돈이라는 것도 알게 되었다.

상담해 준 조수는 오만 원권 지폐가 200장 정도는 있어야 머리카락이 나는 수술을 할 수 있다고 했다. 한양에서 돈을 넉넉히 챙겨왔지만, 이 시대에서는 사용할 수 없었다. 드디어 머리카락이 생길 거라고 큰 기대를 품었던 마음이 한순간에 내동댕이쳐졌다.

하지만 이제는 머리카락이 문제가 아니었다. 어떻게 해야 내가 살던 곳으로 돌아갈 수 있을까? 부모님, 개똥이, 소희 낭자도 없는 이곳에서 내가 뭘 할 수 있단 말인가.

처음으로 내 인생에서 머리카락보다 중요한 게 생겼다. 바로 원래의 일상으로 돌아가는 것. 머리카락만 다시 생긴다면 무슨 짓이라도 할 수 있다고 생각했다. 지금은 무슨 짓을 해서라도 가족들이 있는 한양으로 돌아갈 수만 있다면 좋겠다. 두 달을 걸어온 이곳 제주이지만 네 달, 반년, 아니 일 년을 다시 걸어서라도 원래대로 돌아갈 수 있다면 얼마든지 할 수 있었다. 아는 사람도, 잘 곳도 없는 이곳의 거리를 거닐며 어떻게 해야 할지 생각하고, 또 생각했다.

도저히 방법이 떠오르지 않아 다시 제주목관아로 가기로 했다. 머리카락이 풍성했던 그 남자…영민이라고 했던가? 일단 그를 찾아서 도움을 청해야겠다. 제주목관아로 갔더니 아까 나에게 나가라고 소리를 지르던 승일 감독 옆에 딱 붙어있는 영민이 보였다.

가까이 다가가 영민의 손을 잡았다. 영민이 소스라치게 놀라는 표정이었으나 소리하나 내지 않고 손가락을 입에 갖다 댄다. 나도 영민을 따라 입에 손을 갖다 대고, 영민의 시선이 향하는 곳을 바라보았다. 그곳에는 몇몇 사람들이 나와 같은 익숙한 옷을 입고 움직이고 있었다. 고요함을 깨고 승일 감독이 '컷' 하고 외치자 그제야 영민이 나를 본다.

"도움이 필요합니다."

"도움이요?"

"집으로 돌아가고 싶어요."

"가시면 되잖아요."

"가는 방법을 모릅니다."

"집이 어디신데요?"

"한양입니다."

그때 영민이 날 쳐다보는 어이없다는 눈빛을 잊을 수 없다. 더 간절한 눈빛으로 영민을 바라보자 따라오라고 손짓하여 일단 따라갔다.

커피차에서 앞에서 두 잔을 달라고 한다. 안쪽에서 금세 서양의 검고 쓴맛이 나는 양탕국…아니 커피를 한가득 담은 그릇을 내밀었다. 양탕국은 매우 비싸서 나조차도 자주 마실 수 없던 건데 이곳에서는 아주 저렴하고, 흔한 것이었다.

"일단 이거 드시고 정신 좀 차리세요."

일단 귀한 것을 받았다는 생각에 양탕국을 벌컥벌컥 들이켰다.

"저는 100년 전 과거 한양에서 온 이규보라고 합니다."

"그게 규보 씨가 맡았던 배역이잖아요."

"네?"

"규보 씨가 맡았던 배역이 조선 시대에서 미래로 온 선비 역이었잖아요."

"제가요?"

"네. 규보 씨가 잘려서 다시 오디션을 봐야겠지만요."

"혹시 그거 하면 돈을 더 주나요?"

보아하니 영민이 내가 집으로 돌아가는 데는 전혀 도움이 될 거 같지 않았다. 당장 집으로 돌아가고 싶지만 그게 힘들다면 두 번째로 중요한 머리카락이라도 심어야 했다. 그러면서 집으로 돌아갈 방법을 찾아봐야지. 그러기 위해서는 돈이 필요하다. 영민이 건네줬던 오만원권 지폐를 다시 꺼내 들었다.

"알려주신 명의를 만나고 왔습니다. 그런데 이걸 200장 가지고 오래요."

"모발 이식수술은 보통 그 정도 해요."

"그런데 제가 돈이 없어요. 아까 그 선비역? 그거 해 보겠습니다."

"그건 곤란할 거 같은데요. 이미 감독님이 자르라고 하셔서요."

"제발 기회를 주시오. 돈을 벌어야 하오."

"다른 방법으로 버셔야죠."

"다른 방법은 뭐가 있소? 소희 낭자 생일에 고백할 생각인데 이 머리로는 힘들 거 같소."

영민이 딱하다는 눈빛으로 내 민둥머리를 쳐다본다. 최대한 불쌍하게 보여야 했다. 괜히 울상을 지으며 내 민둥머리를 만져 보았다. 영민이 크게 한숨을 푹 쉬었다.

"대머리는 결혼하기 쉽지 않지요."

"이대로 노총각으로 늙고 싶진 않습니다."

"규보 씨는 아직 노총각까지는 아니죠."

"저 25살이나 되었습니다. 혼인 시기가 한참 지났어요."

"네? 25살밖에 안 되었어요? 35살은 되는 줄 알았는데!"

"35살이요?"

"이런! 미안합니다. 확실히 머리가 없으니 나이가 들어 보이네요."

"그럼 좀 도와주세요."

"사실 저도 머리 심고 나서 결혼에 성공했지요. 남 일 같지 않네요."

"그럼 도와주시는 거죠?"

"일단 감독님께 말씀은 드려보겠습니다."

영민이 승일에게 다가가 무언가 말을 한다. 멀찌감치에서 그 모습을 바라보고 있어서 무슨 얘기를 나누는지는 잘 들리지 않았다. 승일이 고개를 흔들어보지만, 영민이 계속 날 보며 계속 얘기했다. 드디어 승일이 고개를 끄덕거렸다. 아마도 날 허락한다는 뜻으로 보였다.

영민이 내게 와 대본이라는 것을 건네주었다. 대본 속 규보 역은 나와 이름뿐만 아니라 조선시대에서 갑자기 미래로 온 선비라는 점까지 너무도 닮아있었다. 이 대본에 나온 대로 연기를 해야 한다고 했는데 특별히 연기라는 것이 필요해 보이지 않았다. 나 그대로의 모습이었기 때문이다.

촬영이 끝나자 나와 같은 단역배우라는 지섭이 친한 척을 하며 다가왔다. 같이 옷을 갈아입자며 탈의실이라는 곳에 갔다. 지섭이 한복을 벗으며 반팔 티셔츠와 반바지로 갈아입는 모습을 물끄러미 보고 있었다. 저 옷 정말 간편해 보인다. 한 번쯤 입어보고 싶은 옷이다.
"옷 안 갈아 입어요?"
"갈아입을 옷이 없소."
"촬영도 다 끝났는데 조선시대 선비에 완전히 빙의하셨네요?"
그러던 지섭이 사물함 하나의 문을 벌컥 열었다. 그곳엔 지섭이 갈아입은 옷과 흡사한 옷이 들어가 있었다. 지섭이 그 옷들을 꺼내어 내게 내밀었다.
"장난 그만치고 빨리 갈아입으세요. 여기 문 닫기 전에 나가야죠."
"고맙소."
신기하게도 내 몸에 꼭 맞았다. 그리고 사물함 안쪽에 '이규보'라고 내 이름이 쓰여있는 것을 보게 되었다. 의아한 일이 한두 가지가 아니라 계속해서 생각에 잠기게 되었다. 근데 지섭은 나랑 친하게 지내고 싶은지 자꾸만 말을 걸었다.
"집은 어디세요?"
"한양이오."
"아! 저도 서울인데…우리 촬영 끝나도 종종 만나요."
"흠."

"그럼 촬영 기간에 숙소에서 계시겠네요? 같이 가요."

　탈의실 밖으로 나가자 우리 같은 단역 배우들을 한꺼번에 커다란 버스에 태우고 어디론가 이동했다. 펜션이라고 부르는 곳에 내려 우르르르 들어갔다. 당장 묵을 곳이 없어서 걱정이었는데 다행이었다. 다만 내 방이 따로 있지가 않았다. 여러 단역 배우들이 한 공간에서 뒹굴어 대고 있었다.

　"한 방에서 모두 함께 잔단 말이오?"

　"불편해도 어쩔 수 없죠. 뭐. 숙소 제공해주는 게 어디예요."

　"도무지 믿겨지지가 않군요."

　"우리도 빨리 떠서 주연 배우들처럼 5성급 호텔 스위트룸에서 자도록 해봐요."

　무슨 말인지는 잘 몰랐지만 5성급 호텔 스위트룸을 마음 깊이 새기며 단역 배우들이 한방에서 잠이 들었다. 생각보다는 나쁘지 않은 경험이었다. 잠들기 전까지 도란도란 이야기를 나누는 것도 재미있었다.

　다음날 아침이 되자 커다란 버스에 다들 올라 촬영장소로 갔다. 이번에는 제주목관아가 아니라 신산공원이라는 곳이었다. 신산공원에 있는 누각에서 벼루에 곱게 먹을 갈아 화선지에 가족에 대한 그리움을 시조로 쓰는 장면이었다. 너무나 내 모습 같아서 마음을 다해 연기했다. 승일이 단 한 번 만에 큰 소리로 '오케이'를 외쳤다.

　"조선시대 선비가 그대로 재현된 거 같네. 진작 그렇게 하지."

　"제가 조선시대에서 왔으니까요."

　"그런 마음가짐 좋다, 좋아."

　"제가 이 사람이라면 시조만 쓰는 것으로 끝나지 않을 거 같아요."

"그럼 뭘 더 할 거 같지?"

"적극적으로 돌아갈 방법을 찾지 않을까요?"

"괜찮은데? 분량 좀 늘어도 괜찮지?"

승일이 대본을 들고 펜으로 뭔가를 잔뜩 썼다. 내가 이야기한 부분을 적극적으로 반영하여 극 중 규보가 과거로 돌아갈 방법을 찾는 장면이 그려졌다. 지금의 내가 가장 필요한 부분이기도 했다. 그래서 그런지 온 힘을 다해 연기했다.

승일은 계속해서 더 필요한 감정과 행동을 나와 함께 체크했다. 그랬더니 대사 한두 줄이 고작이던 내 분량이 엄청나게 늘어났다. 그리고 나중에서야 지섭의 곱지 않은 시선을 느끼게 되었다. 이 세계에서 단역 배우에게 대사 한 줄이란 목숨만큼 소중하다는 걸 나중에 알았다.

다음 촬영을 위해 쉬고 있는데 영민이 헐레벌떡 뛰어오며 승일 앞에서 어찌할 줄 몰라한다.

"촬영 소품이 없어졌어요!"

"소품이 없어지다니 그게 무슨 말이야?"

"아까까지만 해도 있는 거 확인했는데 귀신이 곡할 노릇이네요."

"정신을 어디에다 두고 다니는 거야? 그거 없으면 오늘 촬영 쫑이야!"

"죄송합니다. 더 찾아보겠습니다."

그런데 이제껏 한마디도 하지 않고 한쪽 구석에 있던 지섭이 앞으로 나섰다.

"저 촬영 소품 어디 있는지 알 거 같습니다."

"뭐? 어디?"

"제가 어디 있는지 알려드리면 저도 대사 더 줍니까?"

"알겠다. 오늘 촬영만 할 수 있으면 그깟 대사하나 못 줄까?"

"약속한 겁니다."

"알겠으니 이제 어디 있는지 말이나 해봐."

"아까 소품실에서 이규보 배우가 나오는 걸 봤습니다."

나? 소품실이 어디인지도 모르는데 내가 거기서 나오다니 무슨 뚱딴지같은 소리인가. 하지만 지섭의 제보로 모두가 있는 곳에서 내 짐보따리를 펼쳐야 했다.

"어! 여기 있네요!"

소품담당자가 내 짐보따리에서 나온 물건 중 하나를 가리켰다. 극 중 규보가 과거에서 가지고 온 물건으로 쓸 촬영 소품이라고 했다. 하지만 실제로 내가 가지고 온 물건이 아닌 처음 보는 것이었다. 그런데 왜 내 짐보따리에 들어가 있지?

"제 말이 맞죠? 이 사람 가방에 있을 거라는 거요."

지섭이 의기양양하게 나섰다. 모두 날 곱지 않은 시선으로 쳐다보았다. 내가 그런 것이 아니라는 말은 통하지 않았다. 도적질을 했다는 이유로 또 촬영장에서 쫓겨날 위기였다.

하지만 CCTV라는 것으로 확인한 결과 지섭이 소품실에서 촬영 소품을 들고나오는 게 찍혀있었다고 했다. 지섭의 나에 대한 모함은 허무하게 끝이 나버렸다. 덕분에 도적질했다는 오명을 풀 수 있어서 다행이었다. 나의 촬영 분량이 갑작스럽게 늘어나자 질투심에 눈이 멀어 그랬다며 지섭이 사과를 해왔다.

도적질 소동이 끝나고, 짐을 꾸리고 있었다. 소품 담당자가 내 물건에 눈을 떼지 못하는 거 같더니만 결국은 마음을 먹은 듯 다가왔다.

"규보씨, 골동품 수집가예요?"

"그게 무슨 말이오?"

"사실 촬영 소품은 짝퉁인데요. 규보 씨 다른 물건들 다 진품 같은데요?"

"진품이요?"

"이것도 다 옛날 돈이죠? 진짜 깨끗하네요."

"그래 봐야 지금은 쓰지도 못하는데요."

"돈으로 사용은 못 하지만 팔면 꽤 받을 거 같네요. 상태도 좋고요."

"어디에 팔 수 있습니까?"

"골동품 가게요. 정확히는 모르겠지만 몇천만 원은 충분히 나오겠는데요."

즉시 짐을 챙겨 소품담당자의 먼 친척이 하고 있다는 제주의 골동품가게를 소개받아 방문했다. 조선에서 가지고 온 화폐와 물건들을 팔겠다고 하자 꼼꼼히 살피며 감정을 시작했다.

우리 집에 돌아가기만 하면 발에 채이는 게 저런 건데 여기선 굉장히 귀하게 여겨지고 있었다. 골동품가게 주인은 내 짐보따리를 다 털어보며 감탄사를 연발했다. 그러더니 꽤 많은 돈을 받게 되었다. 이곳에서 집 한 채는 충분히 살 수 있는 돈이라고 했다.

머리카락을 나게 하는 명의가 있는 병원을 찾았다. 모발이식 수술을 받은 두피가 매우 따끔거렸다. 머리를 칭칭 감은 붕대에는 핏자국도 덕지덕지 붙어있어 보기에 좋지 않았다. 하지만 5성급 호텔 스위트룸 호텔의 침대는 매우 폭신했다.

머리카락이 좀 더 자라면 한양으로 다시 떠날 생각이다. 이번엔 걸어가지 않는다. 제주공항에서 김포행 비행기에 오를 생각이다.

작가의 말

여름날의 수다. 저희의 책 제목을 떠올리면 봄에서 여름 사이 정열적으로 타올랐던 우리들의 모습들이 떠오릅니다.

첫 번째 책을 내고 다시 글을 쓸 엄두가 나지 않았을 때 귀한 글동지 선생님들을 만나 여기까지 올 수 있었습니다. 제 글에 관심을 가져주시고 아낌없이 피드백해 주신 저희 제라진 모임 선생님들, 차영민 선생님 정말 감사합니다.

사실 저를 응원해 주고 지지해 준 소중한 분들이 없었다면 저의 성장은 처음 책을 낸 것에서 멈춰있었을지도 모르겠습니다. 연락할 때마다 글은 잘 쓰고 있는지 감시해 준 가영아. 고맙다. 책을 읽고 인증까지 해준 송희야 고맙다. 글은 잘 쓰고 있는지 묻고 응원해 준 우리 가족, 정말 사랑합니다.

고마운 분들에게 책으로 감사 인사를 전하는 것도 책을 쓰는 묘미 중 하나라는 걸 알게 되었습니다. 앞으로 계속 감사 인사를 꾸준히 올렸으면 좋겠습니다.

23년 여름. 다시 가열차게 달려가기 위해 노력하겠습니다.

유주현

작품소개 : -폐지 줍는 할머니-

할머니가 많이 생각났습니다. 많은 손주들 탓에 나의 두 아이 이름도 헷갈려 하던 할머니. 언젠가는 나도 할머니가 될 것입니다.

세월을 그대로 몸에 기억하며, 나였다가, 누군가의 딸 이였다가 아들과 딸의 엄마가 되고, 다시 손자, 손녀들의 할머니가 되는, 그 시간 동안 나라는 존재는 희미해져 갑니다. 그러나 잊지 말아야 할 것은 할머니의 희생과 헌신이 지금의 나를, 그리고 나 역시 또 다른 이름의 할머니가 된다는 것입니다.

오늘도 투박한 손으로, 굽은 허리로, 앙상한 다리로, 느리지만 최선을 다해 사는 할머니들에게 감사의 위로를 보냅니다.

작품소개 : -세 자매-

엄마의 위로는 딸이 버리듯 놓고 간 은총이였습니다. 손녀였지만 자식보다 더 큰 의미이고, 위로였을 겁니다.
어른의 의미를 생각해 봅니다. 어른이란 조금 먼저 나서 책임을 배우는 것 같습니다. 그리고 그 책임을 실행하며 사는 삶, 그것이 어른의 삶 아닐까요?

은총이를 쓸어내리며 불쌍하다며 안쓰러워하는 할머니를, 이제 어른이 된 은총이가 안아줍니다. 우리의 위로는 어디서 오는 걸까요? 삶의 모든 순간 위로가 곳곳에 있습니다. 지나 봐야 아는 것이지요, 오늘도 사람에게 위로받기를 바라며.

소소

〈폭설전야〉

　제주도는 폭설이 내리면 모든 비행편, 배편이 결항되어 고립
되죠. 지난 설 명절 때, 급히 서울 갈 일이 생겼어요. 간신히
구한 막비행기를 타러 가는 공항 셔틀 버스 안에서 커플 중에
남자가 나타나지 않아 여자가 당황해하는 사건을 목격했어요.
궁금하더군요. 도대체 무슨 사정이길래, 남자는 비행기를 타지
않은 걸까요? 바로 다음 날 폭설이 예보되어서 최소 이틀은 비
행기가 뜨지 못할 텐데요.

　거기서 발생한 상상력으로 이 소설이 탄생했습니다.

　그 커플이 부부인지, 애인인지, 단순 친구 관계인지는 모르겠
지만, 명절 후 부부간의 갈등으로 그런 일이 생겼다고 상상해
봤습니다.^^

〈마니약방〉

　'마녀약방'이 사람들의 눈에는 '마니약방'으로 보인다는 설정
이구요. 약방을 운영하는 진짜 마녀와, 마녀 기준으로 진상 인
간 손님의 한판 승부 이야기입니다. 결국 마녀가 이기네요.

　이것도 어느 지역에 묻지도 따지지도 않고 한 가지 관절염
약만을 파는 약방이 있다는 친구 말에 힌트를 얻고 상상해 봤
습니다.

　사실 이 이야기는 제가 구성한 열 명의 마녀 이야기 중의 연
작입니다. 상상력은 무한대라고, 우연히 마녀 이야기를 구상하
다, 열 명의 마녀 이름을 지었고, 그중에서 이것이 두 번째 이
야기입니다. 첫 번째 이야기는 이 글에 나오는 고양이 안티나와

안조아의 이야기인데, 우리 제라진 작가들의 첫 소설집에 나와요. 나머지 여덟 마녀 이야기도 구상 중인데, 글쎄요. 언제 어떻게 써질지는 아직 모르겠네요. 언젠가 선보이게 될 거라고 생각합니다.

　조금은 모자란 이야기지만, 읽어주셔서 감사합니다.
도움을 주신 분, 함께 노력한 우리 작가 쌤들, 모두 감사합니다^^

은희

유난히 더웠다는 올해 여름,
더운 줄도 모르고 지나갔습니다.
더위를 더 열정적인 여름을 보냈거든요.

여름 동안 단편영화 한편을 찍었습니다.
시나리오를 쓰고, 연출하며 하나의 작품이
완성되어가는 과정은 매우 특별했어요.

안녕, 나의 사랑의 주인공은 영화감독,
조선 대머리의 주인공은 영화배우죠.
직접 영화를 찍으며 소설의 주인공의 마음을
더 이해할 수 있었습니다.

저도 제 인생 영화의 주인공으로서
여름처럼 열정적인 이야기를 전해드릴게요.

전영신

5월의 끝자락, 딸을 낳았습니다. 포대기에 쌓인 작은 생명이 제 가슴에 안겼습니다. 힘차게 울던 울음이 점점 차분해지더니 가만히 저의 심장 소리를 듣습니다. 순간 울컥했습니다. 왜 그랬는지 모르겠습니다. 깊은 어둠 아래 가라앉아 있는 제 슬픔을 위로하는 것 같았습니다. 이 작은 생명이, 저를 어루만지고 토닥였습니다.

지금도 이 아이는 저의 생명수입니다. 뿌리에 단비를 내리고, 싱싱한 새싹을 돋게 합니다.

그렇게 엄마가 되고 나서야 우리 엄마가 보입니다. 딸이면서 엄마인 그녀의 삶이 잔잔한 파도처럼 자꾸 저의 발을 적십니다. 조용히 다문 입에서 끝없는 이야기가 쏟아집니다.

제 딸을 가슴에 안고 느꼈던 울컥함이 그 때문이었을까요. 불현듯 애잔한 엄마 모습이 떠올라 먹먹한 하루를 보내게 될 거라는 암시였을지 모릅니다.

엄마에게 쓴 편지를 유리병에 담아 잔잔한 파도에 띄워 보냅니다.

심은혜

단순한 호기심으로 이 글은 시작되었습니다.
그날 내 어깨를 스치고 바닥으로 떨어져
머리에 피를 흘리며 웃던 그 아이는 어떻게 되었을까?

호기심만으로 이야기를 끌고 가기에는
부족한 게 너무 많다는 걸 깨달았습니다.
저는 늘 이렇게 몸으로 부딪혀야 알게 되는 사람입니다.
하지만 그렇기 때문에 또 무모한 도전이 가능할 거라는
긍정적인 생각을 해봅니다.

이 이야기를 끝까지 포기하지 않게 도와주고 함께해 주신
제라진스토리 은희 작가님, 은혜 작가님, 소소 작가님,
영신 작가님, 주현 작가님.
그리고 차영민 작가님께 감사드립니다.

마지막으로 사랑하는 나의 가족에게 감사드립니다.

유승주